Door de nauwe poort

Karen Armstrong

DOOR DE NAUWE POORT

Mijn zeven kloosterjaren – een
spirituele ontdekkingsreis

ANTHOS

ISBN 90 414 0166 0
© 1981 by Karen Armstrong
Inleiding © 1994 by Karen Armstrong
Voor de Nederlandse uitgave:
© 1997 by Uitgeverij Anthos, Amsterdam
Oorspronkelijke titel: *Through the Narrow Gate. A Memoir of Spiritual Discovery*
Oorspronkelijke uitgever: St. Martin's Press
Vertaling: Bert van Rijswijk
Omslagontwerp: Robert Nix
Illustratie omslag: Piet Mondriaan, *Amaryllis*, 1910, aquarel, privé-collectie
Foto auteur: Jerry Bauer

Verspreiding voor België:
Uitgeverij Westland nv, Schoten

Dankbetuiging

Ik wil al mijn vrienden bedanken die de afgelopen jaren naar me hebben geluisterd, me hebben geholpen me aan de wereld aan te passen en me hebben aangemoedigd dit boek te schrijven.

Ter nagedachtenis aan mijn vader

Gaat binnen door de nauwe poort; want de weg die naar de ondergang voert is wijd en breed, en velen zijn er die hem inslaan. Hoe nauw toch is de poort en hoe smal de weg die voert naar het leven, en weinigen zijn er die hem vinden.

Matteüs 7:13-14

Inhoud

Inleiding tot deze uitgave

Het schrijven van *Door de nauwe poort* bleek voor mij een keerpunt dat op zijn manier in elk opzicht even belangrijk was als de beslissende jaren die ik in het klooster heb doorgebracht. Ik besloot het boek te schrijven omdat ik me pijnlijk bewust werd van het feit dat een periode van mijn leven die van grote betekenis voor me was geweest, elke betekenis dreigde te verliezen. Vaak smeekten vrienden me hun over het klooster te vertellen en gewoonlijk voldeed ik daaraan door een grappig verhaal te vertellen (er waren inderdaad een heleboel leuke dingen gebeurd) omdat dat gemakkelijker was dan het ophalen van herinneringen die ik nog steeds niet had verwerkt en die nog te pijnlijk waren. Nu weet ik dat ik moest ontdekken wat deze jaren voor mij hadden betekend voordat mijn herinneringen geheel vervaagd zouden zijn.

In feite gaf het schrijven van dit boek me het verleden terug op een manier waarvan ik niet had kunnen dromen. Sindsdien heb ik verscheidene andere boeken geschreven, maar geen ervan bleek zo moeilijk te schrijven als *Door de nauwe poort*, met misschien als uitzondering het vervolg ervan, *Het begin van de wereld*. Een autobiografie is waarschijnlijk een van de meest uitdagende genres omdat het onmogelijk wordt inzichten in je vroegere ik die je nederig maken op een afstand te houden. Het mag dan ook geen verbazing wekken dat ik probeerde zulke inzichten te vermijden. June Hall, die ik op een dineetje had ontmoet en die erin had toegestemd als mijn literair agent op te treden, overtuigde mij er echter van dit niet te doen.

De eerste versie van het boek was erg somber en vol boosheid.

June las die en zei dat die waarschijnlijk wel gepubliceerd kon worden, maar dat ze zich wel afvroeg waarom ik, als het allemaal zo erg was geweest, zeven jaar lang in het klooster was gebleven. Ik zag in dat ze gelijk had en begon helemaal opnieuw. Tijdens het schrijven aan de twee volgende versies begon ik me de dingen te herinneren waardoor ik zo lang in het klooster was gebleven – dingen die ik niet langer in mijn herinnering wilde terugroepen omdat ik dacht dat ik ze voor altijd kwijt was: de schoonheid van de liturgie, het geloof dat elk moment van de dag eeuwigheidswaarde had, en vooral het gevoel dat ik op een spirituele zoektocht was naar een zin die mijn hele leven betekenis zou geven. Ik was het klooster ingegaan op zoek naar Iets dat op een kwellende manier onvindbaar bleef, maar waarvan ik, met het optimisme van de jeugd, zeker was het op een dag te zullen vinden.

Ik heb dat Iets (dat wij, bij gebrek aan een beter woord, 'God' noemen) nooit in het klooster kunnen vinden. Op de volgende bladzijden wordt uitgelegd waarom niet. De jaren zestig waren een moeilijke tijd voor religieuze orden, en ik was waarschijnlijk een van de laatsten die op het kloosterleven werden voorbereid voordat de hervormingen van het Tweede Vaticaans Concilie werden ingevoerd. In die tijd was het jammer genoeg de gewoonte geworden jonge nonnen op te leiden door hen pijnlijk bewust te maken van hun falen. Dit betekende dat de meesten van ons in een dermate acute angst leefden en zozeer met zichzelf bezig waren dat positieve religieuze ervaringen welhaast onmogelijk werden. Tenslotte stellen de grote meesters van het spirituele leven dat het ware geestelijke pad ons van het ik wegleidt. Schuldgevoelens en een overdreven concentratie op eigen gedragingen kunnen de worstelende ziel alleen maar verder vastklinken aan het ik waarboven zij uit probeert te reiken. Er waren zeker wel nonnen in mijn orde die zich scherp bewust waren van dit probleem, maar als tiener miste ik de rijpheid of het zelfvertrouwen om de specifieke obsessies van mijn meerderen in een ruimer perspectief te zien.

Toen ik *Door de nauwe poort* schreef, dacht ik dat religie voor mij had afgedaan. Maar vanwege dit boek werd ik uitgenodigd om voor de Engelse televisiezender Channel 4 een documentaire serie over Paulus te schrijven en te presenteren. Het grootste deel van de film werd opgenomen in Jeruzalem, en daar werd ik voor het eerst in mijn leven geconfronteerd met jodendom en islam, de twee zusterreligies van het christendom, als levende, integrale religies. Teneinde de vroege kerk, die grotendeels was gesticht door Paulus, te kunnen begrijpen moest ik ook

kennis vergaren over de joodse wereld die aan de wieg ervan had gestaan. Voor het eerst werd het jodendom meer voor me dan louter een
voorspel op het christendom, en ik raakte steeds meer gefascineerd door
de verschillen en overeenkomsten tussen de twee religies. Evenzo leidde
het intensieve leven en werken in het Midden-Oosten ertoe dat ik meer
te weten wilde komen over de islam en ik was regelmatig verrukt over
wat ik ontdekte. Toen de televisieserie klaar was, volgden nieuwe op-
drachten die alle te maken hadden met religie. Ik begon de scholing in
de bijbel, de theologie en de kerkgeschiedenis die ik in het klooster had
gekregen aan te vullen, maar ditmaal zag ik haar in samenhang met de
ontwikkeling van andere religies.

Aanvankelijk bleef mijn nieuwe betrokkenheid bij religie op een intellectueel kritisch niveau. Naarmate ik echter dieper in de geschiedenis
van de religie doordrong, begon ik hetzelfde gevoel van op zoek zijn te
ervaren dat me ertoe had aangezet non te worden en me zoveel jaren in
het klooster had gehouden. Het was natuurlijk anders omdat ik in die
tijd ouder en – naar ik mag hopen – wijzer was geworden. Hoewel ik
me vooral aangetrokken voelde tot de studie van de mystiek, wist ik uit
mijn pogingen tot meditatie in het klooster dat ik het niet in me had een
mystica te zijn. Toch ervaar ik af en toe, wanneer ik aan het studeren ben
– thuis aan mijn werktafel of in de British Library – Iets dat alleen kan
worden omschreven als een vaag besef van transcendentie. Het duurt
slechts een fractie van een seconde, maar het geeft me het gevoel dat het
leven in dat korte moment een ultieme betekenis en waarde heeft, ongeveer zoals een prachtig stuk muziek of een inspirerend gedicht dat ook
doet. Het is even onmogelijk dat Iets te benoemen als het onmogelijk is
uit te leggen waarom kunst of muziek dit vermogen heeft; het kan niet
worden samengevat in een boodschap of leer. Maar ik weet nu voldoende om me te realiseren dat ik me bezighoud met wat de benedictijner-
monniken *lectio divina* (de studie van het goddelijke) noemen, die, zoals
zij zeggen, af en toe een onvermijdelijk kort moment van *oratio* (gebed)
oplevert.

Toen ik het met enkele collega's van het Leo Baeck College in
Londen, waar ik enkele lessen geef, over deze ervaring had, moesten ze
lachen en zeiden ze me dat ik erg joods in mijn spiritualiteit was. Ze legden me uit dat joden zich niet zozeer in de bijbel en de talmoed verdiepen om informatie te krijgen, maar dat zij de tekst als een plaats zien

waar zij de onnoembare God kunnen ontmoeten. Soms spreken zij de Hebreeuwse woorden graag hardop uit om de woorden te smaken die God zelf gebruikte toen Hij zich aan Mozes openbaarde op de berg Sinaï, totdat zij ze 'uit het hoofd' kennen. Soms zwaaien ze voor- en achterwaarts bij het oplezen van de Hebreeuwse woorden, alsof ze door de adem van de Heilige Geest heen en weer worden geblazen, buigzaam voor God als een vlam in de wind. En soms krijgen ze daarbij een besef van iets groters dat achter en in de woorden ligt maar uitleg behoeft.

Ik maak geen aanspraak op een grote visionaire ervaring, maar af en toe voel ook ik me tijdens de theologische studie opgeheven door een moment van verwondering en verrukking dat vluchtig de hele bladzijde verlicht. Dit type spiritualiteit past, lijkt het, beter bij me dan het soort meditatie dat we in het klooster leerden. Iedereen komt op zijn of haar eigen manier tot het goddelijke, en het is alsof mijn schrijf- en omroepcarrière, waarin ik vaak kritisch tegenover bepaalde aspecten van het geloof stond, me heeft teruggevoerd tot een vorm van religieus leven.

Dit alles kon ik nog niet weten toen ik in 1980 *Door de nauwe poort* aan het schrijven was. Ik ben niet langer praktizerend rooms-katholiek, maar ik noem mezelf gewoonlijk enigszins meesmuilend een 'freelance monotheïst'. Op het ogenblik voed ik me zowel met andere tradities als met het westerse christendom. Ik heb gehoord dat het vergelijkend onderzoek van religies iemand er zelden toe brengt tot een ander geloof over te gaan, maar hem een andere kijk geeft op zijn eigen religie. Ik kan nu begrijpen wat de spiritualiteit die ik in het klooster leerde, beoogde en, misschien, waar het misging – voor mij althans. Het komt me ook voor dat de zoektocht die begon op de veertiende september 1962, de dag dat ik intrad in het klooster, is doorgegaan en me op onvermoede wegen heeft gevoerd.

Karen Armstrong
Londen, augustus 1994

I

Het begin
1962

Het was 14 september 1962, de belangrijkste dag van mijn leven. Op het perron stonden mijn ouders en mijn zusje Lindsey op een kluitje bij elkaar, een treurig groepje mensen dat een laatste blik op mij wierp. Ik was zeventien jaar en stond op het punt hen voorgoed te verlaten om non te worden. Het Kings Cross Station was een verwarrende heksenketel van schreeuwende kruiers, fluitjes en mensen die duwend en trekkend door het gedrang probeerden te komen. De stem van een onzichtbare omroeper kondigde de aankomst en het vertrek van de treinen aan. Een oude dame liep keurig gekleed en leunend op haar wandelstok het perron af terwijl ze, verloren in haar eigen wereld, strak naar de grond staarde. Een groepje soldaten aan het verste eind van het perron dronk bier uit flesjes en lachte vrolijk. Een jong meisje en een jongen stonden met hun armen onhandig om elkaar heen geslagen intens te fluisteren.

Ik bekeek dit allemaal vanuit de ramen van de trein, maar het leek wel of ik door een dik glazen scherm naar een film keek. Zo was het deze hele dag al geweest. Ik was die morgen vroeg opgestaan, had mijn koffer gepakt en mijn bed afgehaald, de lakens en dekens netjes opgevouwen, en intussen was ik me er op een bepaalde manier van bewust geweest dat dit de laatste keer was. Ik keek voor het laatst in het huis rond, in het besef dat ik iets zou moeten voelen, maar eigenlijk voelde ik heel weinig. Alleen een soort verdoofdheid, een geblokkeerd zijn voor alle indrukken. Maar ergens binnen in mij was ik me bewust van een hevige opwinding. Eindelijk was de grote dag aangebroken. Het laatste jaar had ik er naar uitgezien met een intensiteit die ik nog nooit eerder had ervaren, doodsbang dat er iets zou gebeuren waardoor het niet door zou gaan. Ik stond aan het begin van een groot geestelijk avontuur.

De vorige avond had ik Monica Baldwins boek *I Leap Over the Wall* gelezen, dat ze had geschreven na 28 jaar in een klooster te hebben verbleven. Het was een legendarisch boek voor mij. De zusters op school hadden er altijd op een uiterst misprijzende toon, vermengd met een soort medelijden, over gesproken. 'Arme vrouw,' hadden ze steeds weer gezegd, 'het is zo duidelijk dat ze geen echte roeping had'. Me enigszins schuldig voelend had ik een exemplaar ervan gekocht en er in de eenzaamheid van mijn slaapkamer van gesmuld. Het was mijn laatste kans het boek te lezen en ik voelde me gedreven door een heimelijke nieuwsgierigheid. Ik zeg nu wel dat ik het las, maar ik sloeg grote stukken over. Ik was niet geïnteresseerd in de wederwaardigheden van de schrijfster nadat ze het klooster had verlaten. Ik wilde te weten komen wat er innerlijk met haar gebeurd was. Haar verslag over de strengheid van het kloosterleven bracht me geen moment van mijn besluit af. Ik wist dat het moeilijk zou zijn; dat wilde ik zelfs. Anders zou het niet de moeite waard zijn. Wat betekenden een paar moeilijkheden als die konden leiden tot een inniger relatie met God? Ik had medelijden met Monica Baldwin. Hoe had ze het kunnen opgeven?

Ik keek ongeduldig op mijn horloge en voelde me opeens schuldig. Voor mij was het een fantastische dag, maar mijn familie had hier niet voor gekozen. Voor hen was het geen glorieus begin maar een einde. Ik keek naar hen, terwijl ik me er op een verdrietige manier van bewust was dat zij zelfs nu nog tegen beter weten in hoopten dat ik op het laatste moment van gedachten zou veranderen. Niets daarvan lieten zij echter blijken. Mijn ouders, lang en elegant, glimlachten moedig naar me. Mijn zuster keek naar me met ontzag en afgrijzen tegelijk, nauwelijks in staat te geloven dat dit echt ging gebeuren. Ze was drie jaar jonger dan ik, maar al veel groter en ze zag er veel ouder uit. Op haar veertiende gaf ze al blijk van een natuurlijk evenwicht en zelfvertrouwen die haar bestempelden tot het soort kind dat mijn ouders verdienden. Net als zij hield ze van het leven; niets zou haar ertoe hebben kunnen brengen in een klooster te treden. Ik was heel anders. Voor mij was de wereld een plek die me geen vrede kon geven. Zij gaf me niet genoeg. Alleen God in zijn oneindige volmaaktheid kon me volledig maken. 'U hebt ons gemaakt voor Uzelf, o God, en ons hart is onrustig totdat het rust vindt in U.' Deze woorden van Augustinus uit zijn *Belijdenissen* drukten precies uit wat ik voelde. Ik had ze een paar maanden eerder voor het eerst gelezen tijdens de schoolretraite. Als de evangeliën waar waren, dacht ik, kon ik logischerwijs niets anders doen dan non worden en mijn hele leven aan God geven. Hij alleen kon mij vrede geven.

Mijn ouders konden mijn beslissing niet echt begrijpen. Ze waren katholiek en wisten dat het hun plicht was me te laten gaan als ik een religieuze roeping had. Maar voor hen betekende het geloof niet meer dan dat ze op zondag naar de mis gingen en er een fatsoenlijke moraal op nahielden. Ze waren verbijsterd over mijn besluit alle goede dingen van het leven te verzaken en een ascetisme te omhelzen dat zij alleen konden zien als een verarming. Toch hadden ze besloten mij toe te staan in het klooster te treden en waren vastbesloten zich er doorheen te slaan met alle kracht die ze konden opbrengen.

Ze hadden me die morgen van ons huis in Birmingham met de auto naar het Kings Cross Station gebracht. Het waren onze laatste ogenblikken samen, als gezin, en het besef daarvan vulde de auto. Op de snelweg buiten suisde het verkeer met harteloze snelheid voorbij. Ik keek uit het raam en telde automatisch de bruggen. Lindsey zat aan het andere eind van de achterbank in elkaar gedoken, zo ver mogelijk bij mij vandaan, en staarde met gemaakte onverschilligheid het raam uit. Ze was diep geschokt geweest toen mijn moeder het haar had verteld. 'Wat afschuwelijk! Ik kan me niets verschrikkelijkers voorstellen,' en ze had geweigerd er met mij over te praten. Het lijkt wel alsof ze denkt dat een religieuze roeping besmettelijk is, dacht ik bitter, terwijl ik naar haar afgewende hoofd keek.

'Alles goed daar achterin?' vroeg mijn vader met geforceerde hartelijkheid. Een overbodige vraag maar een poging tot communicatie.

'Ja hoor,' riepen we gehoorzaam in koor. Het was stil op het geronk van de motor na.

'Papa,' zei Lindsey gemelijk, 'zou het raampje misschien dicht mogen? Mijn haar waait alle kanten op, net als dat van Karen.'

'Ach meisjes,' klonk de stem van mijn vader vermoeid. 'Wat voor de donder doet het ertoe hoe je haar zit? Er kijkt op dit moment toch niemand naar jullie. Waarom moet elk verdomd haartje de hele verdomde tijd op zijn plaats zitten! Niemand ziet het. Jullie zijn zo fanatiek met je haar – ja, jullie allebei! Maar jullie denken er nooit aan je schoenen te poetsen. De mensen letten veel meer op vuile schoenen dan op haar dat niet netjes zit, geloof mij maar!'

17

We lieten hem uitrazen. Dit was een van zijn stokpaardjes. Hij was ook niet echt boos over onze haren of onze schoenen. Hij was boos op God omdat Hij hem zijn dochter afnam.

'Wil iemand soms een snoepje?' vroeg mijn moeder sussend. Het was vreemd om haar als vredestichtster te horen optreden. Meestal was zij het die boos werd en dan probeerde mijn vader haar te kalmeren.

Het was gek, bedacht ik, dat ze het nodig vond ons vol te stoppen met glucose wanneer we op reis waren. Iedereen zou denken dat we de Mount Everest aan het beklimmen waren. Maar zo was het altijd geweest, een van die rare eigenaardigheden van ons gezinsleven waarvan ik na vandaag voor altijd uitgesloten zou zijn. Het was het soort dingen dat je waarschijnlijk helemaal zou vergeten. Over een paar jaar zou mijn leven thuis misschien wel heel onwerkelijk lijken.

'We hebben waarschijnlijk nog net tijd om ergens op een mooi plekje te lunchen,' zei mijn moeder vrolijk.

We slaakten een kreet van blijdschap. Ik voelde me op het moment te opgewonden om ook maar iets te eten, maar dit was nog zo'n ritueel dat vervuld moest worden. Het Laatste Maal.

'Ik vraag me af hoe het eten daar is,' peinsde mijn vader somber. Het dáár sprak hij uit op een toon alsof het over een gevangenis ging.

'Ik denk dat het verschrikkelijk is,' zei Lindsey brommerig. Ze voelde zich nog steeds gekrenkt over de aanval van mijn vader op haar haar. 'Het zal wel een soort schooleten zijn. Weet je nog, Karen, dat de nonnen altijd zeiden dat ze hetzelfde aten als wij. Stel je eens voor, elke dag van je leven schooleten!'

Somberheid vulde de auto. Dit was niet het ogenblik, wist ik, om te beginnen over zoiets onbelangrijks als lichamelijk gerief. Op het moment was het onderwerp eten van geen enkel belang. Het zou net zijn alsof de petemoei uit het sprookje er bij Assepoester op aandrong eerst een heerlijke maaltijd te nuttigen voordat ze naar het bal ging, als afleiding van waar het echt om ging.

'Ik weet zeker dat jullie soms best lekker te eten zullen krijgen, Karen,' zei mijn moeder. 'Ik vraag me af of jullie kalkoen en plumpudding krijgen met de kerst.'

'Mmm,' mompelde ik vaagjes. Hoe kon ik dat nou weten? Deze willekeurige speculaties dienden om de nadruk te leggen op de barrière die ons al zo gauw van elkaar zou scheiden.

'Ik vraag me af wat je morgen om deze tijd aan het doen bent,' vervolgde mijn moeder om het gesprek koste wat kost op gang te houden. Stilte was veel te moeilijk om aan te kunnen.

'Uitpakken, denk ik,' suggereerde ik bereidwillig. 'Ons installeren. En dan gaan we misschien over tot de gewone dingen van de dag. Moeder Katherine zei dat postulanten bijna de hele dag huishoudelijk werk moeten verrichten.'

'Goeie God,' zei mijn vader, 'weten ze wel hoe slecht jij in het huishouden bent? Je laat altijd dingen vallen en meestal zie je het vuil niet. Ik verwacht niet dat ze je daar lang zullen houden,' voegde hij er schertsend aan toe, maar hij klonk opeens hoopvol. Ergens wist ik dat hij heel boos zou zijn als de orde me als een onwelkom pakketje naar huis zou sturen. 'Maar je zult dat waarschijnlijk niet lang volhouden,' besloot hij nogal vrolijk.

'Ach, zo erg zal het nou ook wel niet zijn,' zei ik flink.

Er volgde opnieuw een stilte. Dan schraapte mijn vader zijn keel. Ik wist dat hij probeerde iets belangrijks te zeggen.

'Luister eens!' zei hij onhandig terwijl hij op een gevaarlijke manier een vrachtauto inhaalde. 'Je moet je er niet voor schamen als je besluit dat dat leven niets voor je is. Heb alsjeblieft niet het gevoel dat iemand minder over je zal denken als je het niet volhoudt. Het zal best moeilijk zijn toe te geven dat je een vergissing hebt gemaakt. Maar ook dan zullen we nog steeds trots op je zijn, zelfs nog trotser, als je begrijpt wat ik bedoel.'

Lindsey rilde alsof er iets onbetamelijks was gezegd. De lucht was vervuld van verlegenheid. In ons gezin werden dat soort dingen nooit tegen elkaar gezegd. Gereserveerdheid was het kenmerk van onze gesprekken. We konden eindeloos over gewone dingen praten, maar lieten de belangrijke dingen ongezegd. Ik besefte dat mijn vader iets heel belangrijks had gezegd, maar we wisten geen van allen hoe we ermee om moesten gaan. Hoe verdrietig is dit alles toch, bedacht ik. Ieder van ons is afgesloten van de anderen. En nu zullen we nooit meer leren om dieper op de dingen in te gaan. Zoveel dingen zullen ongezegd blijven omdat het nu te laat is.

'Snoepje?' vroeg mijn moeder weer, en deze keer namen we er allemaal een en vulden de leegte met het openmaken van de papiertjes en het zuigen op de snoepjes.

En nu waren we hier op Kings Cross, nog steeds vrolijk glimlachend, en vastbeslotener dan ooit om deze laatste momenten niet te verstoren door verdriet en tranen. Nog vijf minuten. We hoorden eigenlijk iets gedenkwaardigs te zeggen, iets waardoor deze gelegenheid in de herinnering zou blijven als een belangrijke. Nu was het mijn beurt iets te zeggen; mijn vader had het zijne gezegd. Hij keek het station rond en probeerde zijn aandacht te richten op iets dat hem kon afleiden van wat er werkelijk gebeurde. Wat kon ik in hemelsnaam tegen hen zeggen? 'Dank jullie voor alles wat jullie voor me hebben gedaan'? 'Ik zal aan jullie denken en altijd voor jullie bidden'? Dat klonk zo vlot en betekenisloos, hoewel ik het allemaal echt meende.

'Kijk eens aan,' zei mijn moeder vrolijk, 'de trein vertrekt precies op tijd. Dat is fantastisch. Dan hebben we nog net tijd om het theater te halen.'

Ze zouden met z'n drieën naar een middagvoorstelling van *The Sound of Music* gaan. We hadden de plaat ervan thuis. Die aardige nonnen, die ontembare postulante, de wijze moeder-overste. In veel opzichten een goede keuze. Het kloosterleven teruggebracht tot de beperkte ruimte van een toneel – knus, bevattelijk en pijnloos. Ik wist dat het in werkelijkheid heel anders zou zijn. De nonnen bij wie ik me over een paar uur zou voegen, zouden er waarschijnlijk om glimlachen. Natuurlijk zou het anders zijn.

'Heb je je koffer?' vroeg mijn vader hulpeloos, hoewel hij hem eigenhandig in het rek had gelegd.

'Ja!' zei ik hartelijk. 'Daar ligt hij.'

'Hoe laat kom je aan?' vroeg Lindsey met uiterste krachtsinspanning. Ze keek me nog steeds aan alsof ze zich midden in een nachtmerrie bevond.

'Kwart over vier,' antwoordde ik, hoewel we het hierover al honderden keren hadden gehad. 'Ik ben er op tijd voor de thee.'

We keken elkaar aan.

Stilte.

'Ik hoop dat jullie ervan genieten,' zei ik, 'van *The Sound of Music*, bedoel ik. Jullie moeten me er alles over vertellen als je me schrijft.'

O God, kon ik niets beters bedenken dan dat?

We staarden elkaar vijf lange seconden aan. De glimlach op onze gezichten verbleekte niet. Was dit allemaal maar voorbij, dacht ik verdrietig. Het zal zoveel makkelijker voor hen zijn zodra ik echt weg ben. Ik kon het verdriet dat ik hun aandeed niet verdragen. Op een bepaalde manier was hun vrolijke dapperheid een verwijt. Als ze zich maar een beetje minder onberispelijk hadden gedragen zodat ik een beetje boos op hen had kunnen zijn. Maar ik wist dat dat niet eerlijk tegenover hen was. De volgende paar minuten leken wel een eeuwigheid te duren, vol verdriet en tweeslachtige gevoelens. Daarna, zodra de trein in een lange bocht uit het zicht zou verdwijnen, zou er niets meer tussen mij en het klooster staan. Deze laatste ellendige momenten waren de eerste stap op een weg vol opofferingen die mij naar God en naar een geluk en een levenszin zou voeren die te groot waren om te bevatten. Intussen staarden mijn familie en ik elkaar nog steeds glimlachend aan.

Dan een fluittoon, dichtslaande portieren en gesis van stoom.

'Dag!' schreeuwde ik, en op dat verschrikkelijke moment werd ik overvallen door een gevoel van paniek en verdriet dat me haast lichamelijk pijn deed. Ik ging nu echt. Ik had het gedaan. Ik leunde gevaarlijk ver voorover uit het raam, kuste snel mijn vader en moeder en maakte zo van het laatste ogenblik gebruik, voordat ik uit hun omhelzing werd losgerukt door de trein die me langzaam maar onvermijdelijk van hen wegvoerde.

'Dag lieveling,' zei mijn verbijsterde vader. 'Ik weet dat je heel gelukkig zult worden.'

Ik bleef maar wuiven, intussen tegen mijn tranen vechtend die achter mijn ogen brandden toen de trein vertrok. Voor het eerst in mijn leven leek mijn familie plotseling heel klein en ver weg. Ten slotte waren ze verdwenen.

Hoe was het allemaal begonnen?

Ik werd geboren in Worcestershire, zo'n vijfentwintig kilometer buiten Birmingham in een klein plaatsje dat Wildmoor heette. Het dorpje is nu opgegaan in de nieuwbouw. Toen bestond het alleen uit een rij huisjes voor ambachtslieden op nog geen kilometer van een kleine winkel die werkelijk van alles verkocht, van petroleum en kaarsen tot en met kruidenierswaren en zoetigheden. Op de derde punt van de driehoek stonden twee halfvrijstaande voorstadshuizen. In een van deze huizen woonden wij. Het was een klein huis, maar er was een grote tuin bij die grensde aan een omgeploegd veld. Dat fungeerde ook als plaatselijke beerput, want op maandagen stroomde via enorme pijpen door onze tuin het plaatselijke rioolwater erheen, waardoor er in huis een onderdrukte maar akelige stank hing. Het was allemaal nogal primitief. Er was beneden geen stromend water en het keukenwater moest met een kleine pomp in de tuin worden opgepompt. Elke dag reed mijn vader naar Birmingham voor zijn werk en liet mijn moeder alleen in het huis achter.

Mijn moeder wilde een gelukkig thuis voor me creëren en me afschermen van alles wat haar eigen jeugd had verstoord. Ze was de tweede dochter van een apotheker en was opgegroeid in Essex. Haar oudere zuster Mary was het lievelingetje van mijn grootmoeder, maar niet van mijn grootvader. Ik kan me hem nauwelijks herinneren als iemand die aan de een de voorkeur gaf boven de ander. Het was een rustige, erudiete man. Hij had eigenlijk naar de universiteit moeten gaan, maar daar was geen geld voor en hij stelde zich tevreden met het lezen van vooral geschiedenisboeken. In de loop van de jaren werd het lezen voor hem een manier om zich terug te trekken. De arme man had daar dan ook alle reden voor. Mijn grootmoeder, een kleine, levendige vrouw, was hem voortdurend ontrouw en had vanaf de tijd dat mijn moeder nog heel klein was een hele reeks minnaars, van wie er een de vader van haar beste schoolvriendinnetje was. Toen Eileen, mijn moeder, twaalf jaar was, kreeg oma tuberculose – haar hele familie stierf daaraan – en ging ze naar Zwitserland om twee jaar te kuren in een sanatorium. Mijn moeder ging met haar mee, waardoor haar schoolopleiding schipbreuk leed. Ze leerde skiën en Zwitserduits spreken, maar niet veel meer. Bij ons thuis hangt een karikatuur die in die tijd werd gemaakt door een van de andere patiënten. Daarop staan mijn grootmoeder, die hartstochtelijk wordt omhelsd door een man zonder gezicht, en mijn moeder, die naar hen staat te kijken, een alledaags klein meisje met een veel te kort rokje aan zodat haar broekje eronder uitsteekt. Het opschrift luidt: 'Ik denk dat ik nu maar beter naar bed kan gaan, mammie.'

Na hun terugkomst in Engeland begon de processie van mannen opnieuw, maar er kwam nog iets verschrikkelijks bij: mijn grootmoeder begon te drinken. Tegen de tijd dat de oorlog uitbrak was ze een alcoholica die op de wc stiekem pure gin dronk. Vanaf haar vijftiende had mijn moeder het gevoel dat de hele bende op haar schouders rustte. Maar ze wist eraan te ontkomen. Mijn oudoom, bij wie ze soms logeerde, placht de plaatselijke pub te frequenteren en na sluitingstijd al zijn drinkebroers mee naar huis te nemen. Daar ging het drinken door en mijn moeder speelde piano voor hen wanneer ze er met vakantie was. Op een van deze avonden ontmoette ze mijn vader, die verliefd op haar werd toen ze piano speelde en een liedje zong met de titel 'Kleine bruine vogel'. Een haast Victoriaans toneeltje.

Mijn vader was echter geen onvolwassen romanticus. In die tijd was hij al over de veertig, twintig jaar ouder dan mijn moeder en een beetje een losbol. Op vierjarige leeftijd was hij uit Ierland gekomen, waar zijn vader een dorpspostkantoortje had gedreven en een gerespecteerd lid van de kleine gemeenschap was geweest. In Engeland was hij echter aan lager wal geraakt. Mijn vader groeide op in een slop in Birmingham, ging op zijn veertiende van school en begon, na verschillende baantjes te hebben gehad, uiteindelijk een redelijk succesvolle handel in oude metalen.

Toen mijn moeder hem ontmoette, waren er al veel vrouwen in zijn leven geweest, maar zij wist hem vast te houden. Hij was een knappe man. Erg lang – meer dan een meter negentig – met brede schouders en een krachtige bouw, een vastberaden gezicht en een grote bos zwart golvend haar. Hij hield van mooie kleren en zag er altijd zwierig uit.

De verbintenis ontmoette zware tegenstand. Mijn grootmoeder wilde er niets mee te maken hebben, en haar familie liet mijn moeder op strenge toon weten dat ze haar verantwoordelijkheden verwaarloosde en gek was met een man te trouwen die zo veel ouder was dan zij en die – zoveel was hun wel duidelijk – nooit veel zou bereiken. Maar mijn moeder bleef op haar stuk staan. Mijn vader betaalde de bruiloft die door maar weinig gasten van mijn moeders kant werd bijgewoond. Het was het begin van een heel geslaagd huwelijk.

Mijn vader hield van het leven en de dingen van de wereld. Hij was dol op goed eten en drinken. Hij tekende en schilderde graag en ontwikkelde een grote belangstelling voor antiek, dat hij met de ijver van een echte liefhebber bijeenzocht. Zo vulde hij zijn huis met prachtige dingen. Hij hield van reizen en nam mijn moeder heel vaak mee naar de Franse Rivièra. Hij verdiende heel goed aan de oude metalen, maar hij spaarde geen stuiver. Wat hij aan geld had, gaf hij onbekommerd en royaal weer uit. Toen vrienden hem op een keer vroegen hoe ter wereld hij zich kon veroorloven ons elke zomer mee naar Zuid-Frankrijk te nemen, glimlachte hij charmant en antwoordde: 'Dat kan ik me eigenlijk ook niet veroorloven.' Hij redde mijn moeder uit de akelige wereld van haar jeugd en leerde haar plezier te hebben. Geen van hen beiden keek ooit nog naar een ander.

Onder zijn invloed bloeide mijn moeder op. Van een mollige tiener werd zij een slanke, glamoureuze vrouw. Ze had donker haar, stralende levendige ogen en een volle mond. Ze at en dronk als een prinses met mijn vader, was gastvrouw voor zijn enorme kring van vrienden en ging met hem op riskante middernachtelijke bobslee-expedities waarbij ze, zich vastklampend aan mijn vader, levensgevaarlijk door de duisternis raasde. In mijn vroegste herinnering lig ik boven in mijn kamertje te luisteren naar het gezoem van stemmen beneden, het gelach van het gezelschap dat daar bijeen is, en het getinkel van glazen.

Vanaf het begin van haar huwelijk was mijn moeder een ongeïnteresseerde huisvrouw. Anders dan haar buren zat zij tussen de ontbijttrommel tot laat in de ochtend heel gelukkig de krant te lezen. Ze shockeerde onze buurvrouw, mevrouw Jefferson, door haar wasgoed pas op zaterdag buiten te hangen om te drogen. Wat er aan schoonmaakwerk was te doen, werd gedaan door mevrouw Meacham, een dikke, roodharige vrouw met een harde, vrolijke stem, die dagelijks uit het arbeidersbuurtje kwam. 'Meachey' was ook al niet zo'n schoonmaakster. Als ze er genoeg van had, riep ze tegen mijn moeder die in de achterkamer zat te lezen: 'Ik neem Karen even mee naar de varkens!' en dan was mijn moeder allang blij, omdat ze zich kon terugtrekken om te genieten van een rustig halfuurtje, in het besef dat er goed op me zou worden gepast. Dan zette Meachey me op het stuur van haar fiets en reed met me naar haar huisje. Ik hield van haar, puur en simpel. We gingen door de voordeur rechtstreeks naar de benedenkamer waar ik een glas sinaasappelsap kreeg. Vervolgens bezocht ik als deel van het ritueel de buitengelegen plee, wat ik als een groot feest beschouwde. Ten slotte liepen we door het smalle strookje tuin naar een met golfplaten omheinde ruimte en werd ik door Meachey opgetild. Daar, binnen die kleine ruimte, waren de varkens; een roze en een wit met zwart, knorrend en vuil. Ik keek altijd peinzend naar ze en bedacht wat een heerlijk, instinctief leven ze leidden, terwijl ze in de modder en het stro wroetten. Soms hielp ik met het voederen en dan rook ik de bedorven lucht van het soppige eten. Het was nog leuker als er krijsende kleine biggetjes waren, zacht en glanzend, vechtend om het eerst bij de trog te komen en hunkerend naar leven. Wanneer ik de volgende keer terugkwam waren ze verdwenen, en uit een instictief gevoel van zelfbescherming vroeg ik maar niet waar ze waren gebleven. Het kot zag er dan heel leeg uit.

Behalve mijn ouders, Meachey en de varkens had ik geen andere metgezellen. Er waren geen kinderen van mijn leeftijd in Wildmoor en ik leefde in een klein familiecoconnetje. Ik voelde me nooit eenzaam. Zodra ik kon lopen en praten leefde ik in een intense fantasiewereld. Op zondagmiddagen nam mijn vader me mee voor een wandeling. Dat was een bijzondere gebeurtenis. We gingen rechtstreeks naar het beekje en deden er spelletjes, en op weg naar huis zocht ik al mijn 'vriendjes' op. In bepaalde bosjes en bomen langs de landweggetjes woonden elfjes, en dan klopten we op een bosje, gingen naar binnen en dronken er thee en babbelden wat. Ik was er altijd trots op mijn knappe vader aan deze vriendjes van me te laten zien, en hij zat er geduldig bij, dubbelgevouwen op een boomstronk en deed net alsof hij thee dronk, terwijl hij zich op speelse wijze inleefde in mijn fantasie. In het begin van zijn huwelijk had hij eigenlijk liever geen kinderen gewild omdat hij zich te oud voelde om zich aan te passen aan hun behoeften, maar toen we er eenmaal waren vond hij het enig om vader te zijn. Hij heeft nooit naar zoons verlangd. Toen ik drieënhalf was gaf mijn moeder me een zusje, Lindsey Madeleine. Het duurde nog een hele tijd voordat ik met haar kon spelen. Ze was een luidruchtige, levendige baby en buitengewoon rusteloos. Zodra ze kon zitten, ruïneerde ze de kinderwagen door haar hoofdje door de canvas kap te duwen. We waren vast een vreemd trio om te zien wanneer we 's middags gingen wandelen en mijn moeder een beschadigde en modderige kinderwagen voortduwde met Lindsey's hoofd door het gat in de kap, als een boegbeeld voor op een schip, of geduldig wachtte terwijl ik aan het kletsen was tegen een doornbosje.

Wanneer hij 's avonds thuiskwam, las mijn vader me altijd voor voordat ik naar bed ging. Mijn moeder las me overdag ook voor en samen luisterden we naar het verhaaltje in het radioprogramma 'Luisteren met moeder'. Later luisterde ik samen met haar naar het verhaal in 'Vrouwenuur'. Het gaf niet dat ik er niets van begreep; ik hield van de woorden. Mijn vader kocht veel boeken voor me die ik al gauw uit mijn hoofd kende, zo vaak lazen we ze. Als mijn moeder een bladzijde probeerde over te slaan, wist ik dat direct en dan liet ik haar teruggaan en alles overlezen. Het ging bij het lezen niet zozeer om de inhoud van het verhaal; het ging om het rituéel. Het waren de woorden die er toe deden. De karakters uit de boeken werden levend voor me wanneer ik alleen speelde. Ik voerde eindeloze gesprekken met Klein Grijs Konijntje en zijn *ménage*. Eén boek was mijn lievelingsboek. Het ging over een stekelvarken met de naam Harry en er kwamen mensen in voor die 'stervelingen' werden genoemd. Ik kan me niet veel meer van het verhaal herinneren, maar het woord *stervelingen* gaf, toen ik wist wat het betekende, het hele verhaal een melancholieke ondertoon. Telkens wanneer mijn moeder of Meachey me wilde voorlezen, kwam ik aanzettten met *Harry het stekelvarken* tot ze er allebei doodziek van werden. Maar het lukte hun niet met iets anders aan te komen. Mijn moeder vond het een ongezond boek en gooide het stiekem weg. Ik ontdekte dat het weg was en vroeg me af wat ermee was gebeurd. Het had geen zin erover te klagen. Volwassenen waren almachtig en ik treurde om het verloren boek terwijl ik probeerde me de droeve schoonheid ervan zo goed mogelijk te herinneren. Ik wachtte mijn tijd af.

Toen op een dag mijn grootmoeder bij ons was, nam ze me mee met de dorpsbus om in een nabijgelegen marktplaatsje thee te gaan drinken. We winkelden wat en ze bood aan een boek voor me te kopen, wat het mooiste cadeautje was dat ik kon verlangen. Op de kinderafdeling speurde ik met arendsogen alle boekenplanken af. Ik wist precies waar ik naar op zoek was. Oma bood me een of twee boeken aan, maar ik schudde mijn hoofd. Eindelijk zag ik het. Ik kon nog niet lezen, maar ik herkende Harry op de omslag.

'Dat daar!' schreeuwde ik.

Oma keek ernaar.

'*Harry het stekelvarken?*' las ze. Ik knikte flink.

'Weet je zeker dat je dat boek wilt hebben, lieverd?' Ze was verbaasd over mijn vasthoudendheid, maar stemde uiteindelijk toe.

Mijn moeder en Meachey dronken net een kopje thee toen we terugkwamen. Ik probeerde er niet al te triomfantelijk uit te zien. Ik wilde mild zijn in mijn triomf.

'Oma heeft een nieuw boek voor me gekocht!' zei ik terwijl ik met een zegevierende glimlach bij mijn moeder op schoot klom.

'Wat ben je toch een bofferd! Bedank oma maar gauw!'

'Dat heb ik al gedaan,' antwoordde ik naar waarheid terwijl ik mijn pakje te voorschijn haalde. 'Kijk Meachey!' zei ik onschuldig.

Ze zag het. 'O nee!' riep ze uit. 'O, mijn God! Toch niet *Harry het stekelvarken*! O, mevrouw Armstrong, ik kan dat boek niet uitstaan!'

'Jammer dat we het oude boek kwijt zijn,' zei ik braaf. 'Is het niet lief van oma? Laten we er vanavond uit voorlezen.'

Maar de sterfelijkheid was ons veilige kleine huis al binnengekomen. Er was me verteld dat mijn moeder weer een baby ter wereld zou brengen. Ze bereidde me heel voorzichtig op die gebeurtenis voor en kocht een pop, een wieg en een kinderwagentje voor me, zodat ik me met mijn eigen baby kon bezighouden en me niet jaloers zou voelen. Helaas lag de baby in een stuitligging en het kleine blonde meisje, dat bij haar doop de naam Caroline had gekregen, stierf aan een longinfectie. Ik herinner me niets van mijn eigen verwachtingen over de baby noch van mijn teleurstelling toen mijn moeder alleen thuiskwam. Maar wel herinner ik me het verdriet en het gevoel van verlies waarvan het huis was vervuld, dapper verborgen, maar overal voelbaar. Toen ik op een keer de keuken binnenkwam, trof ik daar Meachey en een tante aan die in een intiem gesprek waren verwikkeld.

'Het is een schande,' zei Meachey, 'een ten hemel schreiende schande!'

Daar was niets ongewoons in. Zelfs onder de gunstigste omstandigheden had Meachey de neiging nogal zwartgallig te zijn in wat ze zei. Wat wel opviel, was dat ze beiden ophielden met praten zodra ze mij zagen, me de keuken uitjoegen en met gekunstelde vrolijkheid over iets anders begonnen. Er werd iets voor me weggehouden, iets droevigs, en ik voelde me angstig en buitengesloten. Ik pakte de pop die mijn moeder voor me had gekocht en liep er het huis mee rond. De pop heette Trudi en ze ging overal met me mee. Ik voelde onbewust dat het van levensbelang was Trudi veilig te bewaren en dat als ik maar goed op haar zou passen, dat vreselijke ding dat het huis was binnengedrongen, kon worden afgeweerd. Ik vond troost in het feit dat Trudi van rubber was.

'Zij kan nooit kapot gaan, hè?' kwelde ik mijn vader. 'Zij blijft altijd bij me, hè, zelfs als ik oud ben?'

'Nee hoor, zij kan niet kapot gaan,' antwoordde hij.

'Gaat ze kapot als ik haar laat vallen?'

'Nee, probeer het maar.'

Ik deed mijn ogen stijf dicht, liet Trudi op de grond vallen en durfde vervolgens niet te kijken. 'Het is in orde,' beloofde mijn vader me. Het was in orde. Trudi lag daar op de grond, onwaardig en beledigd maar nog steeds wonderbaarlijk heel.

'Het is in orde,' beloofde ik haar die avond. 'Ik zal altijd voor je zorgen. Er zal nooit iets met je gebeuren.'

Mijn moeder lag lang in bed nadat ze uit het ziekenhuis was teruggekomen en ik had het gevoel dat ik dicht bij haar moest blijven om dat ding, wat het ook was, in bedwang te houden, en om mezelf ervan te overtuigen dat alles echt nog hetzelfde was als eerst. (Nu de dood mijn leven was binnengekomen, was natuurlijk niets meer helemaal hetzelfde.) Met een boek in de hand liep ik vastberaden haar slaapkamer binnen, klom op haar bed en nestelde me tegen haar aan. Hoe dichter ik bij haar was, hoe veiliger zij zou zijn. 'Zing het! Zing het!' verlangde ik van haar terwijl ik het boek stevig in haar hand drukte. Omdat ze voelde hoe ik haar nodig had, las mijn moeder dapper uur na uur uit het boek voor. Terwijl we zo dicht tegen elkaar zaten, vormden we een cocon van veiligheid. Het was een ritueel dat de droefheid van het leven weghield.

Feitelijk ging het leven echter soepel op dezelfde vredige, kalme manier door. Al was er altijd angst, misschien daterend van de dood van Caroline, die ook naar boven kwam in mijn dromen. Nacht na nacht werd ik eindeloos achtervolgd door draken over afschrikwekkende, golvende heuvels. Ik herinner me nog dat ik op een keer droomde dat mijn vader dood was en ik werd overvallen door een gevoel van diepe verlatenheid toen ik neerknielde naast zijn vreemd veranderde lichaam en huilend uitriep: 'Kom terug, pappie! Kom terug!'

Het moet omstreeks die tijd zijn geweest zijn dat ik toevallig een magische manier ontdekte om deze beangstigende wereld achter me te laten en mijn eigen wereld van schoonheid en orde te betreden. Soms gingen we in het weekeinde of op een zomeravond wanneer mijn vader thuiskwam, picknicken in de nabijgelegen Farley-bossen. Op een keer stuitten we op een prachtig plekje, waar we later echter nooit meer zijn heengegaan. Het was in een beukenbos en het was de tijd van de blauwklokjes. Het open plekje in het bos was geheel omsloten door muren van zachtgroene blaadjes die alleen werden doorbroken door felle strepen zonlicht. De grond was een gevlekte massa van blauw. Het was het mooiste plekje dat ik ooit had gezien. Dat kwam niet alleen door de schoonheid maar vooral door het vredige ervan. De angsten en die afschuwelijke schimmige werkelijkheid die de laatste tijd in mijn leven om de hoek loerden, werden er buitengesloten en ik voelde me veilig bij mijn ouders. Ze spraken samen en ik had de vrijheid te luisteren of te denken wat ik wilde, in het besef dat zij er waren. Ik gaf de ervaring van dat uur een eigen naam. Ik noemde haar 'putsh'. Vrede, veiligheid, schoonheid en afzondering.

'Putsh' werd een belangrijk begrip voor mij. Steeds wanneer ik dacht dat we in de buurt van de bossen waren, riep ik 'Putsh!' vanaf de achterbank van de auto, tot verbijstering van mijn ouders. En steeds wanneer het leven moeilijk werd, herhaalde ik het woord keer op keer als een talisman, in een poging die schoonheid en orde terug te brengen in mijn leven. Niemand kon begrijpen wat ik wilde, maar dat was ook niet mijn bedoeling. Het was als een magisch geheim. Als ik het aan iemand vertelde, zou de betovering worden verbroken.

Hoewel ik ernaar verlangde terug te gaan naar het mooie plekje, ontdekte ik een speciale manier om in mijn hoofd 'putsh' te bereiken. We hadden een oude koffergrammofoon en ik leerde hoe ik hem zelf aan de praat kon krijgen. Ik vond de exacte plek op het vloerkleed, en vervolgens schommelde ik, ineengedoken in een embryonale houding, heen en weer op de muziek. Terwijl ik zo schommelde, merkte ik dat ik mijn geest van alles leeg kon maken behalve van een verhoogde gevoeligheid voor dingen. Dood en verdriet bestonden niet langer en ik bewoog me in een atmosfeer van onbegrensde volmaaktheid. Dat duurde jaren en veroorzaakte in mij een honger naar eindeloze horizons die ik later leerde om te zetten in religie. Tenslotte is God de uiterste volmaaktheid, en toen de wereld me naarmate ik ouder werd steeds meer ging beangstigen, merkte ik dat ik Hem zocht opdat ik voor altijd die vrede zou vinden.

De afzondering van mijn kinderjaren eindigde abrupt op de dag dat ik voor het eerst naar school ging. Ik had er al wekenlang naar uitgekeken. Mijn moeder had me enthousiast verteld hoe leuk ik het daar zou hebben. Ik voelde me gewichtig toen ik mijn schooluniform paste – flessengroene overgooier, grote das, reebruine sweater, alles een paar maten te groot voor me zodat ik erin kon groeien. Maar nu ik naast mijn vader op de voorbank van de auto zat, voelde de dikke jas van harristweed aan als een harnas. Het was een natte donkere ochtend en de lange rit naar Birmingham leek een reis van de ene wereld naar de andere. Ik gluurde met moeite vanonder de brede rand van mijn hoedje van groen velours en zag de bomen wanhopig heen en weer zwaaien in de angstaanjagend gierende wind.

De ruitenwissers piepten terwijl ze hun schokkende reis heen en weer maakten en de regen tot diepe poelen en riviertjes roerden.

'Hoe zit je uniform?' vroeg vader. Ik hoorde de geforceerde hartelijkheid in zijn stem en probeerde hem gerust te stellen.

'Heel goed, dank je, papa.' Mijn stem klonk schril en gehaast alsof zij niet van mij was. Ik slikte en voelde een grote brok in mijn keel, en toen ik probeerde adem te halen was mijn borst samengesnoerd van angst.

Mijn vader keek naar me. Vlechtjes staken lelijk onder mijn hoedje uit. Mijn gezicht, dat er toch al nooit erg blozend uitzag, had nu ongeveer dezelfde groene kleur als mijn uniform en de vele sproetjes op mijn neus staken daar donker bij af. Ze leken een ongepaste herinnering aan een zorgeloze zomer.

'Je ziet er echt keurig uit!' zei hij. 'De nonnen zullen zeker vinden dat je er mooi uitziet! Als een echt schoolmeisje.'

Ik deed mijn best te glimlachen. De nonnen. Wat een vreemd woord was dat! Ik had pas nog veel over ze gehoord. Ik moest ze 'zuster' of 'moeder' noemen en ze hielden van Jezus en zouden me leren lezen. Het waren heel aardige mensen en ik zou heel veel van ze houden.

Met mijn hand in die van mijn vader liep ik de oprijlaan naar de school af. Overal waren kleine meisjes. Maar voor mij leken ze niet klein. De meesten torenden boven me uit. Terwijl ik nog steeds dapper probeerde te glimlachen, liet ik de hand van mijn vader los. Ik wilde dat hij snel weg ging zodat hij geen getuige zou zijn van mijn mogelijke falen in deze beangstigende nieuwe wereld. Maar ik wilde ook dat hij zou blijven en me weer mee naar huis zou nemen.

'Goedemorgen, meneer Armstrong.' Ik keek snel en dankbaar omhoog; dat iemand zijn naam kende was een geruststelling voor me.

Maar dan deinsde ik terug. Tegenover mijn vader stond het vreemdste schepsel dat ik ooit had gezien. Het was van top tot teen gekleed in een zwart gewaad dat een stevige muur van muf ruikende duisternis vormde, als natte winterjassen die hangen te drogen. Naar de grond starend zag ik twee voeten, gestoken in glimmend zwart leer. Daarboven rees de muur op in loodrechte plooien. Geen benen. Terwijl ik gefascineerd starend de kleine meisjes helemaal was vergeten, strekte ik voorzichtig mijn hand uit naar de rok en raakte hem behoedzaam aan, waarna ik hem een beetje optilde om te kijken of ik de ontbrekende ledematen kon ontdekken. Ja, enkels. Ik tilde hem nog wat verder op en zag een moment lang twee stevige zwarte benen. Dan kwam er een hand die behendig mijn handen vastgreep en zo een einde maakte aan elk verder onderzoek, en ik werd zachtjes tegen het schepsel aangedrukt. Op de een of andere manier wist ik dat het vriendelijk was. Mijn ogen dwaalden omhoog. Ergens boven mij glansde een zilveren voorwerp. Ik herkende het van mijn paar bezoeken aan de kerk, maar had nog nooit eerder zo'n grote op iemand gezien: Jezus aan het kruis, zei ik verwonderd bij mezelf. Dan keek ik in verbazing omhoog naar het gezicht dat klein en roze was, en zocht tevergeefs naar haar. De stem was laag. Hoorde die bij een man of een vrouw? Zij legde dingen uit aan mijn vader.

'Ja, om vier uur.'

'Goed, moeder, ik zal er zijn,' zei hij. Moeder? Dus was het een vrouw. Ik gaapte haar ongelovig aan. Opnieuw keek ik op naar het gezicht. Ik kon er maar weinig van zien. Ik zag dat er een wrat op de bovenlip zat. Zouden alle nonnen die hebben?

'Kom maar mee, Karen,' en ik werd weggeleid uit het alarmerende kabaal van de kinderen om ons heen; deze vriendelijke 'moeder' zou me gaan leren hoe de wereld in elkaar zat. Bij haar was ik veilig.

Stap voor stap leerde ik me aan te passen aan het agressieve en turbulente leven in de klas en op het schoolplein. Ik leerde heel snel lezen en ontdekte het plezier me helemaal te verliezen in boeken zonder hulp van mijn ouders. Voor het overige verveelde het werk me een beetje. Naarmate ik ouder werd en kleine taken als huiswerk meekreeg, maakte ik me er zo vlug mogelijk vanaf waarbij ik op mijn pienterheid vertrouwde om me erdoorheen te helpen. Maar tijdens mijn lagere-schooltijd vonden er twee voorvallen plaats die een diepe indruk op me maakten en die bepalend waren voor iets dat in de toekomst een grote rol in mijn leven zou spelen – mijn liefde voor een uitdaging.

Het eerste vond plaats toen ik acht was. In die tijd waren we net naar Birmingham verhuisd en mijn ouders besloten dat ik moest leren zwemmen. Drie maal per week gingen we naar het met vreemde echo's gevulde zwembad, waar een angstwekkende dame, die mevrouw Brewster heette, gratis les gaf. De eerste zwemlessen waren heel leuk, maar later werd het tijd om te leren duiken. Ik was doodsbang. Het idee met het hoofd voorover naar beneden te vallen en te zien hoe het glinsterende water me razendsnel tegemoetkwam, was verschrikkelijk. Ik weigerde het te doen, maar tegelijkertijd haatte ik mezelf om mijn lafheid. Ten slotte had mevrouw Brewster genoeg van mijn weigering. Ze tilde me in haar sterke armen zonder aandacht te schenken aan mijn verwoede getrappel en geschreeuw om hulp, liep naar de rand van het bad, riep

'Een, twee, drie!' en gooide me met mijn hoofd voorover het water in. Versuft van angst vloog ik naar beneden; een afschuwelijk moment lang werd ik verblind door het onheilspellende blauwe water en dan was er niets dan een chaos van water en geluid.

Ik merkte dat ik rechtop in het bad stond, duizelig, ja, uitgeput, maar ook dolblij. Ik had het overleefd. En ik had het gedaan! Echt gedaan! Vanaf dat ogenblik vond ik zwemmen zalig. Ik was een mollig kind zonder veel lichamelijke gratie, maar nu werd het water mijn element. En ik had geleerd dat ik om me te bevrijden van mijn beperkingen, mezelf moest dwingen verder te gaan dan wat ik dacht te kunnen.

Het tweede voorval vond datzelfde jaar plaats en de hoofdrol erbij speelde een encyclopedie met de titel *Een weg naar kennis*. Het was een vierdelig werk waarover mijn vader een advertentie had gelezen en hij spoorde me aan er elke dag een stukje in te lezen.

'Omdat je geest jong is, zul je heel wat dingen leren die je je hele leven bijblijven. Kennis is een van de belangrijkste dingen in de wereld. Zij geeft je vrijheid.'

De vier delen zagen er indrukwekkend uit met hun donkergroene omslag met gouden letters. Toen ik ze inkeek, ontdekte ik dat deel vier absoluut het beste deel was omdat er veel in stond over schrijvers en poëzie en ook wat over geschiedenis, de dingen waar ik op school het meest van hield. Maar ik hield dat deel stevig gesloten. Kennis was een ernstige zaak. Ik moest bij het begin beginnen en doorwerken tot het einde. Zo hier en daar ergens iets oppikken was onnozel. Ik kende de regels van het leven: voordat je cake bij de thee mocht eten moest je eerst je boterhammen op hebben. Ook de titel van het werk boeide me. Er lag een weg voor me waarop ik heroïsch alle obstakels zou overwinnen en grote intellectuele problemen meester zou proberen te worden totdat aan het eind glorieus kennis zou opdoemen. En ik zou het helemaal alleen doen.

Dus worstelde ik me hoofdstuk na hoofdstuk, bladzijde na bladzijde door alle vier de delen. Met glazige ogen van verveling baande ik me een weg langs de stoffige paden van de wiskunde, de natuurwetenschap, de industrie en de handel. Toen ik op een avond bezig was met het bestuderen van de ijzer- en staalhandel kwam mijn vader de kamer binnen.

'Aha, je bent in de encyclopedie aan het lezen, zie ik.'

Ik keek met voldoening naar het plezier dat van zijn gezicht afstraalde.

'Wat lees je nu?' vroeg hij terwijl hij over mijn schouder keek, en gloeiend van deugdzaamheid vertelde ik:

'Handel.'

'Handel?' zei mijn vader verrast. 'Vind je dat leuk?'

'Nou nee. Dit stuk is verschrikkelijk vervelend.'

Mijn vader krabde zich verbijsterd op het hoofd. 'Waarom lees je het dan in hemelsnaam?'

Ik legde het hem uit. Mijn vader keek naar me alsof hij een monster had voortgebracht, wierp vervolgens zijn hoofd achterover en begon bulderend te lachen. Hulpeloos strompelde hij naar het bed waar hij zich schokschouderend van plezier op liet neervallen. Vervolgens zag hij mijn verontwaardiging en legde me uit hoe je een encyclopedie moest gebruiken. Het was een hele opluchting om deel twee terug te zetten op de plank en het aanlokkelijke deel vier te openen. Maar ergens voelde ik me toch een beetje een bedriegster.

Een van de dingen die de school in die eerste jaren voor me deed, was me bekend maken met het geloof. Thuis werd er nauwelijks aan geloof gedaan. Mijn vader had zich pas onlangs tot het katholicisme bekeerd en had zich nooit echt thuis gevoeld in de kerk. Wanneer we naar de mis gingen, knielde hij neer, bril op het puntje van zijn neus, en dan staarde hij twijfelend naar zijn Engelse vertaling van het Latijn dat mechanisch werd afgeraffeld bij het altaar.

Het duurde jaren voordat het geloof meer voor me begon te betekenen dan dat uur van ondraaglijke verveling op zondagochtend, waarvan ik hoopte dat het maar gauw afgelopen zou zijn. 'Kunnen we niet naar de mis van zeven uur gaan, mama?' smeekte ik, in het besef dat we dan iets na achten weer thuis zouden zijn en ik de rest van de dag voor mezelf zou hebben. Vaak stond ik 's zondagsmorgens om zes uur al op om alleen naar de mis te gaan en dan was ik nog net op tijd thuis om mijn familie uit te zwaaien, die braaf op weg ging naar de mis van negen uur. Ik zag ze gaan met een onstuimig gevoel van vrijheid.

Maar langzaamaan kreeg het geloof vat op me. Op school leefden we volgens het ritme van het kerkelijk jaar en dat ritme vormde de liturgische achtergrond voor mijn eigen kijk op het leven. Met de vasten kwamen de paarse altaarkleden te voorschijn. Er werden droeve gezangen gezongen; ik luisterde naar het verhaal van Jezus' strijd met de duivel in de woestijn nadat hij zes weken had gevast. De vasten werd een heroïsche en zware pelgrimstocht. Er werd ons geleerd 'daden' te stellen. 'Wat ga jij opgeven voor de vasten?' vroegen we aan elkaar. Snoep, suiker in de thee, televisie kijken? Of: 'Wat ben jij van plan te doen voor de vasten?' Twee, drie keer in de week naar de mis gaan? Of elke dag? De rozenkrans regelmatig bidden? Speciaal je best doen geen ruzie te maken?

De mogelijkheden waren eindeloos, en wat mij betreft was de vasten een soort wedstrijd met mezelf. Red ik het? Kan ik elke dag door de koude, natte lenteochtenden naar de mis gaan en dat zes lange weken volhouden? Kan ik mezelf ertoe brengen elke avond de rozenkrans te bidden? De vasten werd steeds donkerder; in de lijdenstijd werden de beelden in het klooster bedekt met paarse draperieën waardoor ze er lomp, log en verwijtend bijstonden. Tegen die tijd had ik altijd gefaald. Zo was er de ochtend dat ik de wekker indrukte toen hij om zes uur harteloos afging en me omdraaide om nog een halfuurtje door te slapen. Of de orgie van het snoepen. Falen. Maar ik hield vol. Laten we het nu eens anders proberen te doen in de lijdenstijd. Nog maar twee weken – je kunt het, je kunt het echt. Dan de Stille Week; de lange, dramatische diensten die me dieper raakten dan ik in woorden kan uitdrukken. De lange rijen mensen op Goede Vrijdag die zich bogen om de voeten van de gekruisigde Christus te kussen, de pijnlijke knieën. De kerk ontdaan van alle versieringen en in diepe rouw gedompeld. En dan, plotseling, de avond van Stille Zaterdag. Om elf uur 's avonds stonden we buiten de kerk terwijl de priester een nieuw vuur ontstak en daarmee de grote paaskaars aanstak. Vervolgens gaven we het paaslicht aan elkaar door totdat we ieder met onze eigen brandende paaskaars in de hand stonden. En dan trok de processie de pikdonkere kerk binnen en doorboorde het licht van Pasen de duisternis om haar ten slotte te overwinnen naarmate steeds meer van ons met onze kaarsen de kerk betraden.

'Het licht van Christus!' zong de priester.

'God zij gedankt!' antwoordden wij in koor.

De oude symboliek sprak iets heel diep binnen in me aan. En dan was er de vreugde van dat moment om middernacht wanneer plotseling alle elektrische lampen werden ingeschakeld, haastig bloemen naar de kale altaren werden gebracht, het orgel – dat tijdens de zes weken van de vasten had gezwegen – vrolijk begon te spelen en de hele gemeente de rinkelbellen te voorschijn haalde die ze had meegenomen, en ze liet rinkelen: 'Christus is verrezen!' De dood is verzwolgen door de overwinning.

Ik moet net twaalf zijn geweest toen ons gezin opnieuw werd bedreigd door de dood. Op een zondagmorgen klaagde mijn zusje Lindsey, die toen negen jaar was, over een zere keel. Ik schonk er niet veel aandacht aan. Lindsey en ik konden maar zelden goed met elkaar opschieten; we waren te verschillend. Ze was een knap kind met grote blauwe, bijziende ogen en lange, donkere vlechten. Ik had het gevoel dat haar schoonheid mijn eigen mollige uiterlijk en mijn te grote tanden des te meer deed uitkomen. Dat gold ook voor haar charme. Ze was ook een charismatisch kind dat waar ze ook was, een zwerm vriendinnetjes om zich heen had. Ook ik had vriendinnetjes maar meer op een rustige manier, niet zo spectaculair als Lindsey. Thuis werd ik het liefst met rust gelaten en ik stoorde me aan Lindseys voortdurende claims op mijn tijd en energie. Ik wilde lezen; Lindsey wilde spelen. Ik had een hekel aan conflicten en ruzie. Zij, levendig en dramatisch als ze was, was er dol op en probeerde me steeds weer op te hitsen tot gekibbel en gekift. Dus keek ik die eerste middag van haar ziekte kort op van mijn boek toen ze naar bed werd gebracht en glimlachte in mezelf bij het vooruitzicht van een paar dagen rust.

Maar haar temperatuur steeg en steeg. Na twee dagen schreeuwde ze het uit van de keelpijn, totdat ze ten slotte nauwelijks nog kon ademen. Ik hoorde mensen somber 'difterie' fluisteren, en het huis werd gevuld met dokters die mompelend beraadslaagden. Mijn ouders slopen bleek en aangeslagen door het huis en ik werd aan mijn lot overgelaten. Ik voelde me ellendig en probeerde, in elkaar gedoken in een hoekje van de eetkamer, wat te lezen maar het ging niet. Ik kon nauwelijks denken. Het was een koude avond in maart en buiten stormde en regende het. O, mijn God, als ze dood gaat, hoe kan ik mezelf dat dan ooit vergeven? Ik bleef maar denken aan die middag dat ik herhaaldelijk had geweigerd met haar te spelen en zij naar mijn vader was gegaan, op zijn knie was geklommen en had gezegd: 'Ik hou zoveel van Karen. Waarom doet ze altijd zo lelijk tegen me?' Toen had me dat tegen de borst gestuit en had ik me afgevraagd hoe iemand zich kon verlagen tot zo'n sentimentele methode om haar zin te krijgen. Maar nu was het onontkoombaar dat ik me die woorden heel scherp herinnerde. Als ze doodging, hoe zouden mijn ouders dan ooit in staat zijn me te vergeven dat ik mijn kleine zusje zo had afgewezen? En hoe zou ik het mezelf kunnen vergeven? Ze was nog zo klein. De dood leek monsterlijk oneerlijk. Als God Lindsey nu weg zou nemen, dan kon Hij iedereen op elk moment wegnemen.

Opnieuw leek de wereld een beangstigende en onvoorspelbare plek, net als in de tijd dat Caroline was gestorven en die draken me in mijn dromen achtervolgden over eindeloze heuvels.

Toen ik die avond in bed lag, dacht ik dat ik niet zou kunnen slapen. 'Lieve God,' bad ik voordat ik mijn bed instapte, 'als U Lindsey beter maakt, zal ik altijd aardig voor haar zijn.' Buiten mijn kamer hoorde ik de specialist naar beneden gaan om te bellen. Ik hoorde de deur achter hem sluiten en spitste mijn oren in het donker om elk geluid op te vangen. Niets. De dood maakte alles beladen met angst. 'Lieve God,' hoorde ik mezelf weer zeggen, 'als Lindsey beter wordt, zal ik erover denken non te worden.'

Ik luisterde met verbazing naar mezelf. Waarom had ik dat beloofd? Nog nooit, zelfs niet in mijn stoutste verbeelding, had ik overwogen non te worden. De gedachte aan alles waar ik dan afstand van moest doen benam me de adem. Ik hoorde de dokter zachtjes naar boven lopen. Ik hoorde de stem van mijn moeder gespannen en bang praten over een ambulance. Alleen af en toe een woord. Maar ik hoorde haar niet huilen. Mijn moeder verafschuwde tranen. En dan opeens viel ik in slaap.

De volgende morgen ging het beter met Lindsey. Ze had een zware ontsteking in haar keel gehad en de specialist had net op het punt gestaan een tracheotomie uit te voeren toen het giftige abces was doorgebroken en ze weer kon ademen. We haalden allemaal opgelucht adem, maar nu leek de wereld opnieuw van dreiging vervuld. Ik was vergeten hoe vluchtig het leven eigenlijk was; de dood van Caroline was al zo lang geleden. Hoewel ik dat de volgende drie of vier jaar nog vele malen zou vergeten, had de ziekte van Lindsey mijn vertrouwen in het leven aangetast, en van tijd tot tijd zou ik opnieuw die beangstigende leegheid van de wereld waarin ik leefde ervaren.

Ik bleef me de belofte herinneren die ik God had gedaan. Het leek wel of iemand anders die voor me had gedaan toen ik zo uit mijn doen was. Wie? God? Had Hij geprobeerd me iets te zeggen? Ik zette die gedachte van me af omdat ze vol verwarrende consequenties was, maar in de jaren die volgden zou de herinnering eraan steeds weer door mijn hoofd spoken. Nu probeerde ik mijn geweten te sussen. Ik had alleen maar gezegd dat ik erover zou *denken*, stelde ik mezelf gerust. Ik had niet gezegd dat ik het ook echt zou doen.

2

Het zaad wordt gezaaid
1956-1961

'Kinderen! Ik moet jullie iets fantastisch vertellen!' Moeder Katherine, mijn schoolhoofd, stond op het hoge podium in de aula van de school, waar ze de ochtendbijeenkomst leidde. Ik zat nu op de middelbare school en omdat ik pas twaalf was, was ik nog steeds enigszins onder de indruk van de vormelijkheid en de grootte van mijn nieuwe omgeving. We stonden in alfabetische volgorde per klas in een rij opgesteld. Mijn klas, de eerste, bij de muur. De ogen van moeder straalden van enthousiasme; haar handen die uit de wijde zwarte mouwen van haar habijt staken, hield ze met onderdrukte emotie samengevouwen.

Ik schuifelde ongemakkelijk van de ene voet op de andere. Deze extatische aankondigingen deed ze vaak en ze schenen me nooit enige reden tot vreugde te schenken.

'Jullie kennen allemaal juffrouw Jackson,' vervolgde ze. 'Sommigen van jullie, vooral de oudere meisjes, kennen haar zelfs heel erg goed.' Wat kan ze gedaan hebben? dacht ik bij mezelf. Juffrouw Jackson gaf les in natuurkunde aan een stuk of vijf meisjes in de zesde klas. Ze was een bleke, kleurloze figuur. Soms keek ik heimelijk naar haar wanneer ze in de school rondliep in haar witte jasschort dat rond haar korte beentjes fladderde, haar kroezende haar strak naar achteren gekamd vanuit een benig gezicht. En als ik dan zo naar haar keek, vond ik haar erg onaantrekkelijk. Misschien zou ze gaan trouwen, bedacht ik met iets van belangstelling. Ik haalde mijn schouders op. Onwaarschijnlijk.

'Juffrouw Jackson heeft besloten haar leven aan God te schenken,' galmde de diepe stem van moeder Katherine dramatisch. 'Zij heeft besloten non te worden.'

Ik snakte naar adem. Ik had altijd wel geweten dat nonnen eens gewone mensen waren geweest, maar in werkelijkheid leken ze toch op mensen van een andere soort. Ik keek met andere ogen naar moeder Katherine en voor het eerst zag ik dat ze een heel knappe vrouw was. Nee, misschien was *vrouw* niet het juiste woord, ik kon me haar niet in gewone kleren voorstellen, met haar en benen.

Absoluut niet. Maar haar gezicht was mooi.

We liepen in de rij de aula uit, waarbij ieder van ons een revérence voor moeder Katherine maakte toen we lang het podium kwamen.

'Stel je toch eens voor!' fluisterde ik tegen mijn vriendin Diana. Het leek me een verschrikkelijk lot.

'Ze is gek!' antwoordde Diana. 'Ik kan me niets ergers voorstellen, jij?' Ik schudde mijn hoofd.

'En nooit meer trouwen!' klonk Diana's stem onthutst. 'Stel je voor – dat je ervoor kiest niet te trouwen en geen kinderen te krijgen. Ik trouw zo gauw ik uit deze tent weg ben!' Ze keek minachtend naar de crème-kleurige muren van de gang, waaraan hier en daar prikborden met mededelingen hingen. 'En ik ben van plan heel veel kinderen te krijgen – minstens zeven. Jij ook?'

Ik knikte. Ik was er altijd van uitgegaan dat ik zou trouwen. Tenslotte deed iedereen dat. Maar ineens leek trouwen niet meer zo aantrekkelijk. Het was zo voorspelbaar. We gingen de klas binnen en begonnen in onze kastjes te graaien naar onze Franse lesboeken.

'Toch,' vervolgde Diana, 'denk ik niet dat juffrouw Jackson ooit zou zijn getrouwd. Jij wel? Ze was behoorlijk lelijk. En ook nog oud.'

'Nee,' stemde ik met Diana in, 'ik denk niet dat iemand met haar had willen trouwen.'

'Nou ja, dan is het misschien maar beter zo. Alles is beter dan een oude vrijster te worden. Ik zou doodgaan als ik niet voor mijn twintigste getrouwd was. Dat zou zo pijnlijk zijn!'

De rest van de morgen vergat ik juffrouw Jackson. Maar tijdens de lunch zag ik ineens een foto op het prikbord hangen die daar eerder die ochtend nog niet was geweest. Het was een foto van juffrouw Jackson, begreep ik met een schok. Ik bekeek hem van dichtbij. Ze droeg er een lange zwarte jurk op met een kleine cape en een kort flodderig sluiertje. Haar haren waren strak naar achteren getrokken en ze keek in de camera met een uitdrukking van – wat was het? – ja, verrassing. Zelfs Diana was ervan onder de indruk.

'Ik vraag me af waar dit op lijkt,' mompelde ze. 'Potverdorie! Wat ziet ze er verschrikkelijk uit!'

We keken onwillekeurig de gang in en naar de donkergroene deur die de school scheidde van het klooster waar de nonnen aten, sliepen en baden. Het was ons nooit toegestaan die deur door te gaan.

'Ze weet nu tenminste wat ze daar altijd uitvoeren,' zei ik, gefascineerd naar de foto starend.

Ik bleef bij het prikbord staan kijken naar de uitdrukking op het gezicht van juffrouw Jackson. Wat zou ze gezien hebben waardoor ze zo verrast keek? Het was een intrigerende gedachte. Ik keek weer naar haar gezicht. Ze leek zo gewoontjes. Maar, dacht ik, ze kon helemaal niet zo gewoon zijn.

'Je bent blijkbaar heel erg geïnteresseerd in die foto, Karen.' Ik draaide me vlug om en keek in het gezicht van moeder Katherine. Ik had veel ontzag voor haar. Ze schreed door de school, afgesloten voor anderen in haar verheven positie. Maar als je de kans kreeg met haar te praten, ging dat heel gemakkelijk. Nu glimlachte ze terwijl ze me vragend aankeek.

'Ja, moeder,' zei ik zachtjes. Het was een van die opmerkingen die volwassenen vaak maakten, waarna ze verwachtten dat je een duidelijk antwoord gaf. Ik kon nooit bedenken wat ik verder moest zeggen.

'Wat voor gedachten komen er bij je op als je ernaar kijkt?'

'Nou, moeder, ik vraag me af waarom ze het gedaan heeft! Ik kan me niet voorstellen dat iemand ooit non zou willen worden!'

'Waarom niet?'

'Ik denk dat het verschrikkelijk is!' zei ik en bloosde diep. Dat was niet erg beleefd van me. 'Neemt u me niet kwalijk,' zei ik haastig, 'ik wilde niet grof zijn, maar...'

'Wat denk je dat het verschrikkelijkste eraan is?'

Ik dacht na. Er waren zoveel verschrikkelijke dingen. Maar vervolgens dacht ik aan de gelukkigste ogenblikken van mijn leven – de vakanties. De eerste dag van de vakantie vervulde me altijd met een geluk dat bijna pijn deed.

'Nou, nooit te kunnen doen wat je wilt doen. Ik zou het erg vinden nooit even tijd voor mezelf te hebben wanneer ik vrij ben om te doen wat ik wil. Laat naar bed gaan, lezen en de hele dag door blijven lezen als ik daar zin in heb!'

'Je bedoelt vrijheid?' zei moeder Katherine. Ze glimlachte. 'Maar niemand is de hele tijd echt vrij, Karen. Denk eens aan je moeder, aan elke moeder van een gezin. Zij is ook niet vrij om te doen wat ze wil.'

Ik was stil. Wat ze zei was absoluut waar. Ik dacht aan mijn moeder die eindeloos van karweitje naar karweitje rende, boodschappen doen, schoonmaken, koken, stoppen, wassen en strijken.

'Maar mijn moeder heeft soms veel plezier,' zei ik. 'Een non kan geen plezier hebben, of wel soms? Het moet net zoiets zijn als het hele jaar door vasten.'

Moeder Katherine moest lachen. 'Ach,' zei ze, 'een non heeft niet op dezelfde manier plezier als de mensen in de wereld dat hebben. Natuurlijk niet. Maar dat betekent niet dat ze niet gelukkig is.'

'Gelukkig?' zei ik terwijl ik mijn neus optrok.

'Heb je ooit een ongelukkige non gezien?'

Ik was opnieuw stil. Nee. Ik dacht aan de glimlachende gezichten van de nonnen, rimpelloos en vredig. Ik keek moeder Katherine aan. Haar ogen lachten naar me en achter de glimlach lagen vrede en innerlijke rust. Als ze tegen me sprak, deed ze dat niet zoals andere volwassenen die ik kende. Zij waren niet altijd voor honderd procent in me geïnteresseerd. De bezorgde lijnen rond hun mond, de opflikkerende momenten van bezorgdheid in hun ogen lieten zien dat hun geest wemelde van de gedachten die hen bezighielden. Maar in de geest van moeder Katherine heerste rust.

'Nee, u ziet er allemaal heel gelukkig uit,' zei ik met tegenzin.

'Waarom zeg je het op zo'n manier?'

'Nou, moeder, ik kan me echt niet voorstellen hoe God u gelukkig kan maken. Echt gelukkig, bedoel ik. Ik weet dat Hij dat zou moeten doen, maar het is heel moeilijk voor me om dat te geloven.'

'Waarom?' Moeder Katherine sprak rustig alsof ze dacht aan iets kostbaars en heimelijks. Nonnen deden dat vaak, merkte ik op. Ze glimlachten geamuseerd als je met hen over God sprak alsof zij iets wisten dat jij niet wist.

'Het is soms moeilijk te geloven dat God een echte persoon is.'

'Natuurlijk is Hij dat,' zei ze lachend.

'Maar hoe staat het dan met andere mensen!' zei ik onthutst. 'Bent u nooit eenzaam? Of heeft u nooit eens genoeg van dat harde leven? Ik bedoel, nooit eens naar de schouwburg gaan of naar de televisie kijken.'

Ze keek me lang aan en zei: 'Als je van iemand houdt zijn de dingen die je met die persoon doet altijd geweldig en opwindend, zelfs als ze moeilijk zijn.'

'Bent u dan verliefd op God?' vroeg ik verbaasd. 'Liefde' was een nogal abstract begrip voor me, maar ik wist wel wat 'verliefd zijn' betekende. Heldinnen in films en toneelstukken werden erdoor meegesleept, het bracht ze aan het zingen en tot het uitvoeren van ongelofelijk ingewikkelde dansen, en het deed ze alle soorten moeilijkheden overwinnen.

'Bent u verliefd?' vroeg ik nogmaals.

Moeder Katherine knikte. 'Ja,' zei ze heel kalm. 'Daar gaat de bel! Ga nu maar gauw naar je klas.' Ze draaide zich snel om en begon de gang af te lopen. Ze liep nooit echt ergens heen, bedacht ik; ze leek eerder te zweven – eigenlijk niet eens zoveel anders dan de filmsterren op het witte doek. Toen ze de trap bereikte die naar haar kamer voerde, draaide ze zich om.

'Kom je hier nog eens een keer met me over praten, Karen?' vroeg ze.

Een paar weken later werd ik opnieuw scherp aan juffrouw Jackson herinnerd. Dat gebeurde op de verjaardag van mijn grootvader, 26 oktober 1956. Het was een koude herfstdag en de familie was bijeen om het feest te vieren. Ze zaten samen rond de open haard, waarvan het vuur zoals gewoonlijk veel te hoog was opgestookt en gevaarlijk loeide in de schoorsteen.

'Goeie God, Madge,' zei mijn vader geïrriteerd, 'dat vuur is werkelijk doodgevaarlijk!' Ik vond dat er altijd spanningen waren wanneer we, zoals nu, bijeen waren bij mijn grootouders. Hoe kwam dat toch? Ik volgde de ogen van mijn vader en keek naar oma die bij het raam stond en sherry in een glas schonk. Ik zag dat haar hand licht trilde waardoor de drank op het gehaakte witte tafelkleed spatte. Ik wilde haar beschermen. Klein en mager, haar brilletje gevaarlijk op het puntje van haar neus balancerend, leek ze zo teer. In een familie van reuzen waren wij de twee vreemde uitzonderingen, verenigd door ons kleine postuur en onze groeiende geestelijke verbondenheid.

Mijn moeder zat naast me bij het vuur. Ze glimlachte.

'Wat drinkt u?' vroeg ze vriendelijk, maar met een veelbetekenende ondertoon. 'Gin?'

'Gin!' Oma was ontzet. 'Gin! Ik haat gin, ik *haat* het,' herhaalde ze met nadruk. 'Nee, ik neem een glaasje sherry.' Ze hield haar kleine glaasje omhoog waarin een vingerhoedje amberkleurige vloeistof glansde in het licht van het boosaardige vuur. 'Ik drink *nooit* gin!'

Ik voelde hoe mijn ouders elkaar over mijn hoofd heen aankeken. Oma had haar bril afgezet en haar ogen keken rond in de kamer. Ze maakten een angstige en eenzame indruk.

'Ik kan maar beter naar de keuken gaan om naar het eten te kijken,' zei ze.

'Karen! Ga met oma mee om haar te helpen,' zei mijn moeder terwijl ze me dringend in mijn rug porde.

Ik stond op en volgde haar naar de keuken, die gevuld was met heerlijke geuren uit de oven. Groenten borrelden gezellig in de pannen op de haardplaat van het oude gasfornuis. Het was een dampige, prettige plek om te zijn. Ik ging op het formica tafeltje zitten en liet mijn benen heen en weer zwaaien terwijl zij met een vork in de aardappels prikte.

'Bijna gaar,' zei oma. 'Nog een kwartiertje. Toen ik nog op school zat,' zei ze, en ze dempte haar stem bij de herinnering, 'werd ik weggestuurd omdat ik wist hoe een aardappel eruitzag voordat hij gekookt was! Een dame kon dat soort dingen niet weten in die tijd!'

We lachten vrolijk, en voelden ons bij elkaar op ons gemak. Dit was vertrouwd terrein. Oma had op een kloosterschool in Liverpool gezeten die door nonnen van dezelfde orde werd geleid als de nonnen die op mijn school lesgaven. Dat was een belangrijke factor geweest bij de keuze van mijn ouders van een school voor mij.

'U vond het leuk op school, hè?' vroeg ik.

'Ja,' antwoordde ze met een stille glimlach. Opeens begon ze hevig te hoesten. 'Sorry,' verontschuldigde ze zich. 'Ik heb een kriebeltje in mijn keel.' Ze keerde me haar rug toe en liep, met een zenuwachtige blik richting woonkamer, naar de kast naast het fornuis, waarin een hele verzameling flessen stond met azijn, olie, bruine saus, en een gedrongen groene fles. Ze vulde een groot glas met een heldere vloeistof die op water leek, en terwijl ze opvallend naar mij hoestte, sloeg ze het spul in één beweging achterover.

'Hmm.' Ze schraapte haar keel. 'Dat is beter. Dat gehoest is zo vervelend.'

Ik keek nadrukkelijk niet naar de groene fles en sloot expres een hokje in mijn geheugen af. Ik wist instinctief dat dit iets was waar ik niets van behoorde te weten.

'Kan ik u ergens mee helpen, mama?' riep mijn moeder plotseling.

We verstarden beiden en keken elkaar schuldbewust aan.

'Nee schat, dat hoeft niet hoor!' riep oma terug, 'Karen helpt me fantastisch. We komen zo weer binnen. Zorg zelf even voor een nieuw drankje!'

'Goed hoor!' De stem van mijn moeder klonk geforceerd gewoon.

Oma ging dromerig verder: 'Ik was verschrikkelijk ondeugend op school! Ik weet nog dat er eens een priester op school kwam om ons een retraite te geven. "In de hemel," zei hij, "zullen jullie voor eeuwig en altijd *Ere zij God!* zingen" en toen fluisterde ik tegen mijn buurmeisje: "Wat vervelend, ik geloof niet dat ik naar de hemel wil".'

'Ik begrijp wat u bedoelt,' zei ik. 'Het klinkt verschrikkelijk, vindt u niet? Eeuwig *Ere zij God* zingen.' Maar als je niet naar de hemel wilde, was er maar één alternatief. Ik huiverde. Het was een dilemma.

'Jammer genoeg had de priester me horen fluisteren en toen hij klaar was met zijn praatje zei hij heel plechtstatig: "Wie is dat kleine meisje dat niet naar de hemel wil?"'

'Neeee!' hijgde ik. 'Wat vreselijk! En bekende u het toen?'

'Ja,' zei ze met een vage glimlach terwijl ze tegen de muur leunde en dromerig voor zich uit staarde. 'Ze namen me mijn Onnozele-Kinderen-penning af. Dat was mijn straf.'

'Denkt u nu dat u naar de hel gaat?' Ik maskeerde deze angstige vraag met een giecheltje.

'Ja!' lachte ze. 'O ja! Ik verwacht dat de duivel daar beneden een lekker warm plekje voor me bewaart! Denk je dat de aardappelen nu gaar zijn?'

Ik prikte erin. 'Nog niet helemaal,' zei ik, in gedachten verzonken. Ik was doodsbang voor de hel. Het leek zo verschrikkelijk gemakkelijk daar terecht te komen. 'Maar je moet toch een doodzonde begaan om naar de hel te gaan?' vroeg ik. 'Een hele grote zonde, en je moet ook weten dat je die begaat.'

'Ja,' antwoordde oma met een hol lachje. 'Ja, zo schijnt het ongeveer te zijn.'

Ik keek naar haar. Ze zag er zo onschuldig uit. En ik hield van haar met een groot gevoel van tederheid.

'Tja,' zei oma terwijl ze droevig naar de groene fles keek. 'Ik denk dat we beter kunnen teruggaan naar de anderen. Wil jij de aardappels in de schaal scheppen en ze in de warmhoudkast zetten? Dank je wel. Dan zet ik even een of twee dingen weg in de provisiekast.'

Ze verdween in het kamertje naast de keuken, terwijl ze de fles Worcestershire-saus en – zoals ik vanuit mijn ooghoek zag – de groene fles meenam. Bij het aanrecht keek ik, terwijl ik op haar wachtte, naar de duister wordende tuin die er in de herfstige schemering wazig en sinister uitzag. De wereld was een raadselachtige plek. 'Ik denk toch dat u naar de hemel gaat, oma,' zei ik. 'Ik geloof niet dat u slecht genoeg bent voor de hel.'

Mijn moeder keek oma diep in de ogen toen we de kamer binnenkwamen. Ik liep naar mijn moeder toe en ging dicht tegen haar aan zitten, terwijl ik naar haar glimlachte en voelde dat ik haar, op een manier die ik niet kon begrijpen, ontrouw was geweest. Doortrokken van warmte, staarde ik in de vlammen van het vuur.

'Tijd voor nog een drankje,' zei oma abrupt. 'We moeten het vlees nog een paar minuten laten staan, denk je niet? Is Karen oud genoeg om een glaasje sherry te drinken?'

'O ja, dat denk ik wel,' klonk de vrolijke stem van mijn moeder, bewust vrolijk omdat het een verjaardag was. 'Maar wel een klein glaasje. Wil je een sherry, Karen?'

'Nee,' antwoordde ik zonder erbij na te denken. Het was een automatische weigering. Om de een of andere reden die ik niet kon thuisbrengen was het me onmogelijk het te accepteren. 'Nee, dank u, oma.'

Ik keek naar haar terwijl ze naar de andere kant van de kamer liep om de glazen van mijn ouders bij te vullen. Haar weg zoekend langs de salontafel wankelde ze enigszins en toen ik zag hoe mijn moeder geschrokken haar adem inhield, sneed het me door de ziel. Maar zodra ze merkte dat ik naar haar keek, glimlachte mijn moeder en zei: 'Waar hebben jullie tweetjes over zitten kletsen in de keuken?'

'O, oma heeft me over haar schooltijd verteld,' antwoordde ik. 'Het was precies zoals nu op mijn school. We doen nog steeds dezelfde dingen en hebben nog steeds dezelfde gebruiken.'

'Hmm,' zei mijn moeder vaag. 'U was gelukkig op school, hè mama? Net als Karen.' Een kort moment stonden haar ogen behoedzaam toen ze zich geschrokken realiseerde wat ze had gezegd. 'Jullie houden van dezelfde dingen.'

'De gelukkigste dagen van je leven, hè Madge?' vroeg mijn vader hartelijk.

Oma keek naar mijn grootvader, die zich nog steeds niet bewust was van zijn verjaardagsfeest en haar ogen dwaalden doelloos door de kamer.

'Ja ik geloof van wel. Op een bepaalde manier tenminste.'

'Uw schooltijd?' zei ik stomverbaasd.

'Ja,' zei oma peinzend. 'Weet je, je denkt dat je de school haat in de tijd dat je erop zit, maar de laatste tijd kijk ik steeds weer terug op die jaren. We waren gelukkig.' Ze nipte peinzend van haar sherry.

Ik keek met verbazing naar oma. Zo was het zeker niet. Iedereen wist dat de school verschrikkelijk was; het leven begon toch pas als je die achter je had gelaten?

'Ik denk het echt,' herhaalde oma rustig. 'Weet je,' glimlachte ze in zichzelf gekeerd, 'toen ik nog maar iets ouder was dan Karen nu – ik zal zo'n zestien of zeventien zijn geweest – wilde ik non worden. Mijn moeder wilde er niets van horen. Je weet maar nooit,' voegde ze er duister aan toe, 'of alles dan niet heel anders gelopen zou zijn... Ja, misschien had ik beter non kunnen worden.'

Het zaad was gezaaid: de ziekte van Lindsey, het besluit van juffrouw Jackson en dit gesprek met mijn grootmoeder hielpen mij aan het idee te wennen dat mensen zoals ik non zouden kunnen worden. Door deze gebeurtenissen kwam er een vraag in me op waarop ik in die tijd maar liever niet te diep wilde ingaan. Het zou nog enkele jaren duren voordat het zaad uitbotte en ik tot een besluit kwam.

Het jaar 1960 was een belangrijk jaar voor me. Ik was vijftien jaar en verlangde er vurig naar uit de beschermde kinderwereld te breken, maar de wereld van de volwassenen bleek heel anders in elkaar te zitten dan ik had verwacht.

Een van de dingen die verkeerd uitpakten was mijn vriendschap met Suzie.

Ik weet nog hoe er op een warme septembermiddag een eind aan kwam. Suzie en ik zaten in onze tuin. Zij lag uitgestrekt in een ligstoel. Haar strakke spijkerbroek spande om haar dijen, haar borsten staken provocerend omhoog onder haar oranje t-shirt. Ik keek omlaag naar mijn mollige lichaam. Suzie was welgevormd. Ze was helemaal klaar voor het leven. Ze had oranje lippenstift op; haar nagels – waarom wilden die van mij nooit zo mooi lang worden? – waren glanzende oranje klauwtjes. Ze had haar best voor me gedaan. Onder haar voogdij droeg ik net zo'n spijkerbroek als zij en een grijs shirt, en had ik zachtroze lippenstift op. En net als Suzie had ik een warrige suikerspin op mijn hoofd. Ik zou er toch goed uit moeten zien, bedacht ik triest. Maar als ik naar mijn gezicht keek, zag ik er eigenlijk helemaal niet zo slecht uit. Mijn tanden waren natuurlijk veel te groot, maar van mijn hals naar boven toe kon het ermee door. Mijn lichaam had echter niets met mijn hoofd te maken. Ik zag er nooit uit alsof ik uit één stuk bestond.

'Hoe kun jij het idee verdragen naar de zesde klas te gaan, Karen?'

'Ik weet het niet,' antwoordde ik niet naar waarheid, 'het lijkt wel of er geen einde aan komt.' Het probleem was, dacht ik, dat ik heel graag eindexamen wilde doen en wilde gaan studeren. Suzie en trouwens al mijn vriendinnen popelden om de echte wereld in te gaan. Suzie zelf, die zich door de eerste vijf klassen heen had gesleept, ging van school en was van plan een secretaresse-opleiding te gaan volgen. Dat vooruitzicht sloeg bij mij niet aan. Het was niks voor mij; ik verschilde te veel van haar. Maar tegelijkertijd wilde ik heel graag tot haar wereldje behoren.

'Je moet toch echt wat meer uitgaan, Karen,' zei ze. 'Gewoon wat drinken en wat roken en een vriendje zoeken. Je bent heus geen blauwkous, Karen. Je zou echt veel meer plezier kunnen hebben als je jezelf wat meer zou laten gaan. En dat doe je ook als je eenmaal een vriendje hebt gevonden!'

'Dikke kans!' mompelde ik somber. *Dik*, dacht ik, terwijl ik naar mezelf keek, dat was het woord.

'Zeg,' vroeg ze terloops, 'is Tony thuis?'

'Wie?' vroeg ik ongeïnteresseerd. 'O, je bedoelt Anthony! Ja, hij is er. Hij is in de zitkamer, ik denk dat hij met het een of ander bezig is. Hoezo?'

'Ik vroeg het me alleen af,' antwoordde Suzie lui.

Mijn neef Anthony logeerde bij ons. Hij was twee jaar ouder dan ik en stond op het punt bij de politie te gaan omdat hij had besloten de middelbare school niet af te maken. Weer zo een.

'Het lukt me toch nooit,' zei ik in een vlaag van eerlijkheid. 'Ik zal toch nooit succes hebben bij de jongens zoals jij! Ik zie er gewoon niet goed genoeg voor uit en ik kan niet met ze praten.'

'Lieve help, je wilt toch zeker niet met ze *praten*? Er zijn nog veel meer leuke dingen met jongens te doen dan alleen maar *praten*. In godsnaam!'

Ik lachte alsof ik er alles van afwist, in de hoop dat het overtuigend klonk. In feite was het hele terrein van de seks een mysterie voor me. Het leek me omgeven met gevaren. Het was iets prachtigs, zo was me steeds weer verteld. Maar als je het deed als je niet getrouwd was of als je expres voorzorgen nam om te voorkomen dat er een baby zou worden geboren (door gebruik van mysterieuze middeltjes), dan was het een doodzonde. En dat betekende dat als je geen echt berouw toonde, je voor eeuwig naar de hel zou gaan. En wat precies was 'het' dan toch? Tijdens de biologielessen liet de non die ons lesgaf ons zelf het hoofdstuk lezen dat over de voortplanting ging. Het leek wel helemaal over konijnen te gaan, en ik had niet het gevoel dat ik veel gemeen had met een konijn. De technische details van seks waren gehuld in een verwarrende duisternis. En als je dan een vriendje had, hoorde je maar steeds weer over 'te ver gaan' of 'jezelf goedkoop aanbieden'.

'Suzie,' vroeg ik bedeesd, 'ben je nooit bang om zwanger te raken als je met jongens uitgaat?'

'Natuurlijk niet!' lachte ze vol zelfvertrouwen, gelukkig nog onwetend van het feit dat ze binnen drie jaar zou 'moeten' trouwen.

'Er zijn nog genoeg dingen die je kunt doen voor je zo ver gaat.' Ik keek onzeker. Waar kon ze het in hemelsnaam over hebben? En dan die oncontroleerbare duistere mannelijke verlangens waar voortdurend voor werd gewaarschuwd, wat moest je daar dan mee? Maar mijn onwetendheid bekennen zou te vernederend zijn.

'Ja, dat weet ik wel,' loog ik, 'maar willen zij dan niet tot het uiterste gaan?'

'Ja natuurlijk,' antwoordde ze zelfingenomen terwijl ze als een tevreden poesje haar lichaam uitstrekte in de zon. 'Maar ik kan ze altijd aan.' Ze ging plotseling rechtop zitten en vroeg: 'Tussen haakjes, mag ik mijn moeder even bellen om haar te zeggen wanneer ik thuiskom?' Ze plukte een paar grassprietjes van haar broek.

'Best,' zei ik terwijl ik mijn boek oppakte. Het was *De molen aan de Floss*. Ik zag haar het huis binnengaan en keerde me met opluchting naar de geordende wereld van de literatuur. Ik had het boek bijna uit. Arme Maggie, ik begreep precies hoe ze zich als kind had gevoeld. Lelijk, vroegrijp, een buitenbeentje. Later zou ze een schoonheid worden. Haar positie was hopeloos, maar het lelijke eendje werd een prachtige zwaan. Ik las hoe ze met Stephen Guest werd meegesleept de rivier af, bewust van dreigende rampspoed.

Na een tijdje keek ik op mijn horloge. Lieve hemel, Suzie was al een kwartier weg. De telefoongesprekken met haar moeder duurden meestal niet zo lang, ze hield ze meestal onbeschoft kort. Wat gebeurde er eigenlijk? Ik ging naar binnen om te kijken.

Ik liep door de keuken naar de hal. Daar zag ik ze door de deur die zorgeloos op een kier was blijven staan.

Suzie zat met achterovergebogen hoofd op het haardkleedje en haar ogen staarden zonder iets te zien naar het raam. Mijn neef Anthony leunde over haar heen. Een van zijn handen streelde haar rug, de andere hand kneedde en streelde haar nek. Ik zag dat hun lippen elkaar raakten in wat ik herkende als een intieme omhelzing.

Ik keek gebiologeerd naar de lange kus die ze elkaar gaven. Toen sloop ik beschaamd naar de keuken. Terwijl ik aan de keukentafel zat, keek ik terug op een wereld die plotseling onmogelijk was geworden. Anthony en Suzie moesten me wel uitgelachen hebben omdat ik niets van hun relatie had gemerkt. Het gevoel buitengesloten te zijn, dat ik in de tuin had gehad, kwam weer terug, veel heviger nu. Nu ik ze zo had gezien was alles veranderd. Tot dan toe waren de enige kussen die ik had gezien die in toneelstukken en films op de televisie geweest, waar ze romantisch werden verheerlijkt en waar liefde werd voorgesteld als een alles verterende en alles onthullende hartstocht. Maar dit was de echte wereld. Ik kon er niet mee overweg.

Dit was geen hartstocht, zei ik tegen mezelf met een plotselinge ijskoude zekerheid. Dit was het spul waar de meeste huwelijken van waren gemaakt. Er zou nooit iemand zijn die dit met mij zou willen doen, dat wist ik zeker. Maar ik wilde dat zelf ook niet meer. Hoe kon Suzie dit nou doen? Nog wel met Anthony met zijn pukkels en zijn buien – net zoals al zijn vrienden.

Nee, dit was absoluut niets voor mij.

Met een schok hoorde ik de voordeur opengaan. Mijn moeder kwam terug van de kapper. Vol schuldgevoel sloop ik de tuin weer in en pakte mijn boek.

'Het kan me niet schelen! Echt waar, Anthony! Het kan me voor mezelf niet schelen. Maar met Suzie!... Ze is zo'n kleine slet!... Ze heeft zo'n slechte invloed op Karen!' Ik hoorde flarden van het woedende geschreeuw van mijn moeder.

Plotseling leek het idee om een bruid van Christus te zijn me geweldig aantrekkelijk. Ik dacht aan Anthony. Dat was geen vergelijking. Natuurlijk zou ik geen non worden, zei ik tegen mezelf. Het idee alleen al was belachelijk. Zo in vrede te zijn als moeder Katherine was een beloning voor het opgeven van vreselijk veel leuke dingen. Boeken, theater, vrijheid... tot voor een uur geleden zou ik daar seks aan toegevoegd hebben. Maar dat leek geen enkel offer meer te zijn.

'Karen!' riep mijn moeder. Ik draaide me om en blikte naar het huis, mijn ogen samenknijpend tegen de felle avondzon. Mijn moeder stond aan het raam van mijn slaapkamer. Haar gezicht stond gespannen en even vergeleek ik het met het gezicht van moeder Katherine dat altijd zo sereen en onbezorgd was. Nee, het huwelijk was ook niet alles, hoe het ook werd opgehemeld.

'Kom even naar boven!' Haar stem had die opzettelijk gewone klank die ze altijd had als ze gespannen was en net deed alsof er niets aan de hand was.

'Kijk eens naar jezelf,' beval ze, terwijl ze me naar de spiegel draaide en me daarbij bij de schouders greep alsof ze me in hechtenis wilde nemen. 'Vind je dat je er leuk uitziet?'

Ik keek naar mijn spiegelbeeld maar zag alleen mijn ogen. Ze keken verloren in de spiegel. Ik sloeg mijn ogen neer. Mijn moeder was boos op Suzie en Anthony. Er was meer aan de hand dan het feit dat ze Suzie een sletje vond. Ze was ook boos op mij, hoewel ze zelf nog niet wist waarom.

De oorzaak was seks, dacht ik opeens. Ze wil me behoeden voor seks.

'Nou!' vroeg mijn moeder. 'Ja of nee?'

Met een schok gingen mijn gedachten terug naar haar vraag. Die sloeg nergens op. Dit was niet waar we eigenlijk over praatten. *Ik* had Anthony niet gezoend in de zitkamer, maar raar genoeg vond zowel mijn moeder als ik dat ik dat wel had gedaan. Ik voelde me beschaamd en schuldig.

'Nee,' zei ik sukkelig. Wat moest ik anders zeggen?

'Je ziet er goedkoop uit! Je ziet er opgedirkt uit!' En met die woorden pakte ze mijn haarborstel en haalde hem met wilde, pijnlijke slagen door de suikerspin om hem steil te krijgen. Daarna nam ze mijn natte washandje en boende mijn gezicht schoon terwijl haar vingers pijnlijk in het zachte vlees rondom mijn ogen drukten. Ze ademde met oppervlakkige geagiteerde halen. Geen van ons beiden zei een woord.

'Zo!' zei ze. 'Dat is beter!'

Ik keek naar het schoolmeisje in de spiegel.

'Zo zie je er weer uit als het meisje dat je bent,' zei mijn moeder vastberaden.

Ik knikte langzaam. Mijn korte flirt met schoonheid was afgelopen. Ze had de simpele waarheid tot uitdrukking gebracht.

Omdat ik dus de hoop op het lichaam had opgegeven, begon ik mijn geest te ontwikkelen. Dat eerste jaar in de zesde klas was op een bepaalde manier verslavend. Terwijl ik mij begroef in steeds moeilijkere gedachten, ontdekte ik dat ik kon vliegen. Mijn lichaam mocht dan lomp en onhandig zijn en niet voor de liefde gemaakt, mijn geest was soepel. Het had een heel gelukkig jaar kunnen zijn.

Maar thuis veranderden de dingen. Ze veranderden in stilte omdat wij als gezin nooit over echt belangrijke dingen praatten. Toch wilde ik mijn ouders opnieuw beschermen voor de kennis van iets dat *zij* weer ver van *mij* wilden houden. En de gemakkelijkste manier om dat te doen was mezelf niet toe te staan te beseffen wat er aan de hand was.

In de eerste plaats hadden mijn ouders van rol gewisseld. Na jaren huisvrouw te zijn geweest was mijn moeder buitenshuis gaan werken. Dat was ongewoon in 1960. Niemands moeder werkte buitenshuis; van moeders werd verwacht dat ze aan de keuken waren gekluisterd en dat ze altijd thuis waren om voor iedereen klaar te staan. Ik vond die verandering wel leuk. Ik was trots op de uitzonderlijkheid van mijn moeder – haar nieuwe aandacht en belangstelling voor de wereld van de universiteit. Ze kwam gespannen thuis, doodmoe omdat ze te veel dingen moest doen, maar op een nieuwe manier bezield door uitdagende nieuwe inzichten. Het deed haar duidelijk goed. Wanneer wij uit school kwamen, zat mijn vader klaar met de thee en met onhandig gesneden boterhammen. Want hij was nu degene die de hele dag thuis was.

Wat is er eigenlijk aan de hand? vroeg ik mezelf af om me vervolgens snel af te keren van het gevaarlijke onderwerp. Ik zag mijn vader doelloos door het huis lopen, zorgvuldig de kleine taken uitvoerend die mijn moeder hem had opgedragen. Zijn trots en vrolijkheid waren verdwenen. Hij leek wel uitgedoofd. Als onze ogen elkaar ontmoetten, keek hij vlug een andere kant op. Elke morgen liet hij de hond uit in het park en dan zat hij soms urenlang op een bank glazig naar het meer te staren.

Maar er werd niet over gesproken. De misère van mijn vader en mijn moeders bezorgdheid over hem liepen stilletje door elk gesprek heen. Ik dacht aan mijn grootmoeder die nog steeds dronk in de voorraadkamer. Wat was dit voor een soort wereld waarin mensen zich opsloten met een ongelukkig geheim, niet in staat het elkaar te vertellen? En hoeveel geheimen omringden mij nog meer?

Op school ging het steeds beter, en ik merkte dat ik steeds meer naar de nonnen begon te kijken die rond de school liepen, hun handen verborgen in hun mouwen en hun ogen naar de grond gericht terwijl ze de schaduw van de hoge ceders op het grasveld inzweefden. Soms zagen we ze in de middag recreëren terwijl ze in een grote kring onder de ceders zaten, naaiend en lachend met elkaar, hun lach harmonieus en onschuldig. Het leek me een visioen van zusterlijke eenheid. Zij zouden wel geen geheimen voor elkaar hebben omdat ze samenleefden in zo'n hechte, liefdevolle gemeenschap. Waarover zouden ze toch praten, vroeg ik me jaloers af terwijl ik naar die gesloten kleine kring keek. Ze hadden alles wat onbeduidend was uit hun leven gebannen en het gevuld met de vreugde van het zoeken van God, en daarom moesten zij wel veel gemeen hebben en veel heerlijke ontdekkingen van geest en ziel delen. 'Het is zo'n groot geluk,' had moeder Katherine gezegd.

Op een morgen in de nazomer kwam ik de zesde klas binnen en hoorde toevallig een gesprek dat ik nooit meer zou vergeten. Charlotte stond midden in een klein groepje meisjes. Ik stond bij de deur, doodongelukkig omdat ik begreep dat ze het over mij hadden.

'Ze zou eigenlijk niet op school moeten zitten, weet je.'

'Waarom niet?'

'Omdat haar vader failliet is gegaan.'

'Dat gebeurde in het begin van het jaar, en ze is gewoon slinks net blijven doen alsof er niets aan de hand is! Het is een huichelaarster!'

'Zo is het,' zei een ander meisje. 'Deze school is voor mensen die het schoolgeld kunnen betalen. Niet voor mensen die dat niet kunnen!'

Ik voelde me diep geschokt. Als mijn vader failliet was, waarvan werd in hemelsnaam mijn schoolgeld dan betaald? En dan, wat voor gedrag was dit? Het was inderdaad een school waarvoor schoolgeld moest worden betaald, dus hadden ze in zekere zin gelijk. Als mijn schoolgeld niet werd betaald, had ik niet het recht hier te zijn. Maar sterker dan dit alles was mijn verbazing. Het leek wel of ze helemaal geen hart hadden, geen medelijden konden opbrengen.

Ik haalde diep adem en liet blijken dat ik er was. Ik voelde me goddank niet huilerig. Dit was te belangrijk voor tranen.

'Zo,' zei ik rustig, 'en wat dan nog? Wat heeft dat met jullie te maken?'
Ze draaiden zich om om me goed te kunnen bekijken.

'Het heeft alles met ons te maken.' Het antwoord van Charlotte klonk
haast mierzoet.

'Waarom?' vroeg ik. Wat hadden ze nog meer voor me in petto?

'Omdat onze vaders jouw schoolgeld moeten betalen!'

'Wat bedoel je daarmee?'

'Jouw vader is toch een Catenier?' Ik knikte. De Cateniers waren een
katholieke sociëteit waartoe uitsluitend mannen behoorden, de katholieke vorm van vrijmetselarij. 'De Cateniers – dus onze vaders – betalen
jouw schoolgeld. Wist je dat niet?' De uitdrukking op mijn gezicht moet
hun hebben verteld dat ik dat inderdaad niet wist, ondanks mijn verlate
poging het met een nonchalant schouderophalen af te doen. Ik voelde
me diep vernederd. Te moeten leven van de liefdadigheid van anderen
was al erg genoeg, maar wat zou mijn vader wel niet voelen als hij er
achter zou komen wat er op school was voorgevallen? Hij voelde zich
toch al ellendig genoeg.

'Nee,' zei ik met alle waardigheid die ik kon opbrengen, 'dat wist ik
niet. Maar dat komt doordat mijn vader niet wil dat ik het weet. En ik
denk nog steeds,' voegde ik eraan toe terwijl mijn stem naarmate ik verder sprak steeds overtuigder klonk, 'dat jullie daar niets mee te maken
hebben.'

Ik draaide me vlug om en liep de klas uit.

Ik was nog steeds geschokt dat ze me om zo'n reden afwezen. Ik liep
in de richting van de kapel. Ik wilde alleen zijn, nadenken, en de kapel
was de enige plaats in het gonzende gebouw dat privacy kon garande-
ren. Het was een moderne kapel met overal blank hout en roomkleurige
wanden. Er hing een vage geur van wierook. Hier en daar lagen nonnen
geknield, als zwarte hoopjes in het zonlicht, hun hoofden begraven in
hun handen.

Ik ging zitten en merkte dat ik beefde. Ik wist dat ik mijn ouders
hierover nooit iets zou kunnen zeggen. Het zou hun maar pijn doen en
bovendien zou ik het zwak van mezelf vinden als ik naar huis rende om
te vertellen dat de anderen gemeen tegen me waren geweest. Het leek
zo oneerlijk. Mijn vader had hard genoeg moeten vechten om daar te

komen waar hij nu was. Hij en mijn moeder leken zo dapper in hun eenzame strijd tegen het noodlot. Ik herinnerde me een cocktailparty waar ik een paar weken geleden samen met hen heen was geweest. Het was een van die zondagochtendgelegenheden; de kamer was gevuld met sigarettenrook en luid en opgewonden gepraat. Iedereen was die morgen naar de mis geweest en de kamer was vol priesters. Ze stonden in groepjes bijeen, blozend van de gin en de tabak, werelds, ontgoochelend. Mijn ouders en ik stonden wat afgezonderd in een tamelijk werelds hoekje.

'De kerk is hier op volle sterkte aanwezig, zie ik,' mompelde mijn vader sarcastisch terwijl we de gasten bekeken.

'Wie is die man toch?' vroeg ik. Mijn aandacht was getrokken door een man in een groen uniform met epauletten, een brede leren riem, en een zwaard. Hij zag eruit als een kruising tussen Prince Charming en Buttons de clown.

'Ssst,' siste mijn moeder giechelend, 'praat niet zo hard! Dat is Sidney Foster.'

'Ja, maar waarom ziet hij er zo raar uit?'

'Hij is ridder in de orde van Sint-Gregorius.' Mijn moeder stond op het punt in lachen uit te barsten en mijn vader gromde geamuseerd.

'Die,' zei hij bitter, 'die is een haai in zaken. Een absolute bloedhaai! Hij zou z'n eigen grootmoeder nog verkopen.'

'Stil toch!' zei mijn moeder, hulpeloos lachend, 'hij komt onze kant op. Hallo Sidney!'

De schede van zijn zwaard raakte me aan, waardoor ik een ladder in mijn kous kreeg.

'Ik stond net uw uniform te bewonderen,' zei ik onschuldig, niet lettend op de por die mijn moeder me gaf. 'Wat is de orde van Sint-Gregorius?'

Hij nam een slok brandy en liet hem in zijn mond rondgaan. 'Dat is een bijzondere onderscheiding,' zei hij zelfvoldaan, 'die door de paus wordt toegekend.'

'Goeie genade!' zei ik met een knipoog naar mijn vader, die de olijf in zijn martini bestudeerde. 'Wat moet u een geweldige man zijn. Waarvoor wordt die onderscheiding toegekend?'

'Tja,' zei hij bescheiden, 'die wordt toegekend als beloning voor liefdadigheidswerk.' Er klonk gesputter van mijn vader die zijn aandacht had verplaatst naar een potplant. Zijn schouders waren op een vreemde manier omhoog getrokken. Hij kuchte.

'We hebben je al een hele tijd niet meer gezien, hè?' zei mijn vader, en ik bemerkte een ironische klank in zijn stem. 'Vroeger liep je bij ons in en uit. En nog niet eens zo lang geleden.' Sidney Foster leek een ogenblik in verwarring gebracht en schraapte zijn keel. 'Je hebt het vast te druk gehad met je liefdadigheidswerk,' zei mijn vader op milde toon. 'Nou ja,' besloot hij terwijl hij Foster joviaal op de schouder klopte en het gesprek vastberaden in een andere richting stuurde, 'we zien je ongetwijfeld nog wel eens terug.'

Terwijl we ons een weg baanden door de pratende menigte, keek ik om naar de ridder die, met een rood gezicht, geanimeerd met een monseigneur stond te praten over de fondsen voor het dak van een plaatselijke kerk.

'Ooit was ik zakelijk verdomd nuttig voor Sidney,' zei mijn vader sarcastisch. 'Interessant dat we hem tegenwoordig nooit meer zien, nietwaar?'

'Dat is Birmingham nou eenmaal,' antwoordde mijn moeder kortaf. 'Het enige waaraan ze kunnen denken is geld.'

Terwijl ik in de vredige kapel zat, begreep ik opeens wat ze daarmee had bedoeld. Wat had die erg katholieke cocktailparty met zijn materialistische waarden – waarden die zelfs mijn 'vriendinnen' schenen te delen – met Christus te maken? Uit de evangeliën zoals ik die door de jaren heen had gelezen, was Christus voor mij naar voren gekomen als een krachtige figuur. Hij waarde rond in mijn geest, levend en uitdagend, de geldwisselaars uit de tempel drijvend, boos uitvarend tegen de huichelarij van zijn tijd, en alle conventies opzij zettend met de onvoorspelbare aard van zijn liefde. Hij had het gezelschap gezocht van prostituees en zondaars en niet van schijnheilige ridders in de orde van Sint-Gregorius, en Hij had zijn toehoorders bang gemaakt met zijn schokkende geboden. Verkoop alles wat u bezit en kom hier, volg Mij.

Volg Mij. Plotseling kreeg deze vertrouwde uitnodiging een nieuwe kracht voor mij. Laat alles wat je hebt achter je. Wat was er eigenlijk in de wereld dat echt de moeite waard was? Je kon op niets rekenen wat de wereld je te bieden had. Vriendschap kon van het ene moment op het andere kapot gaan omdat de mensen meer waarde hechtten aan wat je had en niet aan wie je was, terwijl Gods liefde volmaakt was. Menselijke liefde kon zich daar nooit mee meten. Ik dacht aan Suzie en Anthony. Ik wilde meer dan dat. Zelfs de meest volmaakte liefde zou uiteindelijk door de dood worden vernietigd. Als je erover nadacht was de dood het enige in het leven waar je absoluut zeker van kon zijn. Aan de dood was niet te ontkomen en hij maakte dat op God na alles leeg en hol leek.

Volg Mij. Hoe veel bevredigender was het niet alle leegheid van de wereld achter je te laten en Christus te volgen! Een non die in de bank voor mij zat, stond op, boog in het gangpad vol gratie naar het altaar en verliet stil de kerk. Haar gezicht was sereen. Het leek alsof ze een verborgen krachtbron had aangeboord voordat ze zich mengde in het lawaai van de schoolmiddag. Ik keek naar het crucifix. Dat had haar ondersteund. Het kruis zette alle menselijke waarden op hun kop; zij waren echt niet de moeite waard je er druk over te maken. En het kruis toonde de grootheid van Gods liefde. Terwijl ik naar het tabernakel keek dat de reële tegenwoordigheid van Christus bevatte, voelde ik mij naar Hem toegeduwd op een manier die bijna fysiek was in haar intensiteit. Een paar minuten geleden had ik nog gedacht dat de dood de enige zekerheid was. Nu zag ik duidelijk dat de enige manier om het leven te volbrengen was dat je de wereld achter je liet en op zoek ging naar God die er was voor de zoekenden. Absolute macht, goedheid en liefde.

Terwijl ik daar knielde, besefte ik dat er iets heel belangrijks was gebeurd. Ik wilde God vinden zodat Hij mijn leven zou vullen en dat betekende dat ik mijn leven Hem terug moest geven. Ik wilde Hem met een verlangen dat beangstigend was in zijn kracht. En ik wist dat het zoeken van God een volle dagtaak moest zijn; halve maatregelen waren niet voldoende. Het kruis toonde dat duidelijk aan. Maar hoe bevredigend zou dat zoeken niet zijn. Veel bevredigender dan het najagen van de hersenschimmen van de wereld, die alleen maar konden leiden tot teleurstelling en dood.

Stil maakte ik het kruisteken en verliet de kapel. Ik was tot een besluit gekomen.

Zodra ik mijn besluit had genomen, leek de wereld met al haar verwarring op haar plaats te vallen. De tweede plaats. De vreemde duw die ik in de kapel had ervaren, bleef me bij en ik wist dat ik er snel op moest reageren. Daarom stond ik een paar weken later op een middag voor de kamer van moeder Katherine. Hier moet ik iets aan doen, zei ik tegen mezelf. Anders zal het nooit werkelijkheid worden. 'Kom binnen!' hoorde ik moeder Katherine roepen. Ik keek omlaag naar mezelf, streek mijn schoolrok glad en viel, terwijl ik de koperen deurknop greep, de kamer van mijn schoolhoofd binnen.

'Ik wil non worden!'

De woorden waren eruit en in de stilte die volgde luisterde ik verschrikt naar ze, draaide ze om en om en bekeek ze. Ja, ze klopten. Maar wat was het vreemd ze voor het eerst zo hardop uitgesproken te horen, nadat ik ze rond had horen rommelen in mijn hoofd als een mogelijkheid die bijna te belangrijk was om in te geloven.

'Ga zitten, Karen.'

Ik keek naar moeder Katherine. Ik was haar even bijna helemaal vergeten, zo bezig was ik geweest de woorden uit mijn mond te krijgen.

'Kom maar!' zei ze vriendelijk. Mijn haar viel over mijn ogen als twee wapperende gordijntjes, maar toen ik ze opzij schoof keek ik haar strak aan, terwijl ik van de ene voet op de andere wiebelde, me bewust van mijn plompe puberlichaam en me onbehaaglijk voelend omdat het het voorwerp was van nauwgezet onderzoek. 'Kom nu maar!' herhaalde moeder Katherine. 'Sta daar niet op één been als een onrustige ooievaar. Ga zitten!' Ze gebaarde dramatisch naar de kleine rieten stoel tegenover haar bureau.

Alles wat moeder Katherine deed was dramatisch. Er gingen geruchten dat ze actrice was geweest voordat ze non was geworden. Ze was er mooi genoeg voor. Haar gladde olijfkleurige huid was intussen enigszins aangetast door de middelbare leeftijd, maar de lijntjes spraken van karakter en kracht. Haar regelmatige, edelmoedige gelaatstrekken werden benadrukt door de strenge nonnenkap, en haar blauwe ogen keken uitdagend de wereld in – bangmakende, gepassioneerde ogen.

Ik liet me in de stoel zakken en keek haar bevreesd aan. Wat zou ze gaan zeggen? Hoe zou ze reageren? Opeens leek het me een onbeleefde aankondiging die ik zo onstuimig had gedaan. 'Wat, *jij*!' zou ze zeggen. 'Jij! Hoe kom je erbij te denken dat je dat in je hebt?' Nee, dat zou ze niet zeggen. Ze zou vriendelijk en tactvol zijn. Maar zou dat niet nog vernederender zijn?

'Zeg dat nog eens,' zei ze rustig, terwijl haar gezicht even oplichtte van aandacht voordat ze verder ging met het sorteren van de slordige stapel papieren op haar bureau. 'Ik luister naar je, maar misschien is het beter dat je praat als ik niet naar je kijk, denk je niet?'

'Ik wil non worden.' Het klonk niet meer zo heftig. Ik sprak kalmer.

'Dat verbaast me absoluut niet,' zei ze, terwijl ze nog steeds door de stapel rekeningen bladerde. 'Het is een prachtig leven.'

We zaten daar stil, in vrede.

'Waarom?' vroeg ze opeens, haar ogen aandachtig op mij gericht.

'Omdat...' Ik zocht even hulpeloos naar woorden omdat de redenen in mijn hoofd door elkaar heen dwarrelden. Welke zou ik eruit zoeken als de belangrijkste? 'Eigenlijk, moeder, omdat ik God wil vinden.'

'Ja?' Ze duwde haar papieren opzij en leunde met haar kin op haar handen. 'Ga verder.'

'Ik wil meer over Hem leren,' ging ik door. 'Hoe meer ik over Hem nadenk, hoe onbelangrijker andere dingen en andere mensen voor me worden. Hij lijkt me zo gepassioneerd en grootmoedig zonder tijd te hebben voor geschipper en halfslachtigheid. En ik wil Hem beter leren kennen.'

'Waarom wil je dan non worden?' drong moeder Katherine aan. 'Je hoeft niet in het klooster te treden om Hem beter te leren kennen. Zou je dat niet net zo goed in de wereld kunnen?'

'Nee,' zei ik snel. Ik kwam nu echt op dreef. 'Niet zo goed. Ik tenminste niet. Ik bedoel dat Hij heeft gezegd dat als je Hem wilt volgen, je bereid moet zijn alles op te geven. Tenslotte heeft Hij alles voor ons opgegeven.'

'Ben je bereid alles op te geven?' viel moeder me vlug in de rede omdat ze zag dat ik wilde doorratelen. 'Nee, wacht even. Heb je wel aan je familie gedacht? Ben je bereid hen te verlaten?'

Ik dacht even na. Ja, het was moeilijk. Ik had er vaak over nagedacht dat het verlaten van je familie het moeilijkste was wat je moest doen als je intrad in het klooster. Maar er zat niets anders op.

'Het is verschrikkelijk om daaraan te denken,' zei ik langzaam, 'je huis voorgoed verlaten. Nonnen gaan nooit meer terug naar huis, zelfs niet voor een bezoek, nietwaar?'

'Bij sommige orden is dat inderdaad zo,' knikte moeder. 'Ook bij ons.'

'Tenslotte kent niemand je zo goed als je eigen familie. En daar komt niemand voor in de plaats – tenminste niet op dezelfde manier. Ik voel me verbonden met mijn familie – diep verbonden op alle mogelijke manieren. Het is bijna een lichamelijke band.'

'Ja,' zei ze rustig, terwijl haar ogen me zorgvuldig opnamen. 'Sint-Teresa zei dat ze, toen ze intrad in haar klooster en haar familie verliet, het gevoel had alsof ze uit elkaar werd getrokken, ledemaat voor ledemaat.'

Ik herinnerde het me.

'Zou jij bereid zijn zo te lijden?'

'Er is geen andere keuze, en voor hen zal het in zekere zin nog erger zijn.'

We keken elkaar aan. 'Ja,' zei moeder Katherine, 'ik weet het. Mijn moeder verloor drie van haar kinderen aan het klooster.' Ik knikte ernstig. 'U hebt toch twee broers die priester geworden zijn?' We hadden ze op school gezien toen ze haar kwamen bezoeken. 'Het moet voor uw ouders heel moeilijk zijn geweest. Ik heb hier uiteindelijk voor gekozen, maar mijn ouders hebben dat niet gedaan. Het wordt ze gewoon opgedrongen.'

'Ja,' antwoordde ze glimlachend terwijl haar ogen zich nog steeds in de mijne boorden en elke reactie van me opnamen. 'Je ouders moeten je offer met je delen, maar uiteindelijk zullen ze ook je vreugde met je delen. Ik weet dat mijn moeder zegt dat ze het nooit anders gewild zou hebben. Maar er is nog meer. Hoe staat het met trouwen en kinderen krijgen? Ben je bereid ook die natuurlijke vervulling op te geven?'

Dit was gemakkelijker.

'Ik heb altijd gedacht dat ik wilde trouwen,' zei ik terwijl ik probeerde mijn woorden zorgvuldig te kiezen. 'Maar de laatste tijd ben ik daar niet meer zo zeker van. Voor mij is het geen antwoord op al mijn vragen. U weet wel, "de prins trouwde met de prinses en ze leefden nog lang en gelukkig".'

'Ga door, denk er heel goed over na. Je kunt je hier niet in storten zonder alle voor- en nadelen te overwegen. Dat zou niet goed zijn.'

'Nou,' zei ik, 'kan één mens al je behoeften vervullen? Stuk voor stuk? Een echtgenoot is niet als God die volmaakt is. Die onbegrensd is, en die je door en door kent. U zei dat het huwelijk onze *natuurlijke* vervulling is...'

'Ja,' zei moeder Katherine, 'voor de meeste vrouwen. Denk je dat het dat voor jou is?'

'Dat is moeilijk te zeggen,' zei ik schouderophalend. 'Hoe kun je daar nou *zeker* van zijn? Maar zelfs als ik geen non zou willen worden ben ik er niet zeker van, echt niet, of ik getrouwd zou willen zijn. Echtgenoten, baby's – al die dingen. Ik denk niet dat ik me totaal vervuld zou voelen als ik echtgenote en moeder was.'

'Maar zelfs dan betekent dat nog niet dat je non moet worden,' hield ze aan.

'Nee,' zei ik, 'maar ik wilde zeggen dat zelfs als – en dat is een groot *als* – het huwelijk voor de meeste vrouwen een natuurlijke vervulling is, er nog altijd een *bovennatuurlijk* deel van ons allen bestaat. Nonnen zijn toch bruiden van Christus?'

Ze knikte en keek naar de ring in de vorm van een crucifix die ze aan de ringvinger van haar rechterhand droeg. Het was haar trouwring. Ze zweeg even terwijl ze haar ring rond haar vinger draaide, en ik meende een moment lang een glimp van verdriet op haar gezicht te zien. Toen keek ze op en glimlachte.

'Je hebt er wel heel zorgvuldig over nagedacht, hè lieverd?' zei ze kalm. 'Goed.' Ze zweeg een ogenblik. En dan: 'Is er nog iets anders in de wereld waarvan je denkt dat je het zou missen? Je weet wel, feestjes, de grote wereld, die dingen.' Ze gebaarde overdreven met een brede zwaai van haar hand alsof ze een vergezicht van glamoureuze feesten en partijen opriep. We lachten vrolijk samen.

'Niet echt. Als ik naar feestjes ga, lijkt alles vaak zo leeg, zo zinloos. Mensen die zich druk maken over hoe ze eruitzien, over geld, enzovoort. Ik bedoel, zodra je hebt gezien dat God bestaat, lijkt al het andere – al die andere dingen – minder belangrijk.'

'Ja, ik weet het. Het is inderdaad verspilling van tijd – en energie.'

'Mensen worden van al die dingen zo opgefokt!'

'Karen.' Er klonk een waarschuwing in haar stem. 'Het is moeilijk, hoor. De weg van Christus is de weg van het kruis.'

'Natuurlijk is het moeilijk,' antwoordde ik fel. 'Het is een uitdaging!'

Ze moest lachen. 'Jij bent echt iemand voor een uitdaging, vind je niet?' zei ze. 'Hoe moeilijker iets is, hoe meer je ervan houdt. Zo ben je al sinds ik je heb leren kennen. Al van het eerste jaar af!'

Ik dacht even na. 'Ja, dat geloof ik ook.'

'Maar non worden is net zoiets als het tekenen van een blanco cheque,' zei moeder Katherine. In haar stem lag een mengeling van genegenheid en bezorgdheid terwijl ze me doordringend aankeek. 'Vertel me eens,' vervolgde ze, 'hoelang heb je dit al overwogen?'

Ik dacht lange tijd na. Ik kon bepaalde gebeurtenissen aanwijzen die allemaal hadden bijgedragen tot mijn besluit, een reeks van stappen die, als ik er nu op terugkeek, al lang geleden was begonnen.

'Ik weet het niet.' Ik veegde mijn haar uit mijn ogen en keek even naar haar op in de heldere middagzon.

'Schijnt de zon in je ogen?' vroeg ze. Ik knikte en ze trok de blauwe gordijnen enigszins dicht waardoor de kamer werd gevuld met een gedempte, koele schaduw. Ik keek naar haar snelle, levendige gebaren. Ik bewonderde haar al een hele tijd. Alles wat ze deed, deed ze van ganser harte. Overal waar ze keek zag ze schoonheid; alles waarmee ze zich bezighield had belang voor haar. Zij had de wereld opgegeven voor God en Hij had het haar honderdvoudig teruggegeven.

'Ik heb geen visioen of zoiets gehad. Maar langzamerhand wezen de dingen steeds meer die kant op. Stap voor stap. Het lijkt wel alsof God al die tijd met me is geweest en me het laatste duwtje in deze richting heeft gegeven.'

'Ja, ik denk dat je een echte roeping hebt. God zij dank.' Moeder Katherine sprak vriendelijk en met een zeker ontzag. Vanaf het sportveld klonk een fluitje. Alles was zo gewoon. Zomaar een gewone middag op school. Maar voor mij was het het begin van een nieuw leven.

'Heb je op het ogenblik les?' Ze keek op de klok. Vijf over half drie.

'Ja, geschiedenis,' zei ik met een glimlach.

'Hou je van geschiedenis? Vind je geschiedenis leuker dan Engels?'

'Ik geloof het niet.' Ik wachtte even voordat ik verder ging. 'Ik ben totaal niet geïnteresseerd in de bijzonderheden van de wolhandel!' We schoten allebei in de lach. 'Maar literatuur – het lezen van boeken – is heel belangrijk voor me, dat is altijd zo geweest.'

Moeder Katherine keek me even strak aan. Ik verbaasde me over de bezorgdheid – bijna angst – die over haar gezicht trok. Dan vroeg ze terloops: 'Bij welke orde zou je je willen aansluiten?'

'Bij die van u.' Het antwoord kwam onmiddellijk.

'Waarom?'

'Nou, dat lijkt me op een of andere manier zo voorbestemd. Ik heb hier elf jaar op school gezeten, al van mijn vijfde jaar af. Ik heb u allemaal leren kennen. Ik heb de orde goed leren kennen. Het is een onderwijsorde; het lijkt me leuk om les te geven. Het klopt allemaal. Het lijkt me vanzelfsprekend.'

'En wanneer zou je willen intreden? Ik bedoel, je moet de zesde klas nog afmaken; je bent nu nog niet oud genoeg. Je bent toch al een jaar jonger dan je klasgenoten. Ben je niet pas zestien?'

'Ja, in september word ik zeventien,' antwoordde ik. 'Nog een jaar school. Volgend jaar om deze tijd eindexamen. Daarna zou ik meteen willen intreden.'

'Wil je niet eerst gaan studeren?'

'Nee,' zei ik, nadrukkelijk mijn hoofd schuddend. 'Waarom zou ik dat doen? Waarom zou ik, nu ik mijn besluit heb genomen, nog drie jaar verspillen met rondhangen?'

'Ja, ik denk dat je gelijk hebt. Want als je volhardt in je roeping zal de orde je waarschijnlijk – maar alleen waarschijnlijk, je kunt er niet op rekenen – naar de universiteit sturen na je religieuze opleiding. Om je voor te bereiden op lesgeven.' Ze dacht diep na. 'Ja, ik geloof dat je roeping hebt. Ik denk dat het volgend jaar wordt. September 1962. Ik denk dat je dan naar het provinciale huis in Tripton moet gaan. Je bent negen maanden postulante en twee jaar novice. En dan, als je wilt blijven, zul je, als het God behaagt, je geloften afleggen. Tot die tijd kun je altijd weggaan, of kunnen wij je naar huis sturen als je niet geschikt bent!' Ze glimlachte vertrouwelijk. 'Maar ik denk niet dat we dat zullen doen. En zodra je je geloften hebt afgelegd, gelden ze voor je hele leven.' De bel ging en ik stond op om weg te gaan.

'God zegene je, lieverd.' Haar stem was vol genegenheid en klonk bijna teder. Ik liep naar de deur.

'Karen,' zei ze opeens. Ik draaide me om om haar aan te kijken. Haar gezicht stond plechtig en haar ogen vroegen alle aandacht.

'Karen,' klonk haar stem kalm, 'denk aan die blanco cheque'.

Er volgde een lange stilte. Moeder Katherine keek me strak aan, zoekend naar woorden – om wat te zeggen? Ik wachtte, terwijl ik naar haar gezicht keek waarop bezorgdheid te lezen stond, en vroeg me af wat er in haar omging. Eindelijk sprak ze.

'Het is een hele strenge orde, hoor.'

'Ik wil non worden.' Opnieuw waren de woorden eruit. Maar deze keer vielen ze niet in goede aarde. Mijn ouders verstijfden van schrik.

Het was in de zomervakantie. We zaten in de woonkamer te wachten op het avondeten. Buiten scheen de hete zon door de dunne zilverkleurige gordijnen die haar glans zacht temperden. Mijn ouders hadden ieder een drankje voor zich.

'Neem een sherry, Karen!' zei mijn vader. Ik weigerde nadrukkelijk.

Ik was nooit over te halen iets te drinken. Mijn gedachten over oma waren nu duidelijker omlijnd. Ik leek veel te veel op haar om ook maar een stap op het pad naar de drank te durven zetten. Zij had haar leven verwoest door geen non te worden, bedacht ik. Dat was ook een factor bij mijn besluit.

Ik was eigenlijk niet van plan geweest het onderwerp die avond ter sprake te brengen. We hadden het over mijn toekomst gehad. Mijn moeder had me gevraagd of ik er nog steeds over dacht een extra jaar op school te blijven nadat ik mijn eindexamen had gedaan.

Ik wist maar al te goed hoe mijn ouders er naar verlangden dat ik naar Oxford zou gaan. Niemand van mijn familie was daar ooit geweest, en het leek hun een paradijs toe, een sprookjeswereld van intellectuele perfectie.

'Nee,' zei ik langzaam. Het was niet goed hen deze hoop te laten behouden. Ik voelde hoe hun teleurstelling de kamer vulde. 'Nee, ik denk niet dat ik dat nog wil.'

'Maar wat wil je dan?' vroeg mijn vader ongelukkig.

'Ik wil non worden.'

In de stilte die volgde, zat ik, licht bevend, misselijk en opgewonden op mijn stoel. Ik had geaarzeld het mijn ouders te vertellen, maar nu was de teerling geworpen, wat er ook van mocht komen.

'Maar waarom?' vroeg mijn moeder. De vraag kwam eruit als een verbijsterde jammerklacht.

'Ik wil mijn leven aan God geven,' antwoordde ik bibberig. Deze antwoorden hadden in de kamer van moeder Katherine op hun plaats geleken, maar hier klonken ze armzalig en onwerkelijk.

'Maar dat kun je toch evengoed in de wereld doen!' snauwde mijn moeder kortaf. Ze had duidelijk besloten tot de no-nonsense benadering.

'Nee, dat kun je niet,' zei ik, 'niet echt. Ik bedoel, zeg eens eerlijk, hoeveel tijd hebben we met z'n allen voor God op het ogenblik? Ik weet heus wel dat we goede katholieken zijn en zo. We gaan elke zondag naar de mis, we eten op vrijdag geen vlees, we biechten twee keer in de maand. Maar dat is voor mij niet genoeg. We geven God wel ergens een plaatsje in ons leven, maar eigenlijk hebben we het veel te druk met andere dingen.'

'Maar niets weerhoudt je toch elke morgen naar de mis te gaan als je dat wilt,' zei mijn moeder. 'Dat doe je toch al vaak.' Mijn vader zat daar alleen maar terwijl hij steeds weer zijn glas ronddraaide.

'Zelfs dat is nog niet echt genoeg,' zei ik. 'Het zoeken van God moet een volle dagtaak zijn. Een beroep, als je het zo wilt noemen. Hij is te belangrijk om Hem half te zoeken.'

'Maar waarom zou je er niet weer over denken nadat je Oxford hebt gedaan?' vroeg mijn vader doodongelukkig. 'Dan ben je wat ouder en heb je de kans gehad wat meer om je heen te kijken en te zien...' Zijn stem stierf weg.

'...En te zien wanneer het me uitkomt in een klooster te treden,' maakte ik zijn zin af. 'Zet de wereld op de eerste plaats en houd God als tweede keuze.' Ik was vastbesloten deze benadering te weerleggen. Zij leek zo redelijk maar ik voelde dat het heel verkeerd was.

'Als je een echte roeping hebt, blijft die nog wel een paar jaar,' zei mijn moeder nogal boos. Ik wist dat ze voelde dat ze de greep op me begon te verliezen. Ik had nog nooit echt ruzie met haar gehad. Ze was heel sterk en beslist in haar opvattingen en vond het nodig ze aan me op te dringen, zodat ik precies zou zijn als zij wilde. Als ik tegen haar inging, werd de sfeer zo onaangenaam dat ik het de moeite van de ruzie niet waard vond. Reken maar dat ze verbaasd en gekwetst was door mijn obstinate houding.

'Niet noodzakelijk,' zei ik. 'Je kunt een roeping weggooien, weet u, net als alle andere dingen. Ik zou de wereld best zo leuk kunnen gaan vinden dat ik God niet meer op de eerste plaats wil zetten.' Ik zag het al gebeuren. Als ik eenmaal in Oxford was, zou de wereld wenken met al haar verleidingskunsten. Ik kon me niet voorstellen wat dat voor verleidingen zouden zijn. Nu vond ik de wereld onbelangrijk en triviaal, maar de menselijke natuur was zwak. Ik zou mezelf gemakkelijk kunnen wijsmaken dat het offer waartoe ik had besloten niets voor mij zou zijn. 'Nou ja,' zei ik sluw, 'kijk maar eens wat er met oma is gebeurd.'

Het was een rake klap. Mijn moeder begon somber gestemd in het vuur te staren. Mijn vader schoof heen en weer in zijn stoel, die onaangenaam kraakte.

'Je bedoelt toch niet dat je nu al gaat?' zei mijn moeder ongelukkig. 'Je bent nog veel te jong, je bent pas zestien.'

'Nee, maar volgend jaar kan het wel wanneer ik zeventien ben,' antwoordde ik dapper.

'Het is belachelijk,' zei mijn moeder witheet, 'echt belachelijk. Een kind van zeventien – o, ik weet wel dat je denkt geen kind meer te zijn, maar je bent het wel. Hoe dan ook, er komt niets van in. Ze zullen je nooit accepteren op deze jonge leeftijd.'

'Moeder Katherine zei van wel,' antwoordde ik, terwijl ik hen voorzichtig aankeek. Dat was opnieuw een klap. Ze verstrakten beiden. Ze hadden respect voor moeder Katherine. Dat wist ik. Ze hadden ook een beetje ontzag voor haar. Telkens wanneer mijn moeder protesteerde tegen de schoolregels werd ze vriendelijk en uiterst charmant maar toch streng op haar plaats gezet. Moeder Katherine was de enige die ik kende die dat met haar kon doen.

'Je hebt dus al met haar gesproken?' vroeg mijn moeder. Ik zag hoe gekwetst ze zich voelde. 'Hoe lang heb je hier dan al over nagedacht?'

'O, al een hele tijd,' antwoordde ik vaag. Dat was waar. Het besluit was al jaren rustig aan het groeien geweest, nu ik eraan terugdacht.

'Waarom heb je het ons niet eerder verteld?' vroeg mijn vader. 'Dacht je soms dat wij er zo op tegen zouden zijn?' Hij klonk gegriefd.

'Jullie *zijn* er toch op tegen?' repliceerde ik.

We zaten in een impasse. Mijn moeder zwaaide met haar lege glas naar mijn vader die, blij iets te doen te hebben, opsprong en in de weer ging met de ijsblokjes; hij schonk grote hoeveelheden gin in, zag ik. Ik had medelijden met hen. Ze leken helemaal van hun stuk gebracht.

'Je weet niet waar je aan begint,' zei mijn moeder ongeduldig. 'Hoe moet het met alle dingen die je zult gaan missen – het theater, boeken? Hoe denk je je in godsnaam aan te passen aan het kloosterleven? Je bent niet eens op kostschool geweest. Geloof me, ik weet waar ik over praat. Het leven in het leger was een hel. Je werd eindeloos opgescheept met andere mensen – met al hun vervelende kleine gewoontes die je net zo lang op de zenuwen werken tot je wel kunt gillen.' Haar stem werd luider nu haar bezwaren uit haar mond rolden.

'Luister,' zei ik rustig, verbaasd over mijn kalmte. 'Ik zeg niet dat het gemakkelijk zal zijn. Natuurlijk niet. Moeder Katherine heeft me verteld hoe moeilijk het soms zal zijn. Maar als het Gods wil is dat ik non word, zal mijn hele leven verwoest worden als ik het niet doe. God heeft een plan voor ieder van ons. Jullie willen toch niet dat ik mijn leven verknoei?'

Opnieuw viel er een stilte. Mijn moeder stak nerveus een sigaret op.

Mijn vader bleef zwijgen. Sinds het faillissement had hij zich steeds meer in zichzelf teruggetrokken. Hij was zijn vertrouwen kwijt in zijn vermogen zijn gezin te leiden. Ik wist hoezeer ik hun beiden pijn deed, maar er was geen weg terug.

'Jullie geloven toch in God?' vroeg ik in de doodse stilte. 'Jullie geloven toch ook dat het kloosterleven de hoogste roeping is voor de mens? Hoe kunnen jullie me dan toch verbieden in te treden?'

Ik kon de gedachten van mijn ouders bijna door de kamer horen kraken. Ik voelde hoe ze vochten met het dilemma waarin ze zich bevonden.

'Natuurlijk geloven we dat,' zei mijn moeder terwijl ze haar sigaret uitdrukte. Haar stem was rustiger nu. 'Maar dat betekent niet dat we kunnen geloven dat je er klaar voor bent zo'n grote stap te nemen. Ik denk nog steeds,' zei ze met een stem waarin meer zelfvertrouwen doorklonk – zodra ze de verontrustende gedachte aan God en zijn wil los kon laten, merkte ik bitter op, werd ze zekerder van zichzelf, maar het punt was dat God niet zomaar genegeerd kon worden –, 'ik denk nog steeds,' herhaalde ze, 'dat je er veel te jong voor bent. Vind je ook niet, John?'

'Absoluut, schat, absoluut,' bromde mijn vader somber. Hij keek me verbaasd aan. 'Wil je ons echt opgeven?' vroeg hij met licht trillende stem. 'Zie je dan niet hoe erg we je zullen missen?'

Ik zat daar met een brok in mijn keel. Ik durfde nauwelijks iets te zeggen. Laat ze alstublieft niet emotioneel worden, bad ik in stilte, daar weet ik me geen raad mee.

'Natuurlijk zal ik jullie missen,' zei ik hees.

Opnieuw zaten we zwijgend bijeen. De auto's in de hoofdstraat buiten suisden langs met een zorgeloos geluid. Ik wilde dat het over was. Maar ik wist ook dat zolang ik thuis was het nooit over zou zijn. Het klooster stond nu tussen ons. De dingen zouden nooit meer hetzelfde zijn.

'Het vlees moet bijna klaar zijn,' zei mijn moeder zwakjes. 'Wil jij het snijden, John? En roep Lindsey...' Ze gebaarde hulpeloos naar de keuken.

'Hoor eens,' zei ik, 'het is zinloos om hiermee door te gaan. Ik zal nooit in staat zijn jullie te overtuigen. Voor jullie ben ik gewoon nog een klein meisje. Dat zal ik wat jullie betreft altijd blijven, zelfs als ik,' – ik pauzeerde even en zocht naarstig naar een leeftijd die oud genoeg zou zijn – 'dertig ben! Waarom zoeken jullie moeder Katherine niet eens op?

Ze heeft me gezegd dat ze er heel graag met jullie over wil praten. Zij is tenslotte degene die het weet. Jullie kennen het leven en de wereld. Maar zij kent het leven en de wereld en het klooster. Ze kent me al vanaf m'n vijfde jaar – bijna net zo lang als jullie. Waarom gaan jullie haar niet eens opzoeken?'

'En als zij ons niet van gedachten kan doen veranderen, beloof je ons dan dat je eerst naar de universiteit gaat voordat je overweegt non te worden?' vroeg mijn moeder vlug. Ze was al bezig zich schrap te zetten, klaar om de strijd aan te gaan.

Ik had alle vertrouwen in moeder Katherine. 'Ja, dat beloof ik,' zei ik.

Uit het weinige dat mijn ouders na hun belangrijke gesprek met moeder Katherine vertelden, kon ik nauwkeurig opmaken hoe het was verlopen. Mijn ouders waren meegenomen naar de gastenkamer van het klooster, een kamer die ik goed kende. Er stonden een sofa en twee of drie gemakkelijke stoelen, en over de gladgeboende vloerplanken waren kuis tapijten gelegd. Aan de muren hingen smaakvolle reproducties van Fra Angelico en een eenvoudig boeketje bloemen fleurde een bureautje bij de openslaande deuren op. Het was vroeg in de avond geweest en buiten hadden ze nog steeds de ceders en het met grind bedekte terras kunnen zien. Ze hadden koffie en koekjes gekregen.

De aangename omgeving was een troost geweest. 'Eén ding is goed aan die orde,' zei mijn moeder altijd, 'en dat is dat ze een goede smaak hebben. Geen bloedende harten of bloedarme madonna's.'

'Veel te aristocratisch,' placht mijn vader sarcastisch te zeggen. 'Hoe noemde die priester hen ook alweer? Een groep society-dames!'

Ze zaten in de gastenkamer, vastbesloten niet toe te geven. Ik was te jong; als ik later nog steeds wilde intreden, was er nog tijd genoeg. Maar ze waren ook nerveus; er hing zoveel van hun standvastigheid af.

Toen kwam moeder Katherine binnen. Ik zag het voor me – de veerkrachtige tred, de stralende glimlach ter verwelkoming. Ze schudde hun handen. De handdruk van moeder Katherine was een bron van vermaak in ons gezin. Je greep haar hand die vervolgens als een natte vis in de jouwe lag zonder dat ze die drukte. En daarbij bleef ze op veilige afstand van je. In die handdruk lag alles besloten wat mijn ouders vaak over de nonnen hadden opgemerkt.

'Ze houden je altijd op armlengte,' placht mijn moeder te zeggen. 'Het lijkt alsof ze willen zeggen: "Blijf daar; je kunt tot zover gaan maar niet verder." O, wat hou ik toch veel van deze orde. Het zijn tenminste allemaal individuen. Niet zoals de nonnen bij wie ik op school was – die kon je gewoon niet uit elkaar houden, zoveel leken ze op elkaar. Maar ondanks dat leer je ze nooit echt kennen.' Op die avond moet er een einde zijn gekomen aan de handdruk als bron van vermaak. Hoe kon je argumenteren met iemand die je aanwezigheid nooit echt accepteerde?

Moeder Katherine had alle aandacht voor hen en drong hen meer koffie op, terwijl zij haar vermoeid aankeken, wachtend tot de strijd zou beginnen.

'Ze is te jong,' zei mijn moeder vastberaden, terwijl ze in haar kopje roerde. 'Veel te jong. Ik weet heus wel dat een religieuze roeping iets prachtigs is. Daar twijfelen we niet aan, hè John?'

'Nee, zeker niet,' stemde mijn vader beleefd in, maar ik wist dat het in zijn ogen een verschrikkelijk leven was, een afwijzing van alles wat het leven aangenaam maakte – liefde, seks, schoonheid, reizen, plezier en vrijheid –, ook al vertelde het geloof hem wat hij er echt over hoorde te denken.

'Maar Karen is er gewoon nog niet rijp genoeg voor om zo'n belangrijk besluit te nemen,' vervolgde mijn moeder. 'Ze heeft nog niets meegemaakt. Hoe kan ze dan een goede keuze maken? En ze is erg emotioneel weet u, heel erg.'

Moeder Katherine glimlachte kalm. 'Natuurlijk moeten emoties beheerst worden. Maar als Karen niet zo gevoelig was als zij is, zouden al haar talenten voor poëzie en kunst niet bestaan. Ze zou een heel ander mens zijn en geestelijk veel armer. En ik denk dat ze veel rijper is dan u denkt. U zult haar natuurlijk altijd als een klein meisje blijven zien,' zei ze vriendelijk lachend. 'Daar kunt u niets aan doen. Het is voor ouders erg moeilijk hun eigen kinderen objectief te beoordelen.'

Toen ze dat zei, begonnen mijn ouders zich erg hulpeloos te voelen. Het lukte moeder Katherine altijd weer om hun het gevoel te geven dat ze zelf nog kinderen waren. Haar lichtblauwe ogen keken dwars door je heen en leken al je zwakke punten te vinden, dingen die andere mensen niet waren opgevallen. Nu beweerde ze hun eigen dochter beter te kennen dan zijzelf. Hoe konden zij daartegen ingaan? Natuurlijk waren ze bevooroordeeld; dat kon niet anders.

'Luister,' gooide moeder Katherine het over een andere boeg, 'bent u het met me eens dat de belangrijkste vraag niet is of u of ik wil dat

Karen volgend jaar non wordt, maar of God dat wil? We moeten afstand nemen van onze eigen beperkte menselijke reacties. Het gaat om wat God wil.'

Door het noemen van God werd alles nog veel beangstigender. Want als je in God geloofde, was een religieuze roeping natuurlijk iets prachtigs. Dus moesten ze zich wel schuldig afvragen of ze niet egoïstisch waren door tegen Gods wil in te gaan. Wie zou het zeggen? Zodra God in het geding kwam, begon de vaste grond van het gezonde verstand onder je voeten weg te zakken.

'Maar hoe weten we wat Gods wil is?'

En vervolgens gaf moeder Katherine hun de lakmoesproef voor een roeping zoals die door de kerk was gedefinieerd, een definitie die ik nog vele keren zou moeten aanhoren.

'Er is maar één manier om absoluut zeker te weten of een meisje een echte roeping heeft. Ze moet door de kloosterorde waarbij ze zich wil aansluiten worden geaccepteerd; dat is het enige criterium dat de kerk accepteert als bewijs. Gevoelens, gebeden, gedachten en idealen – niets van dat alles telt daarnaast. Als de provinciaal-overste in Tripton Karen accepteert, heeft haar besluit de kracht van de hele kerk achter zich. En de kerk krijgt, zoals we weten, haar kracht van Christus.'

'Maar laten we wel beseffen, moeder,' zei mijn vader ironisch, 'dat u geen mensen afwijst. U hebt nieuwe rekruten nodig.'

'Nee, meneer Armstrong, wij wijzen wel mensen af,' reageerde ze nogal scherp. 'Kijkt u er eens als volgt tegenaan. Iemand zonder echte roeping zou alleen maar een ontwrichtende invloed hebben en uiteindelijk de orde ondermijnen. We moeten heel erg voorzichtig zijn met wie we toelaten.'

'Maar als – ik weet dat u dit niet zult toegeven – maar *als*,' zei mijn moeder op dringende toon, 'er nu eens een fout wordt gemaakt – dat is zeker mogelijk. Dan zal Karens hele leven op haar zeventiende verwoest zijn.'

'Helemaal niet,' antwoordde moeder Katherine vinnig. 'Natuurlijk laten we wel eens mensen tot de orde toe die er later achterkomen dat ze geen roeping hebben. Maar weet u, mevrouw Armstrong, ik aarzel dat een fout te noemen. Als ze door de orde worden geaccepteerd, dan heeft God in zijn oneindige wijsheid hen daar geroepen voor zijn eigen bijzondere doeleinden. Dat kan Karen ook overkomen. Ze zou na een tijdje kunnen ontdekken dat het Gods wil niet is en dan is ze vrij om te gaan, of zijn wij vrij om haar naar huis te sturen. Ja, mevrouw Armstrong,' zei ze lachend, 'in de eerste drie jaar sturen we soms mensen naar huis.'

Treurig beseften mijn ouders, geconfronteerd met deze kosmische onmetelijkheden en goddelijke doeleinden, dat hun eigen gevoelens nauwelijks meetelden. Hulpeloos voelden ze zich door de kracht van moeder Katherine's zekerheid meegesleept.

'Geloof me, mevrouw Armstrong,' vervolgde moeder Katherine, 'als Karen geen roeping heeft kan ze niet blijven. Het is een heel grondige opleiding, weet u. Ze zal als postulante en novice worden opgeleid door mensen die echt in het hart van een meisje kunnen kijken. Ze zou het op geen enkele manier kunnen *verdragen* te blijven als het niet de wil van God was. Alle andere redenen om in te treden worden tijdens het noviciaat uitgezuiverd. De enige reden om te blijven is dat God het wil.'

'En ze kan altijd weggaan tijdens de eerste drie jaar?' vroeg mijn vader.

'Op elk moment vóór de eerste geloften.'

'Ik neem aan,' zei mijn moeder, voor het eerst de reden onder woorden brengend die ze steeds weer zou gebruiken om zichzelf gerust te stellen, 'dat als we haar nu tegenhouden en er op staan dat ze naar de universiteit gaat, ze de hele tijd naar het klooster zal smachten en nooit echt aan iets anders begint.'

'Ja,' zei moeder Katherine. 'Ze zou alleen maar de uren tellen.'

'Terwijl als ze volgend jaar gaat en dan uittreedt, ze het sneller uit haar hoofd zal zetten,' voorzag mijn vader.

'Precies, meneer Armstrong, maar rekent u daar niet te veel op. Ik denk dat ze een echte roeping heeft – God zij dank – en ik geloof niet dat ze weg zal gaan. Dat moet ik u wel zeggen. Geloof me, als Karen Gods wil niet doet, kan ze nooit gelukkig worden. God heeft ieder van ons bestemd voor een bijzonder doel. Als we tegen dat doel ingaan, is ons leven nutteloos.'

Mijn ouders moeten op dat moment aan mijn grootmoeder hebben gedacht. Was dat het geweest waardoor alles voor haar verkeerd was gelopen? Misschien had ze wel gelijk. Misschien had ze toch non moeten worden.

'Meneer Armstrong, mevrouw Armstrong, wilt u haar aan God geven?'

Ik zat hen zenuwachtig op de trap op te wachten toen ik de sleutel in het slot hoorde omdraaien. Het was het moment dat mijn hele leven zou beslissen. Zodra ik hun gezichten zag, wist ik het.

'En?'

Ze zagen er doodmoe uit.

'Je kunt gaan als je dat echt wilt.'

'O! Dank jullie wel!' Hoe ontoereikend om dat te zeggen, om hen te omhelzen. En hoe ontoereikend als uitdrukking van het geluk dat me plotseling vervulde. Niets kon me nog tegenhouden. De weg naar God lag helder voor me.

3

Een nieuw leven
1962

Het treintje kwam schokkend tot stilstand. Nieuwsgierig leunde ik uit het raam om te kijken waar we waren. Tripton. Eindelijk, ik was er. Maar hoewel het in bepaald opzicht het einde van een reis was, wist ik dat het alleen maar het begin van een volgende was.

Toen ik mijn kaartje had afgegeven en naar het klooster begon te lopen, voelde ik me al in een andere wereld. Het weggetje dat naar het dorp leidde was aan beide zijden omzoomd met ondoordringbare, weelderige, hoog opgeschoten hagen waardoor het in een groene stilte was gedompeld. In de bosjes zongen vogels en – ja – er hing een vage geur van zwarte bessen.

Het was een hete dag. Erg heet. Ik betreurde het dat ik mijn winterjas aan had – een modieuze marineblauwe jas met platte gouden knopen. Ik zweette terwijl ik de heuvel op zwoegde. 'Denk je niet dat hij te warm zal zijn?' had ik mijn moeder gevraagd.

'Och, ik zou hem maar aantrekken. Dit herfstweer is zo onvoorspelbaar. Je kunt het later op de dag wel koud krijgen.' En ik begreep wat ze dacht: *misschien vertrek je wel midden in de winter en dan heb je hem nodig.* Dat hoopte ze in stilte. Ik dacht eraan hoe ze nu in het theater zaten, en heel goed beseften dat ik niet bij hen was en dat ook nooit meer zou zijn. En vervolgens zouden ze naar huis rijden waar mijn slaapkamer leeg was en de lakens opgevouwen op het bed lagen.

Ze hadden de zwarte koffer die ik droeg voor me gekocht. 'Een zwarte, eenvoudige koffer,' zo was me verteld. En een zwarte paraplu, een goeie stevige. Die droeg ik in mijn andere hand, een grote mannenparaplu die helemaal niet paste bij de naaldhakken die ik op deze prachtige zonnige dag droeg. Het zou verstandiger zijn geweest platte hakken te dragen, dacht ik, terwijl ik een gezicht trok en voortstrompelde op de oneffen grond van de landweg. Waarom had ik die niet aangetrokken? En waarom had ik een laatste lik make-up opgedaan voordat ik uit de trein stapte? Zonder twijfel ijdelheid, dacht ik berouwvol. Ik zou er niet tegen hebben gekund als ik er niet zo goed mogelijk had uitgezien op mijn laatste dag in de wereld. Maar na vandaag zou dat allemaal voorbij zijn. Dat was een goede gedachte – de toekomst lag voor me, duidelijk niet belast met zoiets stoms als kleding.

Op de top van de heuvel bereikte ik het dorpje. Het bestond uit slechts één straat. Het zag er snoezig uit, vond ik, met zijn begroeide huisjes, ouderwetse winkeltjes en schilderachtige pub. Een paar mensen deden boodschappen; dames in dure tweeds met poedels aan de lijn wandelden op hun gemak over het hobbelige plaveisel. Een of twee auto's reden vredig over de dorpsstraat. Het was een dorpje als op een bonbondoos.

Twee mensen haalden me in, en ik zag dat ze naar mijn koffer en paraplu keken.

'Daar heb je er weer een!' hoorde ik een van hen zeggen.

Natuurlijk. Alle postulanten kwamen op dezelfde dag in Tripton aan om hun kloosterleven te beginnen. In een dorpje van deze grootte dat werd gedomineerd door het indrukwekkende klooster, zagen de inwoners meisjes met zwarte paraplu's elk jaar in september rond dezelfde tijd de heuvel beklimmen. Ik vroeg me af hoeveel anderen ze vandaag al hadden geteld.

Ik keek weer op mijn horloge. Vijf over halfvijf. Ik was op tijd. Ik was zo bang geweest de trein te missen en te laat te komen. Wat zou dat een afschuwelijk begin zijn geweest! De lege plek in de rij postulanten, de opgetrokken wenkbrauwen. Ze zouden kunnen denken dat ik van gedachten was veranderd of op het laatste moment in paniek was geraakt of me zelfs te buiten was gegaan aan een laatste uitspatting. Er moesten meisjes zijn die een laatste sigaret hadden gerookt of die hartstochtelijk en onder het vergieten van vele tranen afscheid van hun vriendje hadden genomen. Veel heiligen, bedacht ik, hadden tot de laatste seconde tegen hun roeping gevochten. En ik kon natuurlijk nog altijd van gedachten veranderen. Alles wat ik hoefde te doen was me omdraaien, de volgende trein naar Londen nemen en thuiskomen. Wat zou iedereen blij zijn! Maar dat wilde ik niet. Ik was opgewonden. Ik was nu al vol ongeduld om te beginnen, om deze wereldse kleren uit te trekken en meteen te beginnen aan het nieuwe leven. De geestelijke verdoving begon van me af te vallen en ik voelde me lichtelijk misselijk van verwachting, een beetje nerveus en erg verlegen. Maar blij.

Opeens zag ik links van me de hoge kloostermuur die zich streng uitstrekte tot ver langs de straat. En daar was het grote poorthuis met zijn middeleeuwse boog boven het zware ijzeren hek. Je kon het klooster vanaf de straat niet zien. Alleen veel bomen langs een lange laan. De hekken stonden uitnodigend open. De weg van de ene wereld naar de andere. Ik neem aan dat ik nu een laatste blik op de wereld moet slaan, dacht ik, maar dat leek me theatraal en onwerkelijk. Wat had ik met dat slaperige dorpje te maken?

Ik liep snel door zonder om te kijken.

Toen ik de hoek omging zag ik het klooster. Rustig en stil lag het voor me. Zelfs de dorpsstraat leek lawaaiig in vergelijking hiermee. Aan de linkerkant stonden de oude gebouwen. Ik herinnerde me wat ik wist over Tripton. Vóór de Reformatie was het het paleis van een vooraanstaande geestelijke geweest. Honderd jaar geleden, in 1863, had de stichtster van de orde de meisjes van de nabijgelegen kostschool hierheen meegenomen voor een picknick. Ze lunchten tussen de paleisruïnes, niet meer dan een massa gebroken grijze stenen, op de drie hoge bogen na die eens het dak van de feestzaal hadden gedragen. Nu verhieven de bogen zich triomfantelijk boven de weiden van Bedfordshire, de op een na grootste in hun soort van Europa. De stichtster had toen en daar besloten het paleis in zijn oude glorie te herstellen en het weer in dienst te stellen van de kerk. Ze had haar nonnen in paren uitgezonden door heel Europa om te bedelen bij de katholieke aristocratie die met groot enthousiasme naar de katholieke herleving in Engeland keek. De nonnen hadden het geld bijeengebracht, en het gebouw stond er weer, edel en majestueus. Daar was de oude feestzaal die nu de kloosterkerk was, met zijn hoge schuine dak, zijn luchtbogen, en zijn hoge boogramen. En links ervan stond de gedrongen veertiende-eeuwse toren met zijn roosvenster en kantelen. Van de toren wapperde elegant een vlag, de wit met gouden pauselijke vlag die ter ere van deze feestdag was uitgestoken. Die toren, zo wist ik, maakte nu deel uit van het gebouw voor de novicen, en als ik naar de uiterste rechterkant van de laan liep zag ik – ja, daar was het – het moderne gebouw voor de postulanten, zorgvuldig verborgen om het uitzicht niet te verstoren. Iets naar links van het hoofdgebouw stond een oud bronhuis. De grijze gebouwen spraken van een andere wereld. Rechts, nu nog enigszins verscholen achter de takken van een oude ceder, maar steeds duidelijker te zien naarmate ik de lange laan afliep, sprong een wilde verzameling Victoriaanse gebouwen in het oog, een middeleeuwse fantasie in rode baksteen van torens, torentjes, machtige vensters en koepels tot zover het oog reikte, die de kostschool herbergde.

Ergens vandaan verbrak het gebeier van een klok de stilte, een sonore maar ingehouden klank. Het was kwart voor vijf.

Ik trok aan de bel die boven de voordeur hing en hoorde hem klinken en dan wegsterven tot het weer geheel stil was.

Strikt genomen zijn de nonnen van de orde waarbij ik me aansloot helemaal geen echte nonnen. De term 'non' behoorde van oorsprong bij besloten orden van vrouwen die hun hele leven in hun klooster bleven zonder zich ooit naar buiten te wagen en hun leven wijdden aan gebed en meditatie. Het was Sint-Vincent de Paul die in de vorige eeuw een heel andere soort religieuze vrouwenorde stichtte: de Zusters van Barmhartigheid die hun kloosters verlieten om in de wereld onder de armen te werken. De katholieke kerk – altijd behoudend – was erop tegen. Vrouwelijke religieuzen – nonnen – moesten in afzondering leven. Het antwoord van Vincent was dat de Zusters van Barmhartigheid helemaal geen nonnen waren maar 'kloosterzusters', en dat onderscheid wordt, geloof ik, door de canonieke wet nog steeds in acht genomen. Naar het voorbeeld van de Zusters van Barmhartigheid werden er in de negentiende eeuw veel soortgelijke religieuze orden opgericht. Natuurlijk werden de zusters voor het gemak nonnen genoemd, en zij legden eenvoudige geloften af, zoals die van armoede, kuisheid en gehoorzaamheid, en wijdden zich aan gebed en goede werken.

Mijn orde was een van deze orden. Zij was in de jaren veertig van de vorige eeuw gesticht om een speciale taak te vervullen. De katholieke herleving was in volle gang. De grote katholieke jongenskostscholen in Stonyhurst en Downside werden opnieuw opgericht en de katholieke hogere standen stuurden er hun zonen heen. Ze vonden dat hun dochters een soortgelijke kostschool nodig hadden en daarom verzochten ze de stichtster van mijn orde in Derby haar eerste klooster te openen. Het aantal nonnen en scholen nam snel toe en in 1962 bezat de orde zo'n zeventien kloosterscholen in Engeland, een aanzienlijk aantal kloosters in

de Amerikaanse provincie, missieposten in West-Afrika, en losse kloosters in Ierland, Frankrijk en Rome, waar het moederhuis stond. Net als
zoveel in die tijd gestichte orden had mijn orde voor een groot deel de
jezuïetenregel overgenomen en het gebedsleven van de nonnen was gebaseerd op de *Geestelijke Oefeningen* van Sint-Ignatius.

Toen de orde werd gesticht droegen de nonnen een simpel zwart gewaad naar de wijze van Victoriaanse vrouwen, een cape en een sluier. Ze
moesten er onopvallend uitzien. En terwijl in de buitenwereld de mode
drastisch veranderde, bleef het habijt van de orde hetzelfde. Evenzo werden veel van de regels en gebruiken gebaseerd op het gedrag dat voor
Victoriaanse vrouwen gepast werd geacht. Het religieuze leven in de orde was oorspronkelijk bedoeld als een aanvulling op hun gewone leven,
niet als een totale breuk met alles wat ze eerder hadden gekend. Veel andere religieuze orden van nonnen bevonden zich in eenzelfde situatie:
het anachronisme van hun bestaan, dat zich door een soort historisch
toeval had ontwikkeld, had door de jaren heen een zware religieuze la-
ding gekregen.

Terwijl ik die dag in 1962 over de laan liep, had ik geen idee dat ik
een van de allerlaatste postulanten zou zijn die in lijn met de oude strenge Victoriaanse discipline werden opgeleid. Paus Johannes xxiii had het
Tweede Vaticaans Concilie al bijeengeroepen en een paar weken later
zouden bisschoppen van over de hele wereld in Rome bijeenkomen om
een begin te maken met de *aggiornamento* of vernieuwing die paus
Johannes beoogde. Het concilie, zoals het oorspronkelijk werd gezien,
was niet bedoeld om nieuwe regels op te stellen, maar om de kerk in de
moderne wereld haar oorspronkelijke eenvoud en vuur terug te geven.
Een van haar taken was de religieuze orden te vernieuwen in het licht
van het visioen van Johannes dat hij, tot verdriet van de kerk, door zijn
dood niet in vervulling mocht zien gaan. Een jaar of twee na de opening
van het concilie publiceerden de bisschoppen een document waarin zij
er bij de religieuze vrouwenorden onder andere op aandrongen terug te
keren tot de oorspronkelijke geest van hun stichtsters en te breken met
niet-wezenlijke gebruiken en praktijken om meer aansluiting te vinden
bij de wereld om hen heen. Kardinaal Suenens van België was al bezig
aan zijn boek *De non in de moderne wereld* waarin hij nonnen zou aanspo-
ren hun traditionele habijt af te leggen en terug te keren naar een simpe-
ler kledingwijze. Het moderne meisje, zo zei hij, werd te vaak in het re-

ligieuze leven verstikt door niet-wezenlijke praktijken die zich vele jaren geleden hadden ontwikkeld. Je kon meisjes uit de jaren zestig van deze eeuw niet opleiden tot Victoriaanse vrouwen. Maar die middag had nog niemand enig idee dat dit allemaal zou gaan gebeuren. En ik had er geen idee van wat me allemaal nog te wachten stond voordat het klooster, met zijn vertrouwen in zijn lang geleden vastgestelde rituelen en met zijn afzondering van de moderne wereld, eindelijk het Victoriaanse tijdperk vaarwel zou zeggen.

'En daar hebben we Karen!' Een lange, hoekige non boog zich naar me over. Ik zag een glimp van een lange scherpe neus, dikke brillenglazen en een brede mond met dunne lippen. Dan werd ik omgeven met zwarte serge toen ze me tegen zich aandrukte in de ceremoniële omhelzing van de orde. Haar vingers klauwden zich in mijn schouders en grepen ze stevig vast, en haar harde gladde wangen drukten zich abrupt en stevig tegen de mijne. Een druk per kant. Dan duwde ze me van zich af en hield me op armlengte.

'Geweldig!' zei ze met een diepe en volle stem. 'Heb je een goede reis gehad?' en vervolgens praatte ze snel door zonder op een antwoord te wachten. 'Ze is precies op tijd gekomen! Wat een prachtig begin! Nu al een voorbeeld van religieuze punctualiteit!'

Een ingehouden gelach klonk rondom haar op. Nonnengelach. Ik herkende het. Een stille gecontroleerde trilling die steeds lager werd en dan wegstierf. Ik keek naar de zwart geklede aanwezigen die om haar heen stonden en dan weer naar het scherpe gezicht dat stralend op me neerkeek. Het was de provinciaal-overste. Zij had de leiding over de ongeveer twintig kloosters van de Engelse provincie van de orde en was verantwoordelijk geweest voor mijn toelating in hun gelederen.

'Heb je je ouders goed achterlaten?' vroeg ze.

'Ja, dank u, eerwaarde moeder,' zei ik, terwijl ik haar glimlachend aankeek. 'Goed wel, maar gelukkig...?'

'Geweldig!' zei ze opnieuw. 'Maar nu moet je moeder Albert ontmoeten, de postulantenmeesteres.'

Een kleinere non met een rond gezicht en een bril op gleed op me af. Het leek of ze inwendig plezier had en lachte om een of ander privégrapje. Opnieuw werden mijn wangen tegen de hare aangedrukt in een gebaar van verwelkoming en genegenheid.

Vervolgens werden er andere namen genoemd en ik gaf het op ze allemaal te onthouden. Ik werd omhelsd door de leden van de Provinciale Raad, de moeder-overste van het klooster en andere hoogwaardigheidsbekleedsters van de orde. Verdwaasd en verdrinkend in hun muffe zwartheid onderwierp ik me aan hun armen en draaide mijn wangen gehoorzaam naar hen toe om die van hen te ontmoeten, terwijl mijn handen onhandig langs mijn lichaam hingen. Vaak raakten hun wangen de mijne niet echt en werd ik in mijn oog of in mijn mond geprikt door de gesteven randen van hun kappen. Hun lippen, die zorgvuldig elk contact vermeden, bewogen zich om verlegen makende boodschapjes van verwelkoming te uiten. 'Zo blij, lieverd!' 'Welkom in Tripton!'

'Ah, ik herinner me Karen!' zei een van hen vrolijk, terwijl ze me van zich afhield. 'Weet je nog wie ik ben?'

Ik keek beteuterd naar haar gerimpelde bleke gezicht, haar mond die zich onafhankelijk van de rest van haar leek te bewegen, en haar schrandere, verdrietige donkere ogen. Een vriendelijk gezicht. Ik zocht koortsachtig in mijn herinnering. *Ik kan niet met een leugen beginnen, zelfs niet met een leugentje om bestwil*, zei ik in stilte tegen mezelf.

'Natuurlijk weet ze nog wie moeder Greta is!' zei eerwaarde moeder-provinciaal om me te hulp te komen. En op dat moment wist ik weer wie ze was. Ze was jaren geleden naar Birmingham gekomen als lerares op onze school. Ze had me Latijn gegeven. Ik wist nog dat haar handen getrild hadden toen ze probeerde de naamvallen van *diligo* op het bord te schrijven. Een vriendelijke vogelachtige non met een scherp verstand. Ik glimlachte opgelucht naar haar. 'Moeder Greta gaat je theologie geven,' legde moeder-provinciaal uit. 'Maar nu nog niet. Pas in het tweede jaar van je noviciaat.'

'O nee!' zei iemand lachend. 'Ze moet nog door heel wat heen voordat ze theologie krijgt!'

Opnieuw dat ingehouden gelach, nu plagend, alsof ze iets voor me achterhielden. Maar wat? Ik vroeg het me huiverend af en voelde me buiten het kleine kringetje gesloten.

'Kom moeder,' klonk krachtig en bevelend de stem van eerwaarde moeder-provinciaal terwijl ze zich tot moeder Albert wendde, 'ik denk dat de anderen allemaal gereed zijn en dat we aan de thee kunnen. Kom mee, Karen; je moet je broeders ontmoeten.'

'Broeders?' mompelde ik verbijsterd, terwijl de nonnen de hal uitstroomden en in een wolk van fladderende sluiers achter hun superieure aangingen. Ik wendde me tot moeder Albert die naast me liep.

'O!' zei ze, haar hoofd achterover werpend en stilletjes lachend, terwijl haar schouders trilden in kleine schokjes van vrolijkheid. 'Kijk, in het religieuze leven, Karen, zijn we allemaal zusters, maar in deze orde noemen we de mensen die intreden, de mensen die bij ons worden opgeleid als postulante en novice, onze "broeders". Jouw broeders zijn er al allemaal en je gaat ze nu ontmoeten bij de thee.' We betraden een ruime gastenkamer, nogal donker, met zware paneelwanden en een donkerrood karpet op de vloer. In het midden van de kamer stond een ronde tafel, waaromheen ongeveer negen of tien meisjes zaten. Het werd doodstil toen de processie nonnen de kamer binnenkwam.

'Kijk, dit is Karen,' zei moeder-provinciaal, terwijl ze haar plaats innam tussen twee meisjes, die haar zenuwachtig aankeken. 'Karen komt bij ons uit Birmingham. Is er nog een stoel voor haar, moeder? Ah ja, alsjeblieft; aan je rechterkant zit Marie uit Bristol en links van je zit Edna die uit Dublin komt.'

Er werden nog meer namen genoemd – Adèle, Joan, Margaret, Irene, Nessa, Pia, Teresa. Ik keek verdwaasd rond maar kon ze niet allemaal onthouden. Ik merkte het donkere Nigeriaanse gezicht van Teresa op: 'Onze eerste Nigeriaanse postulante!' had moeder-provinciaal trots aangekondigd, en ik keek met bewondering naar het jonge, mollige, giechelende meisje dat het had aangedurfd naar een andere cultuur te komen om Christus te zoeken. Toen viel mijn oog op de groene nagellak van Marie. Ik draaide me om om naar haar te kijken. Marie, zag ik met een schokje, leek op Suzie. Haar nauwe rok zat strak om haar knieën; ze had donker krullend haar en een schrander, knap gezicht. Ze was vertrouwd met de wereld buiten. Ik vroeg me af wat haar ertoe had gebracht die op te geven.

Het was een ontnuchterende gedachte. Terwijl ik een stuk cake aanpakte dat moeder Greta me glimlachend aanbood, keek ik verstolen naar mijn 'broeders'. Ik was zo druk bezig geweest hier te komen dat het nooit in me was opgekomen dat andere meisjes dezelfde horden probeerden te nemen. Nu zaten we hier allemaal samen in deze gastenkamer van het klooster. En de komende drie jaar zouden we samen heel dicht bijeen blijven. Wat een bont gezelschap vormden we. Een Nigeriaanse, een Iers meisje, een Suzie en dat donkere, waardige meisje aan de

78

overkant – Adèle – dat kennelijk Frans was. Dat waren dan nog maar de uiterlijke verschillen. Alleen de hemel wist welke innerlijke verschillen er waren. Zouden we iets gemeen hebben?

'En nu moeten jullie maar eens goed eten bij de thee!' zei moeder-provinciaal joviaal. 'Sommigen van jullie eten helemaal niet. Ze kunnen beter wel wat eten, vinden jullie niet?' zei ze tegen de andere nonnen die om de tafel thee stonden in te schenken in porseleinen kopjes. 'Ze weten niet wanneer ze weer wat te eten krijgen.' Ze lachte en opnieuw sloten de andere nonnen zich bij haar aan met die plagerige lach van iets dat zij wisten en wij niet.

Moeder-provinciaal draaide zich om naar Teresa, waarbij ze niet alleen haar hoofd naar haar toe keerde maar haar hele lichaam in een plotselinge, zwaaiende beweging. 'Denk je dat je in het kloosterleven te eten krijgt, Teresa?'

Teresa schudde haar hoofd en sloeg haar ogen neer zodat ze laag boven haar bord hing. Haar lichaam schokte in een stille lach. Stilte. Ten slotte sloeg ze haar ogen op om naar ons te kijken en dan kreeg ze een volgende hevige lachbui. 'Ik zou het niet weten, eerwaarde moeder,' bracht ze eindelijk uit met een laag trillend gefluister.

Zo *grappig* is het niet, dacht ik toen de nonnen weer in de lach schoten.

We keken allemaal gespannen naar moeder-provinciaal, glimlachend haar stemming volgend die ons gehoorzaam meesleepte. Ten slotte kreeg ze medelijden met ons. 'Wat vindt u ervan, moeder?' blafte ze naar moeder Albert.

'O, ik denk van wel hoor, eerwaarde moeder,' zei de non met het ronde, vriendelijke gezicht. 'Een klein beetje maar,' voegde ze eraan toe op de overdreven toon van bewust plagen, 'een klein beetje avondeten omdat het de eerste avond is.'

'Stelletje sadisten!' fluisterde Marie onder dekking van het plichtmatige gelach waarmee deze woordenwisseling besloot. Ik schrok op en draaide me om om opnieuw naar haar te kijken. Ik had precies hetzelfde gedacht maar zou het nooit hebben gedurfd het zo uit te drukken. Marie trok een gezicht naar me.

'Och, ik denk dat ze alleen proberen ons voor de mal te houden,' zei ik ter verdediging van de nonnen. 'Ik denk niet dat het hun bedoeling is dat we ons beroerd voelen.'

'Nee, dat denk ik ook niet maar het is toch behoorlijk tactloos. Ik bedoel, we weten nu dat we vanavond misschien *niet* te eten krijgen. We weten immers niets van wat er achter de gesloten deur van het klooster gebeurt.'

'Nee,' knikte ik begrijpend. Het was verbazend, nu ik erover nadacht, hoe weinig moeder Katherine me eigenlijk had verteld. Ze had erop gezinspeeld dat het moeilijk zou zijn, maar details had ze niet gegeven.

'Hebben ze jou iets verteld?' vroeg Marie belangstellend.

Ik schudde mijn hoofd. 'Nee, alleen dat het een erg strenge orde is.' Nu ik echt op de drempel van deze vreemde nieuwe wereld stond, vervulden de woorden van moeder Katherine me met een zekere angst. Wat hadden ze werkelijk betekend? Ze had me kennelijk willen waarschuwen op alles voorbereid te zijn, en het was één ding op alles voorbereid te zijn op het moment dat het klooster nog een jaar op zich liet wachten, maar iets heel anders op dit moment. Hoeveel mensen, vroeg ik me af terwijl ik de tafel rondkeek naar de keuvelende nonnen en meisjes, zouden zo'n belangrijke verplichting op zich durven nemen terwijl ze zo weinig afwisten van wat er voor hen in het verschiet lag? Toch, hield ik mezelf dapper voor, neemt God geen genoegen met halve maatregelen. Je moet bereid zijn die blanco cheque te tekenen. Ik rechtte mijn rug en keek heimelijk op mijn horloge. Kwart voor zes. Op elk moment zouden we nu door de kloosterdeur gaan en op gepaste wijze beginnen aan ons eigenlijke religieuze leven. Ik wenste dat het al zover was. De gedachten die Marie me had ingeblazen, vervulden me met een angstig voorgevoel, maar er was ook een stille opwinding in me.

Marie sprak tegen me. 'Moeder Louise vertelde me dat ook, ik bedoel dat het een strenge orde is.'

'Was zij jullie schoolhoofd?' vroeg ik.

'Nee, gewoon een non op school. Ik kreeg geschiedenis van haar.'

'Hoe oud ben je?'

'Zeventien. *Sweet seventeen and never been kissed*,' citeerde Marie, gemaakt onnozel, om me vervolgens welbewust een vulgair knipoogje te geven.

'Tenminste, ik geloof van niet!' voegde ze eraan toe, terwijl ze op een nogal ruwe manier naar me glimlachte.

'Ik ook, ik ben ook zeventien, bedoel ik,' zei ik. En we lachten kameraadschappelijk, nader tot elkaar gebracht als we waren door het gemeenschappelijke grapje. Ik vond Marie aardig, besloot ik; ze was grappig. Toch was ik er nieuwsgierig naar waarom ze in hemelsnaam had besloten in te treden. Ze zag er heel anders uit dan de rest van ons. Ik besloot het haar te vragen. Dat zou ze vast niet erg vinden.

'Wat heeft jou hier gebracht?' vroeg ik alsof we elkaar toevallig op een straathoek waren tegengekomen.

'Het is zo'n mooi leven,' zei Marie. Haar donkere ogen die meestal glinsterden als vurige kooltjes, kregen een dromerige uitdrukking. 'Het habijt, weet je. Wat is dat mooi, hè?' Ik glimlachte vaag. Ik had daar nooit zo over nagedacht. 'En op school zongen de nonnen zo prachtig. Het is zo'n puur leven – een bruid van Christus zijn, de wereld opgeven en zo. En dan is mijn beste vriendin Angela vorig jaar ingetreden.'

'Is ze hier nog?' vroeg ik.

'Ja, ze is eerstejaars novice. Ik verlang er zo naar haar terug te zien. Ik ben vorig jaar juli naar haar kleding geweest. Dat heeft me overtuigd. Ik moest hierheen. Sindsdien heb ik niet meer achteromgekeken.'

Opnieuw glimlachte ik vaag. Ik had het gevoel dat er ergens iets mis was. Waar paste God in dit alles? Toch vond ik dat je niet meteen over God kon beginnen met iemand die je net had ontmoet. Ik zou dat in elk geval een beetje gênant vinden tussen de theekopjes en de boterhammen.

'Ik wou dat ik een peuk had!' fluisterde Marie. 'Ik heb mijn laatste in de trein opgestoken. Mijn laatste sigaret!' voegde ze eraan toe terwijl ze op dramatische wijze haar hoofd achterover wierp in een bestudeerde pose en haar ogen sloot. Die waren dik bedekt met een laag groene ogenschaduw die niet dezelfde kleur had als haar parelmoergroene nagels. 'Maar,' zei ze om van onderwerp te veranderen, terwijl ze naar een stuk brood graaide, 'eet op, meiske! Als we niet kunnen roken, dan kunnen we net zo goed eten.'

'Eerlijk!' fluisterde Edna aan mijn andere kant. 'Ik snap niet hoe ze het kunnen. Ik krijg geen hap naar binnen.'

Ik knikte met sympathie naar haar. Ik wil dat dit afgelopen is, zei ik tegen mezelf. Op dat moment had ik het gevoel alsof ik tussen twee werelden balanceerde. Dat gevoel werd versterkt door het feit dat de nonnen om ons heen zelf niet aten. Ik had nog nooit een non zien eten. 'Waarom eet u niet met ons mee?' hadden we de nonnen op picknicks en uitstapjes gevraagd.

'Omdat we afgezonderd zijn,' had moeder Katherine uitgelegd. 'Nonnen leven apart van de wereld. Met iemand eten houdt in dat je elkaars waarden deelt, een gemeenschappelijke opvatting hebt. Wij eten niet met leken – niet-religieuzen – omdat we de wereld de rug hebben toegekeerd. Je moet de afgezonderheid van een non altijd respecteren.'

En hier zaten we nu, gekomen van over de hele aardbol om hun leven te delen.

Alsof ze mijn onuitgesproken wens het nieuwe leven op gepaste wijze te beginnen beantwoordde, begon moeder Albert te spreken.

'Eerwaarde moeder,' zei ze respectvol tegen moeder-provinciaal, 'ik denk dat we nu beter kunnen gaan, omdat om halfzeven de kapceremonie begint.'

'Ja, uitstekend!' zei moeder-provinciaal. 'Goed. Jullie gaan nu met moeder Albert mee naar het postulantenhuis,' zei ze glimlachend tegen ons. 'Daar zullen de tweedejaars novicen jullie helpen met het aantrekken van de postulantenkleding. Daarna hebben we om halfzeven de kapceremonie.' Ze wachtte even en haar stem werd luider. 'Jullie komen naar de kerk en daar zullen jullie de postulantenkap ontvangen, het korte witte sluiertje dat jullie deze eerste negen maanden zullen dragen. Dat is jullie formele opname in de communiteit. Zullen we samen danken?' Schuifelend stonden we allemaal op.

We gingen terug naar de tuin waar het zonlicht ons bijna verblindde na de duisternis van de gastenkamer. Het was een ongeregelde kleine processie, aangevoerd door moeder Albert die met een vreemde, springerige stap voortliep en leek te dansen op de bal van haar rechtervoet. Wij liepen langzaam achter haar aan, strakke rokjes, orlon sweaters, en een of twee strakke broekpakken. Ik voelde me week van opluchting.

Moeder Albert glimlachte naar ons, 'Dit is het nu,' zei ze. 'Het moment waar jullie maanden aan gedacht hebben. Jullie hadden je er een voorstelling van gemaakt hoe het zou zijn, denk ik, en je afgevraagd wat jullie zouden voelen. En nu voelen jullie waarschijnlijk helemaal niets.'

Dat was in zekere zin waar. Na de onstuimige opwinding van een paar minuten geleden, kwam dat lege gevoel opnieuw over me, zodat het leek alsof ik mezelf bekeek terwijl ik deze gedenkwaardige stappen zette.

'We zijn er,' zei moeder. 'We gaan door de achteringang, door de sacristie, omdat jullie nog geen religieuzen zijn.' Ze vervolgde glimlachend: 'Dat zijn jullie pas na de kapceremonie, en daarom gaan jullie zo min mogelijk door het klooster.'

Een grote zware deur zwaaide open. De sacristie, doortrokken van de scherpe geur van wierook en kaarsen. Een korte glimp van een klooster-gang die zich voor ons uitstrekte, met roestkleurige en gele tegels die zacht glansden in het schemerige licht dat door de glas-in-loodramen viel. Een snelle blik op een enorme *piëta* in de hoek van de kloostergang. Jezus, le-vensgroot, gebroken en dood uitgestrekt in de armen van zijn moeder. Maria in ondraaglijk verdriet voor zich uit kijkend, blank en sereen.

Dan door een andere zware deur met grote ijzeren hengsels en een enorme sleutel die een hol geluid gaf in de stilte. 'Dit,' zei moeder, 'is de deur naar het postulantenhuis.' De deur zwaaide geluidloos open.

Een houten trap zonder bekleding. Een geur van reinheid en bijen-was. Onze hoge hakken kletterden luid. Ze leken al niet meer op hun plaats.

En ten slotte de slaapzaal. Een lage moderne ruimte waar twaalf wit gedekte bedden in stonden. Licht stroomde naar binnen en huiszwalu-wen doken kwetterend naar de dakrand. De vloer glansde. Het leek een plaats van zuiverheid en onschuld. We stonden onwennig bij elkaar in de deuropening.

'Dit is je cel, Karen,' zei moeder Albert. 'Je boft! Je hebt een mooie hoekcel bij de radiator. Maar raak er maar niet te veel aan gehecht,' glim-lachte ze. 'Ik laat jullie elke paar maanden rouleren, zodat je hem niet als "jouw" cel zult gaan beschouwen. In het religieuze leven bezitten we niets.'

Mijn cel, dacht ik met een vreemde opwinding. Dat klonk zo kloos-terachtig. Ik moest opnieuw aan de heiligenlevens denken, aan nonnen en monniken die in hun kale stenen cel met God en de duivel worstel-den. Dit was natuurlijk geen stenen cel, maar hij gaf aan dat ik eindelijk was aangekomen waar ik wilde zijn.

Zuster Rebecca kwam om me te laten zien wat ik moest doen. Het was voor het eerst dat ik een novice zag. Ze keek naar me met ogen die straalden van opwinding. Maar ze had zichzelf onder controle en was kalm. Ze was lang en gekleed in het volledige religeuze habijt, behalve dat ze een lange witte sluier droeg. Uiterlijk was haar gezicht vredig, het was heel erg mooi. Het was het gezicht, dacht ik, van een madonna van Botticelli, sereen en dromerig. Precies zo wil ik zijn, dacht ik.

'Hallo zuster,' zei ze. Zuster! Ik registreerde het beduusd en vervol-gens voelde ik een rilling van voldoening door me heen gaan. Eindelijk!

'Hier zijn je kleren,' zei zuster Rebecca bijna fluisterend. En kalm. Zo kalm. 'Ik zal wat warm water voor je halen, omdat ik denk dat je je wel even zult willen wassen.' Ze haalde een geëmailleerde kan onder het bed vandaan.

'Je kunt de gordijnen rond je cel dichttrekken. Hier.'

Ik trok de gesteven, gebleekte, grofgeweven katoenen gordijnen rond het bed dicht; ze waren geplooid en hingen neer van een rails. Als ze waren dichtgetrokken, sloten ze mijn cel af van de rest van de slaapzaal. Ik keek rond. De cel was klein. Net groot genoeg om in te staan en voorzichtig rond te draaien. Op de vloer lag een stukje harige kokosmat en naast het bed stond een kleine witgeschilderde wastafel met een koude marmeren plaat erop. Op de plaat een grote porseleinen waskom en een porseleinen kan met koud water. Op de houten stoel stond mijn koffer en ik nam er mijn waszak uit en het paar schoenen dat ik had meegebracht. Platte veterschoenen met rubberzolen.

Zuster Rebecca verscheen weer met een kan heet water, die ze in de waskom leeggoot. 'Heb je zeep, zuster?' vroeg ze. Ze was zo aardig, zo vriendelijk en bovenal zo zelfverzekerd. Ik knikte, er alleen maar naar verlangend zo snel mogelijk op te schieten. 'Goed, dan laat ik je nu alleen zodat je je kunt aankleden. Ik kom gauw weer terug.'

'Dank je wel, zuster,' zei ik glimlachend en haar gezicht lichtte plotseling op met een glimlach die het antwoord vormde op de mijne.

Ik trok mijn kleren uit en toen ik me realiseerde waar ik was vouwde ik ze netjes op en legde ze op de stoel. Het leek alsof ik de wereld van me afwierp, mijn hele vorige leven met al zijn verwarring, vernederende angsten en kleinzieligheden. Ik boende ruw de make-up van mijn gezicht en spatte energiek in het hete zeepwater. Ik wilde absoluut schoon mijn nieuwe leven binnengaan. Niet alleen het vuil van British Rail, maar het vuil van de wereld moest worden weggeboend en door de afvoer gespoeld.

Toen keek ik naar de kleren. Uit alle hoeken van de slaapzaal klonk gesmoord, nerveus, opgewonden gegiechel. Ik trok de zwartwollen kousen aan en vervolgens de onderkleding. Een lange gezondheidsonderbroek die tot mijn knieën reikte. Een gezondheidshemd met lange mouwen (een beetje te lang, want ze vielen over mijn handen en daarom rolde ik ze op tot boven mijn polsen) dat tot over de onderbroek viel en tot vlak boven mijn knieën kwam. Dan een enkellange serge onderjurk. Alle kleding, zo merkte ik op, was gemerkt met een nummer: *276*; dat was dus mijn nummer. Ergens in die menigte onbekende nonnen had ik een definitieve plaats gekregen. Ik was nummer tweehonderdzesenzeventig in de rij! Vervolgens een zwarte katoenen bloes, een lange geplooide zwarte serge rok die net over mijn enkels viel, en over dit alles heen een stijve cape, van voren open en omgebiesd bij de hoeken, die vrolijk om mijn ellebogen fladderden. Er zat een plat linnen boordje op. Ik bekeek mezelf zenuwachtig en voelde me alsof ik gekostumeerd was. Of was aangekleed voor een toneelstuk. Maar, zo begreep ik met een schok, ik kende noch de rol noch de tekst.

'Hemeltje, dat heb je vlug gedaan!' Zuster Rebecca was geluidloos mijn cel binnengekomen. Ik draaide me verlegen naar haar om. Ze bekeek me en liet door ernstig en beslist te knikken merken dat ze tevreden was. 'Goed! Laten we nu een kap voor je vinden.'

Ze pakte mijn haarborstel en borstelde mijn haar strak uit mijn gezicht en maakte het vast met haarspelden. Dan haalde ze een witte linnen kap te voorschijn en zette hem op mijn hoofd, bekeek me en schudde haar hoofd. 'Te strak,' zei ze nadrukkelijk. Uiteindelijk vond ze er een die bleek te passen, waarop ze het bandje aan de achterkant strak aantrok en het met een stevige knoop onder mijn kin vastknoopte. 'Ja!' zei ze. De kap zat strak om mijn gezicht en liet maar een klein beetje haar van voren vrij. Vervolgens verdween ze en liet me achter met het gevoel dat ik een ontvelde druif was. Ze kwam terug met een halfrond stuk wit linnen dat ze rondom de kap vastzette, zodat het sluiertje rond mijn schouders hing. 'Zie je?' zei ze. 'Ik doe één speld bovenaan en één aan elke kant. Zit dat goed?'

Haar stem klonk omfloerst. *Voelt het nu zo als je een habijt draagt?* vroeg ik me af. Alsof alle geluiden van heel ver weg komen en je bent afgesloten in een wereld van persoonlijke stilte met God. Voor altijd. Ik draaide mijn hoofd onzeker heen en weer en het gesteven linnen ruiste en kraakte alarmerend door mijn hoofd als het bulderen van een woeste zee.

'Goed,' zei zuster. Vervolgens maakte ze de kap en de sluier los. En meteen was de wereld weer terug, lawaaierig, helder en alle aandacht opeisend.

'Tijdens de kapceremonie,' legde zuster rustig en geruststellend uit, 'zal eerwaarde moeder-provinciaal de kap op je hoofd zetten. Op deze manier, zie je?' en ze demonstreerde hoe. 'Dan moet jij de bandjes die ervoor hangen vastpakken. Kijk, zo. Ja, zo is het goed, maak ze nu opzij onder je kin vast. Nee, hier. Ja, zo moet het, maak een goede, stevige knoop... ja... goed. Dan houd je een slordige warboel van loshangende stukjes band over. Die – de stukjes band dus – moet je dan zo om elkaar heen draaien tot je een soort gevlochten koord krijgt en dat steek je dan opzij in je kap zodat het niet meer te zien is. Probeer het nu nog maar eens.'

Onhandig probeerde ik het.

'Zo is het goed,' zei ze met een plotselinge glimlach. 'Je hele verdere leven moet je er goed op letten dat je je bandjes niet laat zien. Kijk!' Ze trok aan haar eigen kap en daar hingen ze dwaas detonerend omlaag van de strenge kap en haar knappe gezicht. Ze giechelde. 'Wij noemen dat "een baard hebben",' zei ze terwijl ze ze terugstopte. 'Ik speld de mijne veilig vast. Dat kun jij ook doen.' Vervolgens nam ze de kap en de bijbehorende sluier af, speldde er een etiket op waar 'Karen' op stond en gleed weg om haar aan moeder Albert te geven. Ik keek de slaapzaal rond. Van alle kanten kwamen de meisjes uit hun cellen, met schoongeboende kinderlijke gezichten, onhandig maar al veranderd. De oppervlakkige verschillen in haarstijl en kleding die zorgvuldig waren gekozen om persoonlijkheid uit te drukken waren allemaal weggevallen. We behoorden, nu we er allemaal hetzelfde uitzagen, niet meer tot de wereld. We bekeken elkaar heimelijk, vingen elkaars blikken op en grinnikten gemaakt naar onze spiegelbeelden.

'Is iedereen klaar?' riep moeder Albert. 'Mooi zo, we zijn net op tijd. Jullie kunnen gaan, zusters,' zei ze, terwijl ze een wegwuivend gebaar maakte in de richting van de novicen, die stilletjes verdwenen met neergeslagen ogen en wapperende witte sluiers.

Moeder Albert bekeek ons kritisch terwijl ze langs de rij liep die we hadden gevormd, een boordje op zijn plaats duwde, aan een cape trok, een rok schikte.

'Dit,' zei ze, 'is jullie formele introductie in de orde. Na de kapceremonie zullen jullie kloosterzusters zijn. Het is een korte en heel eenvoudige ceremonie. Eerwaarde moeder-provinciaal zal enkele gebeden lezen. Probeer er goed naar te luisteren; neem ervan op zoveel jullie kunnen. Het zijn prachtige gebeden waarin God wordt gevraagd of Hij jullie wil geven wat jullie nodig hebben om goede nonnen te worden. Jullie hebben misschien helemaal niet zo'n behoefte aan bidden,' voegde ze er met een begripvolle glimlach aan toe. 'Waarschijnlijk voelen jullie je in de war en verdoofd. Maar maak je daar geen zorgen over. Dat is heel gewoon. Jullie hebben allemaal een erg vermoeiende en ongewone dag achter de rug.'

Vervolgens riep ze onze namen af, op volgorde van leeftijd. 'Waar je in de komende drie jaar ook gaat,' legde ze uit, 'jullie zullen in deze volgorde in de rij lopen. Probeer dat goed te onthouden.' Ik stond achter Irene, en Marie en Margaret stonden weer achter mij. Het was een ontmoedigend vooruitzicht altijd op een vaste plaats in de rij te moeten lopen. Net als soldaten, dacht ik. En toen bedacht ik me dat Sint-Ignatius, wiens regel we in deze orde grotendeels volgden, een soldaat was geweest. Soldaten van Christus.

'Wie van jullie heeft er een hoofddoek?' vroeg moeder. Ik pakte de mijne en een paar anderen deden hetzelfde. 'Ja, jullie zullen zoals gebruikelijk jullie hoofd in de kerk moeten bedekken. Iedereen die geen hoofddoek heeft krijgt een mantilla.'

Ik keek naar mijn hoofddoek. Het was een roodwitte vol antieke auto's in felle kleuren die er vrolijk overheen denderden. Thuis had ik er niets raars in gezien. Maar nu leek hij misplaatst. Ik keek omlaag naar mijn vreemde sobere kleren en kromp ineen bij de gedachte mijn religieuze debuut te moeten maken met dit symbool van frivoliteit op mijn hoofd.

'Moeder,' zei ik, 'dit kan ik echt niet dragen!'

Ze bekeek de hoofddoek en haar gezicht lichtte op.

'Nee,' zei ze terwijl ze moest lachen om de absurditeit ervan. 'Nee, zoiets kun je echt nooit meer dragen!'

Later hoorde ik over de gevoelens en gedachten die mijn ouders die avond hadden gehad. Ze hadden de middag in het theater doorgebracht en waren zich er daarbij scherp van bewust geweest dat ik er niet bij was. Het was een raar gevoel geweest naar Maria von Trapp als postulante te kijken en te bedenken dat ik er op hetzelfde tijdstip ook een was. Het had hun troost gegeven dat Maria haar orde verliet. Het voedde de hoop die ze beiden deelden, ook al hadden ze daar nooit rechtstreeks uitdrukking aan gegeven, dat ook ik niet geschikt was voor dit leven. 'Climb every mountain till you find your dream!' Ze konden zich niet voorstellen dat een lid van mijn orde me met een aria zou wegsturen – het was waarschijnlijker dat het een koele, ironische, maar beleefde vermaning zou zijn – maar hoe heerlijk zou het niet zijn als me werd geadviseerd te vertrekken. 'Till you find your dream.' Wat wilde ik nu eigenlijk *echt* dat het me geestelijk zo ver van hen had verwijderd?

Toen ze na afloop over de snelweg naar huis reden, viel Lindsey in slaap, uitgeput door de emoties van de dag. Het was goed dat ze zo moe waren. Ze hadden welbewust een overladen dag gepland zodat ze wanneer ze thuiskwamen, alleen maar wilden slapen zonder nog te hoeven nadenken. Maar onvermijdelijk vroegen ze zich af of ze er juist aan hadden gedaan me te laten gaan.

'Wat hadden we anders kunnen doen?' bleef mijn moeder maar zeggen. 'Hoe hadden we haar kunnen tegenhouden? Als we haar hadden tegengehouden, had ze de komende jaren alleen maar zitten smachten naar het klooster.' Dit was het enige punt in al haar religieuze verwarring waarop ze bleef terugkomen.

Steeds weer probeerden mijn ouders tijdens die droeve rit naar huis te begrijpen wat er was gebeurd. Als ze naar mijn zusje op de achterbank keek, probeerde mijn moeder erachter te komen hoe het mogelijk was dat ze twee zo verschillende kinderen had gekregen. Het veertienjarige lichaam van Lindsey was al verleidelijk zoals ze daar sliep, haar lange goedgevormde benen uitgestrekt op de achterbank, haar weelderige haar over haar schouders vallend. 'Lindsey had niet verschillender kunnen zijn,' zei mijn moeder. 'Extravert, niet op haar mondje gevallen en massa's vriendinnen. Binnenkort zullen we de vriendjes van de deur moeten jagen, denk ik zo.'

Mijn vader was het met haar eens. Hij had het gevoel dat Lindsey meer op zijn kant van de familie leek. Hij begreep haar op een of andere manier beter dan mij. Zij had rechttoe-rechtaan-emoties en ook iets van zijn Ierse sentimentaliteit, terwijl ik een onbekende grootheid was met gedachten die ik nooit met iemand zou delen. 'Hoe komt het toch dat ze zo verschillend zijn?' vroeg hij zich af. 'Ze zijn op precies dezelfde manier opgevoed.'

'Genen,' zei mijn moeder droog. 'Karen heeft de genen van de Hastings. Ze is precies zoals mijn moeder. Ze lijkt op haar, ze is net zo klein terwijl de rest van ons zo lang is, en ze heeft ook haar gevoel voor humor.'

'En ze heeft altijd non willen worden, tenminste dat zegt ze nu,' zei mijn vader. 'Wie zal het zeggen? Het kan best zijn dat het daarom voor haar zo verkeerd is gelopen. Weer dat "wil van God"-gedoe.'

De lichten begonnen door de duisternis aan de kant van de snelweg te prikken. Buiten de auto leek de wereld mijn ouders hard en erg kil toe. Hoe hadden ze een kind kunnen voortbrengen dat niets wilde weten van alles waar zij zo van hielden en zoveel waarde aan hechtten? Ze hadden in dat laatste jaar alles geprobeerd om mij van gedachten te doen veranderen. Ik had massa's feesten en officiële katholieke plechtigheden moeten meemaken die me met afschuw en ondraaglijke verveling hadden vervuld. Als dit de wereld was met al haar werken en vertoon, konden ze haar houden. De jongens van Stonyhurst en Downside hadden me rondgesleept op de dansvloer zonder me in de ogen te durven kijken als we een gesprek probeerden te voeren. Mijn schoenen hadden pijn gedaan, mijn jurk had aangevoeld als een harnas en ik had vurig verlangd naar de zoete eenzaamheid van mijn slaapkamer. 'Het zijn toch zulke aardige jongens,' had mijn moeder geprotesteerd. Misschien was dat nu precies wat er verkeerd aan hen was. Niets had me van gedachten kunnen doen veranderen over het klooster.

'Ik heb haar nog nooit zo koppig meegemaakt,' zei mijn moeder terwijl de auto hen verder en verder van me wegvoerde. 'Het was zo vreemd, het leek wel of God haar op een of andere manier echt steunde.'

Ik besefte dat dat het was wat mijn ouders het meest verbaasde. Ik was altijd een meegaand kind geweest dat elk conflict uit de weg was gegaan en altijd liever had toegegeven dan een ruzie te riskeren. Niets had me echt de moeite waard geleken voor zo'n verspilling van energie en waardigheid. Maar in deze zaak wist ik dat ik gelijk had en met een kracht waarvan ik nooit had geweten dat ik die bezat, was ik rustig op mijn standpunt blijven staan en had doodleuk geweigerd er ruzie over te maken. Ik deed immers wat God wilde en ik moest mijn ouders dat op een vriendelijke manier duidelijk maken. Ik moest hun ten minste een zo onbehaaglijk gevoel geven dat zij liever niet het risico liepen zich Gods ongenoegen op de hals te halen. We spraken hier nooit over. Mijn ouders spraken niet gemakkelijk over de persoonlijke en emotionele aspecten van het geloof. Toch heb ik mijn moeder eens horen zeggen: 'Als je in God gelooft, moet je als goed katholiek ook geloven dat Hij sommige mensen roept om non te worden. Dan is het niet meer dan logisch dat het ook je eigen dochter kan zijn.'

Ze vervielen in zwijgen toen ze Birmingham naderden. Als God in het geding was, kon je nooit winnen. En dat zou je ook niet moeten willen. Toch voelden ze zich nog steeds bedrogen en onbehaaglijk.

'Wanneer kunnen we haar opzoeken?' vroeg mijn vader.

'Met de kerst; dat duurt niet meer zo lang. Daarna mogen we maar eenmaal per halfjaar naar haar toe.'

Mijn vader moest aan de joviale nonnen in *The Sound of Music* denken. 'How do you solve a problem like Maria?' en vrolijke liedjes over snorharen op jonge katjes bij de abdis. Ze hadden de opleiding tot postulante op een spelletje laten lijken. Zou het in Tripton net zo zijn? Op een of andere manier was hij er niet van overtuigd dat het zo normaal zou zijn, maar hij kon zich absoluut niet voorstellen hoe het echt was achter de kloosterdeur. Hoopvol dacht hij weer aan Maria.

'Denk jij dat ze het daar uithoudt?' vroeg hij.

'Ik weet het niet. Moeder Katherine zei dat het noviciaat het moeilijkste deel was, vooral het eerste jaar. Als ze dat doorkomt, zal ze waarschijnlijk wel blijven.'

Zwijgend draaiden ze de vertrouwde oprijlaan op en zetten zich schrap om zonder mij het huis binnen te gaan.

We betraden de kerk voor de kapceremonie. Achterin speelde een orgel. Rij na rij zwarte, biddende nonnen vulde de kerkbanken, hun hoofden gebogen in dezelfde hoek, hun gezichten verborgen in hun handen. Voor hen zaten drie rijen witgesluierde novicen. Ik keek omhoog naar het dak. Daar rezen, verloren in de vage schaduwen, de drie bogen boven ons uit; na eeuwen van vervolging en verval te hebben overleefd, stonden ze daar weer in hun volle glorie en adembenemende schoonheid. Het strenge grijs van het steen van de muren werd verzacht tot zachtroze, nu de avondzon schuin door de hoge matglazen ramen scheen.

Het orgel speelde vredig door.

We liepen door het middenpad achter moeder Albert aan. Het leek alsof we veel lawaai maakten. Mijn leven lang had ik vrijelijk kunnen bewegen en er nooit aan gedacht hoe ik mijn voeten zo moest neerzetten dat ze geen geluid maakten. Het leek wel alsof we als vandalen deze heilige plaats binnenstampten en het tumult van de wereld rechtstreeks in de stilte en het gebed van de kloosterkerk brachten.

Boven het altaar hing een groot crucifix uit de veertiende eeuw. De geschilderde Byzantijnse Christus hing daar lijdend maar triomferend, verloren in zijn eigen visioen van heerlijkheid.

Moeder Albert ging ons in onze lange ordeloze rij voor naar het smeedijzeren altaarhek, waaromheen we moesten neerknielen. Ik keek naar het tabernakel, waarin zich de verborgen tegenwoordigheid van Christus bevond. *Ik ben gekomen om U te vinden,* dacht ik. *Het is me gelukt. Hier ben ik.* Het door twee kaarsen verlichte tabernakel glansde me tegemoet.

Achter me hoorde ik de stem van eerwaarde moeder-provinciaal. 'In de naam van de Vader en de Zoon en de Heilige Geest, Amen.' Er klonk niet zozeer een geruis maar meer een beweging van kleren, zacht en fluisterend, toen de zeventig vrouwen achter mij zich bekruisten. De stem van moeder-provinciaal die in de volle gastenkamer te fors en te luid had geklonken, slecht afgestemd op de gewoonheid van een gezellig samenzijn, zwol aan zodat zij de enorme kerk geheel vulde; hier was zij op haar plaats. Los van het scherpe gezicht klonk zij werkelijk prachtig. *Concentreer je.* Ik probeerde mijn gedachten te bepalen bij het gebed dat ze voorlas. Ze las een smeekgebed waarop de communiteit haar antwoordde, biddend met ons en voor ons: 'Wij bidden U, verhoor ons.'

'Geef, O God, zo smeek ik U nederig, dat ik tot deze staat van heilig geloof kom met een nederige en gehoorzame geest, met een hart vol berouw en met een lichaam dat een bekwaam en een gewillig instrument van mijn ziel is.'

Plotseling verstijfde mijn lichaam en werd ik door paniek bevangen, waardoor mijn hart begon te bonzen. Wat had ik gedaan? Waar was ik toch mee bezig? Ik luisterde naar de zware eisen die in het gebed werden gesteld. Hoe dacht ik daaraan te voldoen? Wat deed ik hier met deze vrouwen wier harten werden verteerd van berouw over hun zonden, wier geesten zich gedwee overgaven in volledige gehoorzaamheid aan Gods wil en wier lichamen niet langer vroegen om bevrediging, maar slechts werktuigen waren van een zuivere ziel die brandde van een onwankelbare liefde voor God? Ik keek doodsbang naar het crucifix en wilde wegrennen van deze gebroken en lijdende Christus die daar triomferend over zijn afschuwelijke pijn hing. Ik wilde door het dorpsstraatje rennen, terug naar het station. Terug naar de wereld die ik kende, waar ik ten minste aan sommige van de aan mij gestelde eisen kon voldoen. Ik wilde weg. Maar mijn benen voelden week en slap aan.

Dan begon het orgel achter in de kerk te spelen. Ik herkende de hymne *Ave Maris Stella* met haar zoete, verlokkende ritmen. 'Gegroet,

Sterre der Zee' riep zij tegen Maria, Moeder van God en alle mensen. Ik dacht aan mijn eigen moeder die thuis mijn slaapkamer schoonmaakte en zorgvuldig vermeed naar mijn kleren te kijken, die er slap en nutteloos bijhingen. De leegheid in mij deed me pijn. Voor mij kon er van nu af aan geen eenvoudige, ongedwongen liefde meer bestaan, geen ontspannen vriendschap, alleen de verschrikking van die hartverscheurende, eindeloze kruisiging.

'Betoon Uzelf een moeder voor ons,' zong de communiteit, '*Monstra te esse matrem.*' Ik herinnerde me de woorden van moeder Katherine: 'Onze Heer zal alles goed met ons maken.' Het verscheurende verlies dat ik voelde, losgerukt als ik was van iedereen die ik had gekend en van wie ik had gehouden, zou worden vervangen door iets dat veel bevredigender was. God had me al zijn eigen Moeder gegeven. De schoonheid van het lied klonk troostend in me door en deed mijn hart opzwellen bij de belofte van volmaaktheid die de muziek inhield. Ik voelde hoe de kap over mijn hoofd naar beneden zakte, de muziek dempte, de wereld, het vlees en de duivel buitensloot en me opsloot in mijn eigen hoofd om mijn lange strijd met God aan te gaan.

Toen bad van achter uit de kerk, ver, ver weg, een stem: 'O liefste Jezus,' en eenstemmig bad de communiteit het gebed van de orde. Ze fluisterden de woorden vol liefde en wisten op een haar nauwkeurig wanneer ze moesten pauzeren en hoe lang, wanneer ze moesten ademhalen en wanneer ze moesten spreken. Het was een vertrouwd gebed. Ik had het al zo vaak op school gehoord. Ik luisterde, getroost, bang om mee te doen. Ze spraken als één persoon, als één lichaam. Ik had al twaalf jaar naar dit gebed geluisterd, maar nu hoorde ik er voor het eerst bij. Ook ik zou leren hoe ik het zo moest uitspreken dat mijn stem verdween en opging in de ene stem van de communiteit.

Dit, dacht ik met eerbied, is mijn nieuwe familie. Ik zal de ritmen van dat gebed over het leven van deze communiteit leren. Ik zal een deel worden van deze hechte familie en branden van liefde voor God. In vrede.

4

Tripton

'Ja, het was verschrikkelijk. Vorig jaar hebben ze me een maand lang opgesloten.'

'Opgesloten?!' Ik was stomverbaasd.

'Echt waar. Ik zou vorig jaar intreden. Alles was geregeld, ik had mijn koffer gepakt, mijn kaartje voor de boot was geboekt. Mijn ouders spraken niet tegen me, maar *que voulez-vous?* Ik had niet anders verwacht. Ze hadden al maandenlang scènes gemaakt – verschrikkelijke scènes!' Adèle zweeg, haar elegante gezicht getekend door de herinnering aan de verschrikking. 'Nou, toen ben ik naar boven gegaan om te pakken en toen ik daarna de deur van mijn kamer wilde openen, zat hij op slot.'

'Wat heb je toen gedaan?' vroeg ik geboeid.

'Ik heb een tijdje op de deur gebonsd. Maar ik wist dat het niet zou helpen. Toen ben ik maar gaan zitten en heb afgewacht.'

'Hoe voelde je je? Ik zou gewoon gek zijn geworden!' zei ik meelevend.

Adèle trok haar schouders op. 'Wat zou dat nou hebben uitgemaakt? Helemaal niks. Nee, ik wist dat ik hier gewoon doorheen moest – hoe zeg je dat ook alweer – het moest doorstaan.'

Ik keek haar met respect aan. Wat een zelfbeheersing! Maar Adèle was dan ook erg beheerst. Haar gezicht stond kalm en was knap op een donkere Franse manier. Ze zat kaarsrecht in haar stoel en bewoog zich haast niet terwijl ze sprak. Naast haar had ik het gevoel dat mijn ledematen als dorsvlegels rondzwaaiden. Ze had haar postulantenkleding pas een half-uur aan maar zag eruit alsof ze erin was geboren. In die van mij voelde ik me onprettig – al dat geflapper – en doordat ik niet goed kon horen, voelde ik me gedesoriënteerd en nogal duizelig. Maar dat kon ook door de opwinding komen.

We zaten, een halfuur na de kapceremonie, in de communiteitskamer van de postulanten. Moeder Albert had ons erheen gebracht door een wirwar van corridors en kloostergangen en ons vervolgens achtergelaten om zelf het avondeten te gaan gebruiken.

Zuster Rebecca, de tweedejaars novice die me bij het kleden had geholpen, was bij ons gebleven, en zij zou ons meenemen naar wat ze hier het 'tweede-tafel-avondeten' noemden, om acht uur. Om een of andere reden aten de postulanten niet samen met de geprofeste nonnen en de novicen.

De communiteitskamer was een lange en sober ingerichte ruimte. In het midden ervan stond een tafel met tien stoelen eromheen, een voor ieder van ons. Er lag geen tapijt en de oude houten vloerplanken glansden diepbruin in het elektrische licht dat uit kale peertjes scheen. Tegen de muren van de kamer stonden, naar het midden gekeerd, tien oude schrijftafels – elk gecombineerd met een stoel. Een voor ieder van ons in volgorde van leeftijd. Zuster Rebecca, die ons welwillend bekeek, had ons verteld dat we onze schrijftafels moesten opzoeken en een tijdje met elkaar konden praten. Zo dadelijk zou ze ons vertellen wat we in de refter moesten doen. Adèle, die de oudste postulante was, had een plaats in de verste hoek. Ze was al zesentwintig. Daarna kwam Edna en ik zat aan het verste eind van de kamer. Er waren twee postulanten die jonger dan ik waren. Marie en een mollig, blond, dromerig kijkend meisje dat Margaret heette. Tegen de muur tegenover ons stond een ouderwetse linnenkast met erbovenop een beeld van Onze-Lieve-Vrouw die het Kindeke Jezus op de arm droeg. Achter ons drukte de nacht zwart tegen de grote schuiframen zonder gordijnen. De ramen werkten als een spiegel en het was erg moeilijk de verleiding te weerstaan onszelf in onze nieuwe kleding te bekijken. Ik had geprobeerd haar te weerstaan – kom op, zei ik tegen mezelf, je moet dit ijdele gedoe toch eens opgeven – maar mijn ogen dwaalden steeds weer terug naar mijn spiegelbeeld. Ik kon mijn gezicht zien; het zag er mager uit nu al mijn haar achterover was gekamd en het werd omlijst door de golvende tot aan de schouders reikende kap. Mijn gezicht leek heel bleek en mijn ogen glansden, groot en donker. Maar dat kwam door het harde licht, vermoedde ik. Ik was naar de overkant gelopen om met Edna te praten en midden in Adèle's verhaal over de ontsnapping aan haar ouders gevallen.

'En je moest dat een maand lang volhouden?' vroeg ik ongelovig. Het klonk als een sterk verhaal uit een roman. 'Maar heb je dan niet geprobeerd uit de ramen om hulp te schreeuwen?'

'Mijn kamer keek uit op de tuin,' antwoordde Adèle kortaf, 'en als iemand me al had kunnen horen, wie zou er dan zijn gekomen? Mijn ouders zijn al oud; ik ben hun enige kind. De mensen vertelden me dat ik egoïstisch was, dat ik thuis nodig was. Ze stonden aan de kant van mijn ouders.'

'Dat geloof ik graag,' zei ik langzaam. Ja, natuurlijk had Adèle gelijk, hoeveel verdriet ze haar ouders ook had aangedaan.

'Kreeg je wel te eten en zo?' vroeg ik Adèle.

'Natuurlijk! Ze zouden me echt niet hebben laten doodgaan! Wat zou daar het nut van zijn geweest? Nee, ze wilden me levend en gezond bij zich houden tot hun dood. Mijn vader bracht me elke ochtend mijn ontbijt. En soms – het was zo zielig – trakteerde hij me zelfs. Dan bracht hij bijvoorbeeld een cake die hij speciaal voor mij had gebakken, of een klein bosje bloemen dat hij op het blad zette. Ik voelde me daardoor zo – hoe zeg je dat – verscheurd. Ja, in tweeën gescheurd.

'Mijn vader betoogde dat God niet kon willen dat ik mijn ouders zou verlaten. Dat ik me dat maar inbeeldde. En weet je, zelfs de pastoor van onze parochie was het met hen eens. Och! Hij is ook al oud. Hij kent ze al jaren en hij is verschrikkelijk saai! Ik denk ook dat het hem niet beviel dat ik in een Engelse orde wilde intreden.'

'Hoe wist je dat deze orde bestond?'

'Een paar jaar geleden besloten mijn ouders dat ik, omdat ik niet van plan was naar de universiteit te gaan, maar eens een jaartje naar het buitenland moest om een taal te leren. Ze wilden dat ik in een klooster zou verblijven, omdat ik daar veilig was voor de boze Engelse mannen!' Adèle glimlachte naar me terwijl op haar nogal strakke gezicht even een vleugje humor verscheen. 'Dus namen we contact op met een bureau en dat bracht me in contact met het klooster van deze orde in Liverpool. Ik werkte daar als een soort au pair, weet je, en ik besloot dat dit de plaats was waar ik wilde blijven.'

'Zo ging het met mij ook,' knikte Edna. 'Ik heb een zusje dat een Zuster van Maria is en zij drong er al jaren bij me op aan dat ik zou intreden. Mama zei altijd tegen me: "Ga toch, Edna, nu, waarom doe je het niet? Maureen zou zo gelukkig zijn. Jullie beiden zouden zo'n heerlijke tijd hebben! Jullie tweetjes samen!" Maar zodra ik de nonnen in Dublin had gezien, wist ik: dit is het!'

Adèle draaide zich om en keek Edna aan: 'Spoorde jouw moeder je aan om in te treden?'

'Ja,' zei Edna lijzig. Heel dit gesprek had ze met een zo intens verbaas-de blik in haar ogen naar Adèle gekeken dat het komisch was. 'Eerlijk, ik heb jullie gesprek gehoord en ik kan mijn oren gewoon niet geloven! Ik kan mijn oren niet geloven!' herhaalde ze, zoals ze altijd deed wanneer ze ontroerd was. 'In Ierland wordt het als een eer beschouwd wanneer je kinderen het klooster ingaan. Mama zei altijd: "Kom op, Edna. Welke or-de zal het worden? Kom op, neem een beslissing. Je stelt het maar steeds uit." En dan zei ik: "O nee, mama! Je hebt Maureen in het klooster aan het eind van de straat en dat is genoeg voor je. Ik treed niet in." En dan zei zij weer: "Wacht jij maar af, meisje! De Heer krijgt je toch wel!" En toen hoorde ik jou vertellen dat je werd opgesloten en dat je moeder in tranen was. Ik sta er paf van – echt waar. Ik kan mijn oren niet geloven.'

Nu was het de beurt van Adèle en mij om verbaasd te zijn. 'En hoe was dat bij jou?' richtte Adèle zich beleefd tot mij, 'heb jij moeite met je ouders gehad?'

'Och, nauwelijks eigenlijk,' antwoordde ik nederig, 'vergeleken met waar jij tegenop moest boksen.' Ik vroeg me af hoe ik dat zou hebben doorstaan. Adèle moest wel heel sterk zijn en heel zeker van wat ze wil-de. 'Mijn ouders vonden het niet bepaald leuk; in feite waren ze er fel op tegen, maar mijn schoolhoofd heeft met hen gepraat en uiteindelijk hebben ze toegegeven.'

'Ze vonden het niet leuk!' Opnieuw schudde Edna haar hoofd alsof ze deze informatie over zulke weerspannige ouders goed wilde laten be-zinken, zodat ze er de serieuze aandacht aan kon geven die zij verdiende.

'Als ik eraan denk! Mama ligt dag en nacht op haar knieën te bidden voor Patrick – dat is mijn jongste broer; hij is pas veertien. Ze heeft het in haar hoofd gezet dat hij priester moet worden. Michael, mijn andere broer, gaat trouwen en mama zei tegen God: "Goed, op voorwaarde dat U Patrick voor hem in de plaats neemt!" En het zal haar lukken!' Edna lachte vrolijk. 'Let op mijn woorden!'

'Zijn alle mensen in Ierland zo?' vroeg ik.

'Natuurlijk. Waarom zouden ze dat niet zijn? Bedoel je' – een ver-schrikkelijk inzicht bekroop langzaam Edna's eerlijke gezicht – 'dat de meeste ouders zijn zoals die van jou, of *die van jou?*' zei ze terwijl ze zich weer tot Adèle wendde.

'O nee hoor, niet als die van mij,' lachte Adèle vlug.

'Maar wel zoals die van mij, dat denk ik echt wel,' voegde ik eraan toe.

Edna draaide rond op haar stoel, zette haar ellebogen op haar schrijftafel en legde haar hoofd vermoeid in haar handen alsof dit het laatste strohalmpje was waaraan ze zich kon vastklampen op een toch al uitputtende dag. 'Eerlijk,' zei ze heel langzaam en ik kon bijna zien hoe de gedachten pijnlijk door haar hoofd wentelden. 'Ik heb altijd gehoord dat het in Engeland anders was. Maar ik had nooit kunnen denken dat het zo anders was! Maar bijna iedereen is hier natuurlijk protestants. Ik denk dat dat een groot verschil uitmaakt voor de katholieken in Engeland.'

We lieten haar maar even haar hoofd schudden, met grote ogen van verbazing over haar nieuwe desillusie, en ik wendde me weer tot Adèle.

'Is je moeder ooit naar je komen kijken toen je daar zo zat opgesloten?'

'Nooit! Niet één keer! Altijd mijn vader. En dan vertelde hij me altijd hoe ziek mijn moeder was, en dat ik haar dood op mijn geweten zou hebben. Soms kwam hij binnen zonder iets tegen me te zeggen. Dat was gemakkelijker. Dan werd ik kwaad in plaats van medelijden met hem te hebben. Soms, wanneer hij mijn etensblad kwam halen, leunde hij op mijn vensterbank, keek uit over de tuin en praatte wat met me. Dan vertelde hij me wie er in de winkel waren geweest en wat ze hadden gezegd en hoe het met het brood ging. Gewoon net of alles normaal was. Arme papa! Wat moet hij het verschrikkelijk hebben gevonden!'

'Denk je dat als het aan hem had gelegen, hij je had laten gaan?' vroeg ik. Adèle schudde krachtig met haar hoofd.

'Nee, hij was er niet zo erg op tegen als mijn moeder, maar hij was er wel op tegen.'

Verderop in de kamer hoorde ik Marie gillen van het lachen en net rechts van me praatten Joan en Pia met elkaar. Wat was het raar om hier te zitten en beleefd met elkaar te praten. Het was net zoiets als het kennismaken met andere leden van je reisgezelschap wanneer je aan een verre en gevaarlijke reis begon. *Waarom denk ik nu aan 'gevaarlijk'?* vroeg ik mezelf verbaasd af. Hier kon me niets gebeuren. Het zou best moeilijk worden en net als op een reis zou het me heel ergens anders brengen. Het nieuwe leven met God waarvan ik me nu al bewust was, zou me ver over de grenzen voeren van wat ik al had meegemaakt. Net als Teresa. Of Pia, die ook buitenlands klonk. En dan Adèle, hoe een verre reis had zij emotioneel niet moeten maken voordat ze bij het beginpunt was aangekomen. Ik keek nederig naar haar en vermoedde in haar een kracht en een stille liefde voor God die die van mij verre overtroffen. Ik kon alleen maar hopen dat ik net zo'n moed zou hebben in wat er voor me lag.

'Wat gebeurde er uiteindelijk?' vroeg ik. 'Waardoor lieten ze je gaan?'

'Mama werd ziek. Heel erg ziek! De dokter kwam. Er kwamen allerlei mensen op bezoek. Papa kwam bij me in tranen. Hij kon niet bij haar weg. Hij moest de winkel sluiten; het was een complete ramp. Je begrijpt,' vervolgde ze terwijl ze opnieuw ironisch haar schouders ophaalde, 'dat ik ze in deze toestand natuurlijk niet in de steek kon laten. Mama was echt ziek. Maar in hoeverre het daarboven zat,' – Adele tikte op haar voorhoofd – 'weet ik niet. Zij hadden gewonnen.'

'Hoe ben je er dan in geslaagd weg te komen?'

'O, deze keer heb ik ze niets verteld. Ik deed net alsof ik de gedachte eraan had opgegeven, dat ik inzag dat mijn plicht thuis lag en toen, pff! Twee dagen geleden ben ik gewoon de deur uit gelopen. Ik heb geen bagage meegenomen, niets dat hen achterdochtig kon maken. Ik heb alleen bij me wat ik aan had. Het was een leugen, maar wat kon ik anders doen?'

'Zouden ze weten waar je bent?' vroeg ik terwijl ik voor me zag hoe woedend en verslagen ze waren. Ik wilde bijna uit het raam gaan kijken in de verwachting ze over de donkere velden van Bedfordshire te zien benen.

'Ik heb vanmiddag een brief gepost in Londen,' zei Adèle en opeens vertrok haar gezicht zo van verdriet dat ik het niet kon aanzien. 'Nu moet ik maar afwachten tot zij mij schrijven.'

'Zusters,' onderbrak zuster Rebecca, die net zo ontroerd als de rest van ons naar dit verhaal had geluisterd. Haar eigen vader had haar, hoewel hij nooit zijn toevlucht had genomen tot zulke extreme maatregelen als de ouders van Adèle, drie jaar laten wachten om zeker van haar roeping te zijn. Ze wist wat Adèle had moeten doorstaan en hoe ze leed. Haar vriendelijke stem was nauwelijks hoorbaar in het heidense kabaal dat wij maakten. 'Zusters, willen jullie allemaal om de tafel gaan zitten alsjeblieft, in volgorde van leeftijd. Ik wil jullie over de refter vertellen.'

In gesloten gelederen liepen we door de kloostergang. Roestbruine en crèmekleurige tegels strekten zich voor ons uit, vaag glanzend in het gele licht van maar één lamp totdat ze zich verderop verloren in donkere schaduwen.

'Postulanten en novicen mogen alleen aan de linkerkant van de kloostergang lopen,' had zuster Rebecca ons verteld. 'De rechterkant is voor de geprofeste nonnen, zij die hun geloften hebben afgelegd. Blijf zo dicht mogelijk bij de muur, zusters.'Toen ik opkeek, zag ik de kop van de stoet door een van de grote eikenhouten deuren links in een grote kamer met een hoog plafond verdwijnen. Langs drie van de muren stonden tafels; de stoelen waren maar aan één kant van elke tafel geplaatst zodat ze allemaal naar het midden van de kamer gericht stonden. Aan het verste eind van de lange kamer was een kleinere tafel voor acht personen gedekt. (Dat moet de hoofdtafel zijn, merkte ik bij mezelf op, waar de superieuren van het huis zitten.) Boven deze tafel hing een groot crucifix en links ervan stond een zware eiken lessenaar, die eruitzag als een kansel, waar bij 'eerste-tafel-maaltijden' de voorlezeres zat. Alle maaltijden werden in stilte genuttigd onder begeleiding van voorlezen – uit het leven van een heilige bij het middageten en uit een stichtelijk boek bij het avondeten, had zuster Rebecca uitgelegd. Ik vroeg me af waarom we niet met de anderen meeaten. De kamer zag er erg leeg en hol en onvriendelijk uit. Aan een van de zijtafels zaten een paar geprofeste nonnen, dat was alles.

Zuster Rebecca ging ons voor naar een lange tafel midden in de kamer die speciaal bestemd was voor de novicen en postulanten. We liepen in de rij naar het einde ervan en terwijl we vervolgens opkeken naar het kruisbeeld bogen we diep voordat we naar onze plaatsen aan een kant van de tafel liepen. Dan werd er in stil gebed dankgezegd waarna we allemaal gingen zitten. Ik probeerde mijn ogen op mijn bord gericht te houden zoals zuster Rebecca had bevolen. Ze had ons verteld dat nonnen werden geacht niet voortdurend in het rond te kijken; dat leidde af en we moesten altijd in een staat van gebed zijn, wachtend op God. Dat was een oude kloosterpraktijk met de eigenaardige naam 'bewaring van de ogen'. Ik probeerde me alle andere regels te herinneren die zuster ons had gegeven. Hemeltje! Wat was het allemaal toch ingewikkeld! Bewaring van de ogen was ook al niet zo gemakkelijk. In de communiteitskamer had het eenvoudig genoeg geklonken. Elke keer dat ik een vork hoorde krassen of iemand langs hoorde komen, merkte ik dat ik automatisch opkeek. Ik wilde zo graag zien wat er allemaal gebeurde. Ik gluurde met een schuldig gevoel naar de twee geprofeste nonnen die zaten te eten aan een van de zijtafels tegenover ons. Ze zagen er raar uit met hun servetten onder hun kin vastgespeld – net twee plechtige pinguïns. Ik moest hun echter nageven dat ze hun ogen geen moment van de tafel verhieven en zelfs niet één keer in onze richting keken, hoewel ze toch vast wel nieuwsgierig zouden zijn naar hoe we eruitzagen.

Nee, zei ik streng, *niet meer opkijken*. Ik richtte mijn aandacht op de tafel. De draaideur piepte en moeder Albert en de novicen waren druk in de weer met het serveren van dampende metalen schotels. In diepe concentratie zette een novice rustig een bord voor me neer en gleed weg; haar rubberen zolen kraakten licht terwijl ze zich over de glanzende vloer haastte. Ik keek naar het eten.

O, mijn God! Macaroni met kaas!

Het lag daar en het rook afschuwelijk. De stank van de kaas vond ik walgelijk. Mijn hele leven al haatte ik macaroni met kaas – in feite alle gesmolten kaas. Mijn moeder had geprobeerd me ertoe te krijgen het lekker te vinden, maar omdat ik er altijd misselijk van werd was ze ermee opgehouden moeite te doen voor iets dat die moeite niet waard was.

'In het religieuze leven,' had zuster Rebecca nog maar een paar minuten geleden gezegd, 'eten we alles wat we voorgezet krijgen. We zeggen nooit: "Ik lust geen – laten we zeggen – worteltjes. Ik hoef er niets van te hebben!" We eten alles.'

'Waarom?' had Margaret gevraagd.

'Omdat er van ons wordt verwacht dat we geen aandacht schenken aan wat we wel en wat we niet lekker vinden. Dat is de beste manier om ons lichaam in onze macht te krijgen, zodat wij er de baas over zijn en niet andersom. Op die manier worden we geheel gericht op de wil van God en niet op die van onszelf.'

Het lichaam laten versterven, het ter dood brengen. Ik besefte toen nog niet wat een probleem voedsel zou gaan opleveren. Tot dan toe, thuis, was het altijd een bron van genoegen geweest. Mijn vader hield van lekker eten en had veel moeite gedaan om ons verhemelte op te voeden zodat we precies wisten wat we lekker vonden en hoe het gegeten moest worden. Nu zouden maaltijden een voortdurende strijd worden. Niet alleen moesten we alles eten, we moesten bij elke maaltijd ook twee porties van tenminste één schotel nemen. En bij elke maaltijd werden we aangespoord één echte daad van versterving te stellen. Als je daar echt toe gemotiveerd was, betekende dat dat je een extra grote portie van iets nam waar je niet van hield, of dat je, als je alles wat op tafel stond lekker vond, een manier vond om het voor jezelf te verknoeien: door geen zout te nemen, bijvoorbeeld. We kregen nooit peper of mosterd.

Maaltijden werden een middel om mijn lichaam te laten versterven; voedsel raakte voor mij geassocieerd met die gevaarlijke sensualiteit die meedogenloos moest worden verwijderd als mijn lichaam ooit de slaaf wilde worden van mijn wil, die op zijn beurt weer het voertuig van Gods wil was. Ze was maar zo klein, mijn maag, maar ze werd een groot probleem. En dat was op zich al vernederend.

Die eerste avond keek ik met een onheilspellend wee gevoel naar de macaroni met kaas als ging het om een tegenstander die behoedzaam zijn krachten inschatte. Waar was ik nu eigenlijk voor gekomen? Al dat gepraat over blanco cheques was mooi geweest. Ik was bereid de hoogten en diepten te peilen van het religieuze lijden zoals dat door dichters was beschreven. En nu schrok ik terug voor een bord macaroni met kaas. Het was eigenlijk wel grappig. *Dit is het, Heer,* zei ik, *daar gaan we dan,* en terwijl ik inwendig de hoeveelheid echte moed die er voor nodig was betreurde, nam ik mijn lepel op.

De macaroni glibberde op mijn bord als een zachte berg die vervolgens in elkaar stortte. Terwijl ik nauwelijks durfde te ademen − *ik ruik het niet,* hield ik mezelf voor; *nog één avond, Heer, dan zal ik echt proberen het ook te ruiken maar vanavond kan ik het alleen maar eten* − schepte ik een volgende lepel op en nog een en gaf de schaal dankbaar door aan Marie. Ik pakte mijn vork, stak hem in de glibberige massa, schoof het verschrikkelijk spul mijn mond binnen en verzwolg het met een slok kokend hete thee. Kokhalzend, met het koude zweet op mijn voorhoofd, slaagde ik er op een of andere manier in het hele bord leeg te eten.

Aan het einde van de maaltijd werden er tinnen kommen met warm zeepwater en droogdoeken naar elke tafel gebracht. Daarmee moesten we onze eigen afwas doen. *Help!* dacht ik terwijl mijn bord tegen de zijkant van de kom rinkelde en mijn vork in het zeepwater verdween. Toen ik probeerde de afgewassen spullen netjes op de droogdoek te stapelen zakte de piramide met een hoop gekletter in elkaar. Het geluid leek sonoor te weerklinken in de hoge balken boven me. Met een rood gezicht keek ik naar zuster Rebecca. Haar gezicht stond kalm en zonder enig geluid te maken ruimde ze de hele rommel soepel op. Mijn broeders, merkte ik met een gevoel van geruststelling op, maakten er net zo'n rommeltje van als ik. Met ontzag keek ik naar zuster Rebecca. Wat was er gebeurd om haar in twee korte jaren van een meisje in een non te veranderen?

Terug in de communiteitskamer glimlachte moeder Albert droogjes naar ons.

'Normaal,' zei ze, 'hebben we na het avondeten een uur lang gemeenschappelijke recreatie, maar ik denk dat jullie vanavond maar rechtstreeks naar bed moeten. In de slaapzaal wordt nooit gesproken. Om negen uur zal je de grote klok tien keer horen slaan. Dan begint zoals wij dat noemen de Grote Stilte, die duurt tot na de mis de volgende morgen. Dat is dus eigenlijk een dagelijkse retraite,' legde ze uit, 'een tijd waarin we ons elke dag liefdevol voorbereiden om Christus te ontvangen in de heilige communie.'

Nu herkende ik weer de schoonheid waarvoor ik was gekomen. Een leven van gebed, een dagelijks zoeken naar God.

Het was vreemd in mijn cel terug te zijn. Het leek een eeuw geleden dat ik hier voor het laatst was. Mijn wereldse kleren hingen netjes aan de rail boven mijn bed en zagen eruit als lege hoezen. Vreemd was het in de rij te moeten staan bij de kraan voor warm water en me te wassen naast mijn bed terwijl ik de privé-geluiden van de anderen hoorde: hun gespetter, de explosie van drukknopen, af en toe gekuch of het schrapen van een keel. Ten slotte liet ik me, gekleed in mijn stijve katoenen nachtpon, behoedzaam op de smalle matras zakken en toen ik lag probeerde ik mijn lichaam een beetje comfortabel rond de bobbels te draperen. Ook probeerde ik de revolutie te negeren die in mijn maag aan de gang was. *Denk aan iets anders*, dacht ik en ik deed hard mijn best elk geluid in verband te brengen met een van mijn broeders. Het hielp niet. Een paar minuten later sprong ik naar de wastafel om de macaroni met kaas kwijt te raken. Op de vloer knielend wiste ik de zweetdruppels af die zich weer op mijn voorhoofd hadden verzameld. Ik hoorde weer de woorden van de kapceremonie, uitgesproken met de dramatische stem van moeder-provinciaal. 'Een lichaam als bekwaam en gehoorzaam werktuig van mijn ziel.'

Ruimte genoeg voor verbetering, wat dat aanging. Wat kon je doen om een lichaam te onderwerpen dat zijn eigen ritmes had, dat zijn eigen 'opstand' kon ensceneren en dat de ziel nooit ongevraagd iets zou geven?

Ik kroop mijn bed weer in. Ik zou er ongetwijfeld wel achter komen.

Toen alles stil was in de slaapzaal, hoorde ik moeder Albert binnenkomen. Ik lag daar in die toestand van zwakte waarin iemand zich altijd bevindt die net heeft gebraakt en ik had heimwee. Thuis – ze zouden nu natuurlijk alweer thuis zijn – zouden ze zich afvragen hoe het met me ging. Hoe ging het eigenlijk met me? Mijn misselijkheid had me duidelijk gemaakt dat ik voor het eerst in mijn leven echt als een volwassene functioneerde. Ik vond het niet leuk. Als ik thuis ziek was, was ik tot mijn troost altijd omringd geweest door een bepaalde drukte: een kruik, bezorgde vragen, speciale verwennerijtjes. Het was natuurlijk kinderachtig om dat alles te missen, en ik had er zelf op gestaan dat ik volwassen genoeg was om hier naar toe te gaan. Maar hier kon het niemand wat schelen of ik ziek was of niet. Opeens voelde ik me erg eenzaam en kwam me de toekomst somber en onpersoonlijk voor. Ik hoorde dat moeder Albert elke cel binnenging, een voor een. Wat doet ze toch? vroeg ik me af. Ik verlangde er niet naar weer thuis te zijn; natuurlijk niet. Ik wist dat ik me de volgende ochtend beter zou voelen en ik was opgewonden over het nieuwe leven dat morgen serieus zou beginnen. Maar ik wenste wel dat ik me minder alleen zou voelen.

Uiteindelijk zag ik het gordijn van mijn eigen cel langzaam opzijschuiven en moeder Albert de twee stappen naar mijn bed nemen, terwijl ze een waarderende blik wierp op de stapel opgevouwen kleren op de stoel.

Ze glimlachte vriendelijk naar me. Toen strekte ze de vinger uit waaraan de trouwring zat en maakte het kruisteken op mijn voorhoofd.

'Welterusten en God zegene je,' zei ze rustig.

Nadat de lampen waren uitgegaan draaide ik me getroost om en voelde me wegglijden in een vermoeide slaap. Het zou allemaal wel goed komen.

De mis om zeven uur de volgende morgen was prachtig. Terwijl ik neerknielde in de voorste bank, me bewust van de novicen achter me en de rijen zwartgeklede nonnen weer achter hen, keek ik naar het altaar. Ik had het frisse gevoel van een nieuw begin. Ik ging, zo besefte ik, op avontuur, op een levenslange zoektocht, zoals die van de ridders die de graal hadden gezocht. Elke morgen van mijn leven wist ik dat ik mijn dag zou beginnen met de mis, met de representatie van het offer van Christus op Golgotha. Voor het eerst zag ik de mis in al haar ware schoonheid. In plaats van gevuld te zijn met een luidruchtige schare weerspannige kinderen, die zich verveelden bij een ritueel dat niets voor hen betekende, en volwassenen wier zorgen en gedachten aan zakelijke problemen of de zondagse barbecue zich uitdrukten in een eerbiedige onrust, heerste in de kerk absolute stilte. Al deze vrouwen hadden hun hele leven aan God gegeven en waren hier samen om dat offer te verenigen met dat wat Christus had gebracht. Het was het belangrijkste moment van de dag, geen plicht die op een of andere manier moest worden vervuld. En op mijn eigen manier voelde ook ik dat ik alles aan God had gegeven wat ik Hem moest geven. Ik had mijn geloften nog wel niet afgelegd, maar ik had al het andere achter me gelaten en stond helemaal tot zijn beschikking. Na de drukte van de vorige dag met al zijn nieuwe indrukken en ervaringen, was dit een ogenblik van stilte. Ik zag hoe de koster de kaarsen op het altaar aanstak, ik zag de priester door het middenpad schrijden en met het vertrouwde ritueel beginnen, en ik hoorde weer de responsies van de nonnen. Gebed en stilte vulden de kerk en ik voelde me diep één met de communiteit. *Hier gaat het allemaal om*, hield ik mezelf voor. *Help me om nu niets achter te houden*, bad ik. Toen het belletje voor de communie rinkelde, zag ik de nonnen in stille rijen naar voren komen. Moeder-provinciaal als eerste, en achter haar de Provinciale Raad, de moeder-overste van Tripton, en de rest van de communiteit. Ze schreden door het middenpad, hun sluiers neergeslagen om hun gezichten te bedekken, hun handen samengevouwen met de vingers naar de hemel reikend, hun hoofden devoot voorovergebogen. Toen het mijn beurt was de communie te ontvangen, voelde ik een diepe vrede. Ik had mezelf aan God gegeven, en Hij had zich op zijn beurt aan mij gegeven. Wat mocht ik nog meer verlangen?

Toen ik moeder Albert beter leerde kennen en haar hoorde spreken over haar jaren als postulantenmeesteres, kon ik me voorstellen wat ze moest hebben gevoeld op die eerste ochtend. Elke september kwam er een nieuwe groep postulanten naar haar toe om te worden getransformeerd tot nonnen. Elk jaar kwamen ze aan met dezelfde blik van verdwaasde verwarring. En elk jaar maakten ze dezelfde voorspelbare fouten. Postulanten vergaten zo gemakkelijk. De regels die ze hun leerde gingen niet dieper dan de huid, en af en toe vergat iemand zelfs weleens dat ze een religeuze was, wanneer ze fluitend haar zwabber in de tuin uitschudde, met twee treden tegelijk de trap oprende, of wild met haar armen zwaaide terwijl ze liep. Dan werd moeder Albert boos, ook al was in negen van de tien gevallen de fout niet expres gemaakt. Maar een postulante kan nooit te vroeg leren dat het religieuze leven een voortdurend wachten op God is, uur op uur. Hoe onbeduidend iets wat je doet ook is, het is een daad van aanbidding van God en een non mag daarin nooit verslappen, zelfs niet voor een moment.

Sommige postulanten hadden natuurlijk in de eerste plaats al de fundamentele fout gemaakt om naar Tripton te komen. God werkt op een wonderbare manier. Het kan best een duidelijk onderdeel van zijn plan voor een bepaald meisje zijn om een aantal maanden in een klooster door te brengen. Maar dat was erg vermoeiend voor de postulantenmeesteres. Bovendien moet zij ons een bijzonder problematisch stel hebben gevonden. Vier van ons waren pas zeventien en dus had moeder Albert, naast de onvermijdelijke spanningen en problemen van het religieuze leven, ook nog het hoofd te bieden aan de even onvermijdelijke problemen van de puberteit. Als ze zichzelf al had toegestaan kritiek te uiten op haar superieuren, had ze zich moeten afvragen wat moederprovinciaal in hemelsnaam had bezield sommigen van ons toe te laten. Zo had moeder Greta die eerste middag kennelijk Marie buiten de poorten van het klooster zien staan terwijl ze zich als een razende door de inhoud van een pakje sigaretten heen pafte. Maar je kon natuurlijk nooit weten. Veel heiligen waren fuifnummers geweest voordat ze zich tot God keerden – Sint-Franciscus bijvoorbeeld, of Sint-Ignatius zelf. Het probleem was dat één rotte appel alle andere kon aansteken door de sfeer van de kleine gemeenschap te verknoeien.

Het was september. Het begin van het schooljaar. De nonnen die in de bij het klooster behorende kostschool werkten, waren al druk in de weer de bedden van de kinderen op te maken, lijsten van schoolboeken na te lopen en etiketten op kastjes te plakken. Zes jaar geleden had moeder Albert daar ook bijgehoord en ze was in die tijd ook nog hoofd geweest van een van de lagere scholen van de orde in Lyme. Ze was dol geweest op lesgeven en miste de kinderen nog steeds. Maar een non moet bereid zijn elke taak waar ze van houdt, elk geliefd project, zomaar ineens op te geven. In juli wachtte de hele orde op het lijstje dat elk jaar op het prikbord kwam te hangen en waarop de verplaatsingen stonden die door de provinciaal waren gepland. De nonnen plachten de lijsten ongerust door te lopen om te zien of hun naam erbij stond. Als je naam niet op de lijst voorkwam, kon je een zucht van verlichting slaken en vrolijk doorgaan met het werk dat je deed, of tandenknarsend, omdat je weer een jaar lang een taak moest verrichten waar je geen plezier in had. Bovendien kon je, of je nu gelukkig of ongelukkig was in je werk of in je communiteit, altijd naar een ander deel van Engeland worden gestuurd, of naar Ierland, Afrika of Amerika. Aan een non wordt niets gevraagd. Ze moet wachten op de wil van God zoals die haar door haar superieuren met absolute onverschilligheid wordt verteld. Dat was wat de gelofte van gehoorzaamheid betekende. Niet mijn wil maar uw wil geschiede.

Later hoorde ik hoe moeder Albert was geschrokken toen ze zag dat ze was aangewezen tot postulantenmeesteres. Het was een baan die geen van de nonnen graag wilde hebben. De verantwoordelijkheid was enorm groot: moeder Albert had de toekomst van de orde in haar handen en ze was een nederige vrouw die zich terdege bewust was van haar eigen tekortkomingen in het religieuze leven. Wie was zij om van deze jonge meisjes religieuzen te maken die afstand hadden gedaan van hun eigen verlangens en alleen Gods wil wilden doen?

Toen ze de communiteitskamer binnenkwam en ons die morgen zag, met nog steeds een verloren en vage uitdrukking in onze ogen, onze kappen verkeerd op, ons haar in de war, moet haar de moed in de schoenen zijn gezonken en moet ze een schietgebedje omhoog hebben gezonden om hulp te vragen bij de taak die haar wachtte.

'Goedemorgen,' glimlachte ze vrolijk naar ons, 'hebben jullie allemaal wat kunnen slapen?'

'O, moeder!' bromde Edna, 'ik heb geslapen als een os, zo moe was ik!'

Moeder Albert glimlachte naar haar met oprechte genegenheid en ik merkte op hoe zorgvuldig ze elke beweging van ons opnam, de manier waarop we spraken en de manier waarop we ons bewogen bestudeerde, en de kleinste nuance in toon en uitdrukking probeerde op te vangen. Ze beoordeelde ons scherp vanachter haar glinsterende brillenglazen en plotseling besefte ik dat ik gedurende mijn hele opleidingsperiode even kritisch zou worden bestudeerd en bekeken om te zien hoe ik me ontwikkelde, elk moment van de dag. Het was een ontnuchterende gedachte.

'En heeft de rest van jullie ook goed geslapen?' vroeg ze en haar vraag werd beantwoord met een koor van beleefd gemurmel. Plotseling gedroegen we ons allemaal zo goed mogelijk.

'Ik denk dat de beste manier om de ochtend te besteden, is dat ik jullie het postulantenhuis laat bezichtigen,' begon moeder. 'Niet dat er veel te zien is,' zei ze, 'maar jullie kunnen je dan tenminste oriënteren en ik kan onderwijl dingen uitleggen.'

Ze ging haar sjofele groepje voor naar de volgende kamer. De vloer ervan was bedekt met rode tegels, er was een aanrecht, verder enkele deuren en een grote deur met zware hengsels. 'Dit is,' zei moeder met een zwierig gebaar, 'het benedenbuiten'.

'Het wat?' riep Nessa uit. De anderen wierpen elkaar verbijsterde blikken toe. Moeder Albert glimlachte; het was een vermoeide, gereserveerde glimlach, merkte ik op.

'Zuster,' zei moeder tegen Nessa op een koele ironische toon, alsof ze afstand van deze scène wilde nemen. 'Je mag niet op die familiaire toon tegen je superieure spreken. Je moet zeggen: "Neemt u mij niet kwalijk, moeder." '

Nessa bloosde en wij vermeden haar aan te kijken, terwijl we haar gedachtengolven vol medeleven probeerden toe te zenden. Wat klonk dat allemaal formeel! Op een bepaalde manier had ik dat wel verwacht, maar was er dan helemaal geen plaats in dit nieuwe leven om gewoon dingen te zeggen? 'Het benedenbuiten wordt een buiten genoemd omdat het... het... een plek buiten is,' legde moeder uit, worstelend met het probleem dat ze termen moest verklaren die haar zelf heel vertrouwd waren. 'Kijk, daar heb je de deur die naar de tuin van de postulanten leidt.' Ze opende de zware deur en het zonlicht viel in een heldere gouden bundel over de vloer. 'En het wordt het benedenbuiten genoemd om het te onderscheiden van het bovenbuiten. Maar eigenlijk is *buiten* een afkorting in de orde om de plek aan te duiden waar zich een badkamer en wc bevinden.

'Hier,' zei ze terwijl ze twee deuren openduwde, 'heb je twee badkamers.' Onze monden vielen open toen we de badkamers zagen. Twee antieke baden met zware klauwpoten, koude stenen vloeren en een houten badmat met latten. Het zag er erg oncomfortabel uit. Onze verbijsterde blikken ontgingen moeder Albert niet. 'Het is hier natuurlijk niet de Ritz,' voegde ze er plagend aan toe. 'Ik neem aan dat jullie gewend zijn aan vaste vloerbedekking en wastafels en al dat soort dingen. Maar nonnen zijn arme mensen. We leggen een gelofte van armoede af zoals jullie weten, en dat betekent dat we zonder luxe leven.'

'Mogen we een bad nemen wanneer we maar willen, moeder?' vroeg Margaret onschuldig.

'O nee!' lachte moeder. 'Nee, je mag maar eens in de week in het bad. Daar hangt een rooster van op het bord.'

'Maar één bad per week!' verwoordde Marie de algemene ontsteltenis.

'Ja, zuster. En in het religieuze leven laten we niet op die onbeschaamde wijze blijken dat we tegen regels zijn die ons niet bevallen!' zei moeder op scherpe toon, op veel scherpere toon dan ze tegen Nessa had gesproken. 'We zijn blij met gelegenheden om dingen op te geven, om onszelf te versterven. En we morren daar nooit over.'

Er viel een diepe, onbehaaglijke stilte.

'En we gebruiken geen badzout of talkpoeder.' Moeder Albert viel terug in haar gewone koele toon. 'Als een van jullie zoiets heeft meegebracht, leg het dan op de tafel in onze kamer, en dan geef ik het weg.' Ze brak haar woorden af toen ze ons nog meer verbijsterde blikken naar elkaar zag werpen. Welke kamer was 'van ons'? Waren ze niet allemaal van ons? 'In het religieuze leven,' legde ze uit, 'bezitten we helemaal niets. Elk ding tot aan je tandenborstel toe behoort aan de communiteit, en om ons te herinneren aan onze gelofte van armoede zeggen we nooit "mijn". In plaats daarvan zeggen we "onze".'

Wat was het allemaal ingewikkeld. De gewoonten, het spraakgebruik, alles moest voor ons worden vertaald alsof we bij een onbekende stam waren komen wonen. Maar zo was het natuurlijk ook. En dit waren dan nog maar de oppervlakkige voorbeelden. Er zouden er nog veel meer zijn, veel dieper van betekenis en misschien veel verrassender dan deze. Het was een mooie gedachte, vond ik, alles delen met elkaar en een arm, eenvoudig leven leiden. Ik luisterde weer naar moeder Albert. 'Baden wordt niet geacht een luxe te zijn,' legde ze uit, 'het is een functionele handeling. En niet zingen in bad!'

We lachten allemaal. We leken al mijlenver weg van dergelijk gedrag. 'Lachen jullie maar,' zei moeder streng, 'maar we weten dat het in het verleden wel is gebeurd.'

'En zeep, moeder?' vroeg ik.

'Dat ligt in de kast daar,' gebaarde moeder vaag.

'Waar, moeder? Ik zie niets.'

'Wat raar, ik weet zeker dat ik er gisteren nog een paar stukken heb neergelegd.' Ze tuurde in de kast en keek me aan alsof ik gek was.

'Daar ligt het! Vlak voor je neus.'

We staarden verschrikt en sprakeloos naar de wel zestig centimeter lange blokken groene carbolzeep. 'En daar ligt het mes,' zei ze terwijl ze een roestig oud mes aanwees. 'Daarmee snij je een stuk af als je het nodig hebt.' Ze glimlachte zuur om onze consternatie.

'Maar neemt u me niet kwalijk, moeder,' zei Edna beleefd, 'is dat geen zeep om de vloer mee te boenen?'

'Nee, het is om jezelf mee te boenen. Geen geparfumeerde zeep meer voor jullie. Nooit meer. Jullie moeten er ook je haar mee wassen.'

'Maar onze huid zal erdoor worden geruïneerd,' jammerde Marie.

De lippen van moeder klemden zich opeen en ik kon zien hoe ze de tekortkomingen van Marie in haar hoofd opsloeg. 'Doet dat er wat toe, zuster?' vroeg ze kil. 'In het religieuze leven hebben we de gedachte aan lichamelijke schoonheid verbannen. Zo lang we er maar schoon en netjes bijlopen, doet het er niet toe hoe we eruitzien.'

'En hier,' zei ze, op een grote tenen mand wijzend, 'is de wasmand. Elke zaterdagavond doe je daar je was in: je mag elke week één cape, één kap en één boord in de was doen zodat je er op zondag netjes en fris uitziet. Dan het ondergoed. Ieder van jullie heeft vier onderbroeken en vier onderjurken. Je kunt elke week één onderjurk in de was doen. En *maar* twee onderbroeken – vaker verschonen we ons ondergoed niet.' Ze lachte openlijk om onze verslagenheid.

Later op die dag nam moeder Albert ons mee over het terrein. Het land van Bedfordshire strekte zich oneindig ver uit – groene velden, bomen en in de verte een glimp van heuvels.

'Onze grond strekt zich uit tot aan die wegwijzer daar; zien jullie hem?' zei moeder Albert. Ik blikte in de verte. 'Maar jullie moeten meestal in de tuin van de postulanten blijven. Elke eerste zondag van de maand houden we echter een retraite en dan mogen jullie overal over ons terrein lopen. Maar natuurlijk niet op straat. Jullie mogen het klooster niet zonder begeleiding uit. Elke dag, na de lunch, wandelen de novicen en de postulanten een uur lang over die weg daar. Wat voor weer het ook is,' voegde ze er streng aan toe, 'of het nu regent, hagelt of sneeuwt! Dat is een goede oefening.'

Het klonk allemaal nogal spartaans, dacht ik zenuwachtig. Die wasvoorschriften! Die zeep! Geen tampons meer, geen deodorants, en dan die ellende van maar twee onderbroeken in de week! Ik voelde me nu al groezelig en het was afschuwelijk om te bedenken dat het nog vier dagen zou duren voordat ik een bad kon nemen. Doet er niet toe, zei ik tegen mezelf. Ik ben hier niet gekomen om een gemakkelijk leventje te leiden. Ik zal er vast wel aan wennen – maar toch! Het vlees is zwak, dacht ik verdrietig. We hadden op school vaak gespeculeerd over deze dingen; nu wist ik het.

We liepen intussen langs de grote schoolgebouwen. 'Wanneer komen de kinderen terug, moeder?' vroeg ik.

'Komende zondag,' zei moeder Albert. 'Het wordt hier dan natuurlijk erg druk. Ze zijn overal, spelen volleybal, en de kerk is stampvol. Nu we het er toch over hebben,' zei ze tegen ons allemaal, 'jullie mogen nooit praten met de kinderen of andere leken. Het is de bedoeling dat postulanten en novicen afgezonderd zijn van de wereld, zodat jullie de kans hebben een diepe, persoonlijke relatie met God op te bouwen. De kinderen zullen waarschijnlijk proberen met jullie te praten. Maar dat moeten jullie niet toestaan. Ze weten heel goed dat ze dat niet mogen!'

Moeder Albert was eerlijk en recht door zee, besloot ik en ik waardeerde haar ironische gevoel voor humor. Ze had een ongewone stem. Het was niet het accent of de manier van uitdrukken die anders was, maar de toon. Ze klonk terughoudend en alles wat ze zei was zonder nadruk. Het leek alsof ze zich op een afstand hield wanneer ze sprak, ver van de warboel van gevoelens en de problemen waarmee menselijke contacten gepaard konden gaan. Ze gebruikte haar stem louter om informatie door te geven, niet om een persoonlijke relatie aan te gaan. Het verontrustte me een beetje. Het maakte me een beetje bang. Zij was mijn gids in deze nieuwe wereld. Hoe kon ik mijn weg vinden zonder echt contact met haar te hebben? Als zij sprak over een diepe relatie met God moest dat de voornaamste relatie in haar leven zijn. Maar sloot een relatie met God noodzakelijkerwijze menselijke intimiteit uit, en zo ja, zou ik dan in staat zijn die staat van onthechting van andere mensen te bereiken? Dat zou moeilijker, veel moeilijker zijn dan je wassen met carbolzeep. Maar dan herinnerde ik me hoe ze eraan had gedacht de afgelopen avond bij ieder van ons langs te komen. Het begrip in haar ogen en het kruisteken op mijn voorhoofd waren een stilzwijgend teken van medeleven geweest met de zelfverloocheningen van overdag. Nee, besloot ik, dat is in orde.

'Hier is de begraafplaats,' kondigde moeder aan. Ik keek door de omheining van latwerk naar de rijen grafheuvels, elk gemarkeerd met een eenvoudig houten kruis. 'De novicen hebben net de stenen geboend,' legde moeder uit. 'Daarom zien ze er allemaal zo prachtig wit uit!'

Ik keek naar de kleine grafheuvels. Elk bevatte een non die haar leven aan God had gegeven, net zoals ik nu aan het doen was. Ieder van hen had een eerste dag in het klooster gehad, had geworsteld met de ingewikkelde regels van de refter en had haar 'broeders' heimelijk bekeken. Ieder van hen had haar familie achtergelaten en had de vlagen van heimwee moeten verdragen. Ieder van hen had hier in gebed en zelfverloochening tot het einde van haar leven geleefd. Voor sommigen waren het misschien maar een paar jaar geweest. Anderen hadden vijftig of zestig jaar in de orde geleefd en zichzelf zo totaal aan het leven van Christus gewijd, dat ze hun eerste onzekerheden waren kwijtgeraakt. Ze hadden allemaal alles gegeven.

'Elke dag,' zei moeder Albert, 'na de middagwandeling, sta je hier even stil en bid voor de rust van hun zielen. Laten we nu een *De Profundis* zeggen.'

En zachtjes begonnen we eenstemmig Psalm 130 op te zeggen.

'Uit afgronden roep ik U, Heer; hoor mij, Heer, ik blijf vragen. (...) Onthield Gij de schulden, o God, wie hield stand in uw oordeel? Doch vergeving is er bij U, want zó wilt Ge gevreesd zijn.'

Ik staarde door het hek naar de graven. Voor het eerst werd de absolute aard van mijn offer me duidelijk. Zou ik hier ook worden begraven? Keek ik naar de plek waar eens mijn eigen graf zou liggen? Opeens strekten de jaren zich voor me uit in een lang helder perspectief, tot aan mijn dood toe.

5

Postulante

Het postulaat is een tijd van beproeving. Wanneer een aspirant-non in het klooster aankomt, moet ze volgens de canonieke wet een proeftijd doormaken van minimaal zes maanden waarin ze alleen speciaal geselecteerde gedeelten van de regel in acht neemt, voordat ze kan beginnen aan haar echte opleiding in het noviciaat. De postulante vraagt om het voorrecht van het habijt en om de eer novice te mogen worden, en de orde onderzoekt nauwkeurig of haar roeping wel sterk genoeg is en in hoeverre ze werkelijk geschikt is voor het kloosterleven. De postulante op haar beurt let kritisch op haar reacties en beproeft de zuiverheid van haar intenties. Is het God die ze echt zoekt of zoekt ze alleen maar zekerheid of de ontsnapping aan een onaangename wereld? Is ze bereid zichzelf alle zelfvervulling te ontzeggen door haar zelfzuchtige verlangens opzij te zetten en ze kwijt te raken in die hechte relatie met God waarnaar iedere non streeft? De postulante kijkt naar de orde en de orde kijkt naar haar. Ze mag het klooster verlaten op elk moment dat ze verkiest; er zijn geen beloften en geloften gedaan. Evenzo kan de orde haar wegsturen als men het gevoel heeft dat ze geen ware roeping heeft en niet die vooruitgang boekt die wenselijk zou zijn. Een paar jaar voordat ik intrad, was men tot de conclusie gekomen dat meisjes uit de jaren vijftig meer tijd nodig hadden zich aan het kloosterleven aan te passen dan hun voorgangsters. Wij schenen wereldser te zijn; we hadden meer vrijheid genoten en hadden er meer moeite mee onszelf te onderwerpen aan de beperkingen die ons werden opgelegd. Daarom werd het postulaat uitgebreid van zes naar negen maanden.

Een week na onze aankomst kregen we al de eerste schok te verwerken: de regel van stilte. We zaten in de communiteitskamer rond de lange tafel in volgorde van leeftijd. Het was zes uur 's avonds. Tijd voor de dagelijkse les over het kloosterleven. Ik hield van deze bijeenkomsten; wij allemaal trouwens. De woorden van moeder Albert verwezen altijd rechtstreeks naar God. Als ik alles kan doen wat zij zegt, beloofde ik mezelf, zal het gemakkelijk genoeg zijn.

'Ik denk dat jullie gewend zijn te praten wanneer je maar wilt,' zei moeder Albert. 'Nu moeten jullie leren die behoefte om jezelf te uiten en met anderen te praten te beteugelen. We mogen twee maal per dag praten – een uur lang na het middageten en een uur lang na het avondeten in officiële recreatietijd. De rest van de tijd moeten jullie absoluut stil zijn.'

De adem stokte ons in de keel. Toen ik opkeek zag ik de porseleinblauwe ogen van Margaret plotseling vol tranen staan en haar wangen doodsbleek worden. Ik wilde dolgraag een paar vragen stellen. Maar postulanten werden niet geacht vragen te stellen over de regels van de orde. Die moesten we nederig aanvaarden. Als er iets was dat we moeilijk vonden, had moeder Albert ons de vorige dag gezegd, kwam dat doordat we geestelijk nog niet volwassen waren. Naarmate ons geestelijk inzicht toenam, zouden onze problemen verdwijnen.

'Het is duidelijk,' legde moeder Albert uit, 'dat er in de loop van je werk momenten zijn dat je zult moeten spreken. Maar dan moeten jullie zo min mogelijk zeggen en dat doen met zachte stem. Jullie moeten deze noodzakelijke gesprekken nooit laten uitlopen in overbodig gepraat. Jullie zijn hier niet om met elkaar te praten; jullie zijn hier om je relatie met God te verdiepen en daarvoor is het absoluut nodig dat de lippen en het hart zwijgen.'

Ik verloor de moed bij deze woorden. Geen gesprekken met andere mensen. Nooit meer. Wat deprimerend leek me dat. Natuurlijk wist ik dat er offers moesten worden gebracht, en als ik vooruitkeek naar mijn nieuwe leven, wist ik dat daar stilte bij hoorde. Maar wat dat feitelijk betekende en hoe het in de praktijk was had ik me nooit gerealiseerd. Had Christus dan niet gezegd dat we de liefde van God alleen konden benaderen door elkaar lief te hebben? Absolute stilte leek me moeilijk te verenigen met deze woorden. Maar, zo hield ik mezelf streng voor, dit moest een uiting van het soort innerlijke kritiek zijn waaruit mijn geestelijke onvolwassenheid bleek. Op den duur zou ik het in de juiste proporties zien; dat had moeder Albert ons beloofd.

'En nog een paar punten,' zei moeder streng. 'Novicen en postulanten worden in bijzonder strenge afzondering gehouden. Ze mogen in geen geval praten met leken. Als een leek je aanspreekt, mag je nooit antwoord geven. Alleen door jezelf in absolute afzondering te houden van de wereld kun je een paar van haar waarden van je af beginnen te schudden. Ook mag een novice of postulante nooit praten tegen de geprofeste nonnen behalve als ze met hen werkt en die paar noodzakelijke woorden belangrijk zijn voor het werk. De geprofeste nonnen staan in contact met de wereld en zelfs dat indirecte contact kan jullie geestelijke groei ernstige schade toebrengen.'

Margaret zag er steeds verdrietiger uit, merkte ik op. Irene, naast haar, zat er verdoofd bij. En ik worstelde met tegenstrijdige gedachten die ik probeerde te onderdrukken. Al dit gepraat over de wereld was beangstigend. Het toonde aan dat de zoektocht naar geestelijke volmaaktheid zoiets teers was dat het kleinste zuchtje vanuit de wereld er een einde aan kon maken. *Ja*, overwoog ik, *ik weet dat de wereld slecht is – een groot deel ervan – maar een groot deel ervan is dat niet.* Ik dacht aan mijn ouders: waarom moest de veroordeling van de wereld zo absoluut zijn, waardoor het goede met het kwade werd buitengesloten? Alsof ze mijn gedachten beantwoordde, ging moeder Albert verder.

'Jullie moeten absoluut meedogenloos zijn in jullie verwerping van de wereld, zusters. Zoveel ideeën die er heersen, zelfs die van echt goede mensen, zijn doortrokken van zelfzuchtige waarden die niets te maken hebben met de zichzelf ontledigende liefde van God. Jullie zitten zelf vol met die ideeën; daar kunnen jullie niets aan doen – het is niet jullie schuld. Ik denk zo dat jullie het gevoel hebben dat jullie het aan jezelf verplicht zijn zelfvervulling te vinden.'

Ik keek snel naar haar op. Het woord *zichzelf ontledigen* had mijn aandacht getrokken. Hoe kon je jezelf in hemelsnaam ontledigen van jezelf? Zou ik aan het einde daarvan nog wel mezelf zijn?

'Maar,' vervolgde moeder Albert, 'dat is absolute onzin in bovennatuurlijk opzicht. Alleen als er geen ik meer over is, kan God ons helemaal vullen met Zichzelf. En stilte is maar een van de manieren die ons de kans geven om ons te ontledigen van al onze nutteloze gedachten en afleidingen en God bezit van onze geest te laten nemen.'

Als het zo werd gesteld klonk het prachtig. Het was een prozaïsche manier om te zeggen wat de dichter Hopkins had gezegd:

Verkozen stilte, zing mij toe
En trommel zachtjes op mijn oor,
Fluit me naar stille weiden, wees
De muziek die ik het liefste hoor.

Maar de eenzaamheid. Als het erop aankwam koos ik voor eenzame opsluiting.

'Ten slotte,' waarschuwde moeder ons, 'is het eerste jaar van het noviciaat een tijd waarin deze afzondering van de wereld een bijzondere nadruk krijgt. Omdat postulanten nog steeds vol zijn van de wereld, mogen zij nooit met een van de eerstejaars novicen praten.'

Ze moesten dus strikt gescheiden van ons blijven zodat wij hen niet zouden besmetten! Ik voelde een rilling van onzekerheid over mijn rug lopen. Ik had mezelf nooit beschouwd als iemand die anderen kon besmetten, maar nu kon ik hen alleen al door wat ik zei schade berokkenen en tegenhouden in hun voortgang op de weg naar God. Ik keek naar mijn broeders die er zo gedwee en met neergeslagen ogen bijzaten. Na pas een week zagen we er al een beetje meer uit als nonnen. En toch vormden we een groot gevaar. Het was een beangstigende gedachte.

De volgende gelegenheid om hierover te praten was tijdens de dagelijkse wandeling die onze middagontspanning vormde. Elke middag wandelden we als een sliert schoolkinderen drie aan drie keurig de weg buiten het klooster op, keerden om en wandelden weer terug, altijd onder leiding van een van de tweedejaars novicen. Vandaag was het zuster Rebecca. Ik huppelde van plezier dat ik naast haar mocht lopen. Edna liep aan haar andere kant.

'Pfoe!' zuchtte ze toen we de tuinpoort uitliepen. 'Eindelijk kunnen we praten! Grote goedheid, ik dacht dat ik helemaal gek zou worden of uit elkaar barsten!' riep ze uit.

Zuster Rebecca lachte. Opnieuw werd ik getroffen door haar sereniteit en zelfbeheersing bij alles wat ze deed. 'Het is ook moeilijk in het begin,' zei ze. 'Heeft moeder Albert je de regel van de stilte die je moet houden al geleerd?'

'Dat heeft ze zeker. Eerlijk, zuster, wie heeft er ooit gehoord van een stille Ierse vrouw! Ik zou waarschijnlijk doodgaan als ik niet met iemand kon praten!'

'Je ziet er anders buitengewoon goed uit,' antwoordde zuster Rebecca allervriendelijkst met dat gemaakte glimlachje. 'Je ziet er voor mij niet uit alsof je in doodsnood verkeert.'

'Maar voel je je soms niet afschuwelijk eenzaam?' vroeg ik. 'Ik bedoel, dat je nooit je gevoelens met iemand mag delen? Ik weet dat God genoeg is voor iedereen en dat je zodra je een sterke band met Hem voelt niets anders meer te wensen hebt. Maar toch moet het erg eenzaam zijn.'

'Dat is het ook,' antwoordde ze zakelijk terwijl ze de weg afliep en haar rok bevallig omhooghield om hem niet in een plas te laten hangen. 'Het is vaak erg eenzaam. Maar alleen op deze manier kunnen we leren hoezeer we God nodig hebben.'

Ik verbaasde me over het vertrouwen dat in haar stem doorklonk. 'Dat weet ik,' zei ik snel. 'Maar ik had het niet over eindeloos rondgaan om duistere geheimen met anderen te delen. Natuurlijk moeten we onze diepste gevoelens voor God bewaren. Ik had het over meer alledaagse dingen, zoals samen een grapje delen of een interessante gedachte.'

'Maar dat kan toch! Je kunt ze delen met de anderen tijdens de recreatie.'

'Ja, maar dat duurt meestal nog uren!' zei Edna. 'Ik weet wat zuster Karen bedoelt. Tegen de tijd dat je naar de recreatie gaat, is je hoofd zo vol van de dingen die je erin hebt opgepot dat je waarschijnlijk niets weet te zeggen. Zoals vanmiddag. Ik vond dat er zoveel dingen waren die ik dolgraag zou willen zeggen, maar nu ik hier ben kan ik me er niet een meer van herinneren!'

'Sommige mensen zouden zeggen dat ze dan niet erg belangrijk waren.'

Ironisch genoeg voelde ik me nu erg op mijn gemak bij zuster Rebecca. Ik hield van haar rustige gevoel voor humor en het gebeurde veelvuldig dat we een blik van wederzijds begrip en wederzijdse pret uitwisselden. Ik voelde me bij haar meer op mijn gemak dan ik me ooit bij een van mijn Birminghamse kennissen had gevoeld. Wat jammer dat ik net op het moment dat ik een echte vriendschap voor iemand begon te voelen, leerde dat ik haar niet langer ten volle kon verkennen. *Nee*, corrigeerde ik mijzelf, *zo mag ik niet denken. Het is niet jammer.*

'Maken jullie je er maar niet te bezorgd over, zusters,' zei ze. 'Na een tijdje wordt het echt een stuk makkelijker te zwijgen dan te praten!' Ik keek haar met ontzag aan. Zou dat voor mij ook eens zo zijn?

Ik verlangde ernaar die staat van sereniteit te bereiken, en in die eerste maanden als postulante leek de weg daarheen eenvoudig genoeg. De weg naar heiligheid, vertelde moeder ons, was gelegen in een strikte gehoorzaamheid aan de regel. Zo eenvoudig was dat. Als ik probeerde – echt probeerde – elk van deze regels te gehoorzamen zou ik God vinden. Natuurlijk wist ik in theorie dat het jaren zou kosten om van mezelf een goede non te maken en dat ik bij elke stap op die weg Gods hulp hard nodig zou hebben, maar in die eerste dagen leek het doel helder en bereikbaar.

Alles wat ik moest doen, was mezelf in de richting van God duwen en nooit aan mezelf toegeven, zelfs niet voor een enkel moment. Mezelf verder duwen dan ik dacht dat ik redelijkerwijze zou kunnen, en dan zou uiteindelijk God me vervullen – oneindige volmaaktheid, oneindige liefde, me vervullen zoals geen mens het kon. Met zijn hulp kon ik door mijn eigen grenzen heen breken en echte vrijheid, echte vrede kennen.

Dus wierp ik me energiek op de regel van stilte. Ik wilde dat niets me zou afhouden van mijn voortgang op de weg naar God, geen triviale gesprekken, geen turbulente onbeheerste gedachten. Dat was de eerste stap. Zodra ik die kon zetten, kon ik verder gaan naar grotere dingen en steeds weer een diepere laag van vrede en geluk ontdekken.

Maar zo gemakkelijk bleek dat niet te zijn. Hoe ik ook probeerde het zwijgen te bewaren, het was maar al te gemakkelijk om een praatje met Marie of Edna te beginnen bij het uitschudden van onze zwabbers op de vuilnisbelt die Job werd genoemd. En wat de innerlijke stilte betrof – dat was nog het allermoeilijkst.

Ik had Hopkins' stilte uitgekozen, maar die zong me maar heel zelden toe. Ik herinner me vooral een dag waarop de stilte leek te gonzen van mijn van mezelf vervulde gedachten. Het was 14 november, mijn verjaardag, en het weer was die middag afschuwelijk. De regen kletterde wild tegen de ramen en de lucht was zo grauw dat we het licht aan moesten doen. We zaten te naaien. *Wat had ik een hekel aan naaien!* Ik was in somber gepeins verzonken. We waren ons eerste habijt aan het maken en ik gluurde chagrijnig naar mijn knoopsgaten. Ik had ze moeten oefenen met wit garen op zwarte stof, totdat ik de kunst van het maken van die ingewikkelde steek meester was. De anderen hadden hem al gauw onder de knie gehad, maar ik had er 63 moeten maken op mijn stukje zwarte serge, en nog waren ze verre van perfect. 'Zuster Karen, wat ben je toch aan het doen?' vroeg moeder.

'Nog steeds aan het oefenen op de knoopsgaten, moeder!' En dan haar smalende uitdrukking toen ik haar uitlegde dat ik het echt niet kon! Die stomme knoopsgaten ook! Wat deed het er nou toe dat ik niet kon naaien? Ik was hier niet gekomen om voor naaister te leren. Ik stak de naald wild in de stof en prikte in mijn duim. Een klein bloeddruppeltje viel op het zwarte materiaal, waar het een roestkleurig vlekje werd. Verdomme! Ik beet op mijn lip om de krachtterm binnen te houden. Ik hoorde nog net de stem van moeder Albert: 'Zuster, we zeggen geen "verdomme" in het religieuze leven.'

Ik voelde me zo alleen. Niemand wist zelfs dat het mijn verjaardag was. Thuis zouden er cadeautjes, eten en liefde zijn. Vandaag zou ik bijzonder zijn geweest. Maar hier voelde ik me ellendig en werd ik verteerd door heimwee. Af en toe barstte ik bijna in huilen uit. De zwarte serge zwom voor mijn ogen. Wanneer zou ik volwassen worden? Ik kreeg zo'n hekel aan mezelf dat ik mijn lippen boos opeenklemde. 'Handwerk,' had moeder Albert uitgelegd, 'houdt onze geest vrij voor God.' Maar handwerk was zo vervelend. Wat miste ik het lezen! Ik had nooit gedacht dat ik dat zou moeten opgeven, nooit beseft hoezeer ik het zou missen. Ik weet nog dat ik moeder Albert had gevraagd of ik een gedichtenbundel van Hopkins uit de bibliotheek mocht halen. Ze was razend geweest.

'Nonnen verprutsen hun tijd niet met het lezen van poëzie!' En ze hoefde me niet eens te zeggen dat romans ook niet meer mochten. En dat terwijl ik zo afhankelijk van literatuur was om de wereld voor mezelf te verklaren! Ik was net een verslaafde die leed aan afkickverschijnselen. Treurig gestemd dacht ik aan alle gesprekken die ik met moeder Katherine had gevoerd. Ik denk dat ik me het kloosterleven had voorgesteld als een serie filosofische gesprekken ingebed tussen vrome momenten van extase. Het leek er niet op!

Ik keek op mijn horloge. Bijna tijd voor de avondgebeden en de vespers. Ik had een uur verspild waarin ik op God had kunnen wachten. Innerlijke stilte klonk zo gemakkelijk wanneer moeder Albert erover sprak. Maar het geweldige van het kloosterleven was dat elk moment een nieuwe mogelijkheid bood. Gedane zaken nemen geen keer. Het beste wat ik nu kon doen was te proberen beter te bidden tijdens de vespers. Vastberaden pakte ik mijn missaal.

Toen we die avond bijeenwaren voor recreatie, voelde ik me weer minder opgewekt. De heimwee had weer toegeslagen en er hing een sombere stemming. Het was raar hoe vertrouwelijk we in deze stemming met elkaar waren terwijl we elkaar in veel opzichten toch nauwelijks kenden. Hoewel de gewone kanalen voor relaties geheel ontbraken, leidde ons voortdurende lichamelijke samenzijn ertoe dat we elkaar op een merkwaardige wijze aanvoelden. De lampen waren aan in de communiteitskamer en doordat er geen gordijnen hingen leken de ramen ons allemaal op een karikaturale manier te weerspiegelen. Adèle zette als oudste postulante de stoel van moeder Albert in het midden van de groep en we haalden allemaal ons naaiwerk te voorschijn. 'Een non verlummelt haar tijd nooit,' had moeder ons uitgelegd. 'Je mag nooit zomaar stilzitten en niets doen.' En zo kwamen we elke avond bijeen voor dit formele ritueel dat recreatie werd genoemd. We waren er intussen wat aan gewend geraakt, maar aanvankelijk hadden we er nogal wat moeite mee gehad om er ook maar iets van recreatie in te zien. Het leek gewoon op een van die andere gezamenlijke naaizittingen met als extra een geforceerde, beleefde conversatie. In feite had moeder Albert op de derde avond na onze aankomst gezien hoe Marie en Margaret na het avondlijke gewetensonderzoek in de communiteitskamer vrolijk zaten te praten.

'Wat denken jullie eigenlijk wel dat je aan het doen bent?' had ze boos gevraagd. 'Praten tijdens de Grote Stilte!'

Ze hadden haar beteuterd aangekeken. 'We wachten tot de anderen naar de recreatie komen, moeder. Er staat op het bord dat er elke avond recreatie is,' legde Marie uit.

Moeder Albert keek even beteuterd terug. 'Maar de recreatie is al voorbij!' zei ze uiteindelijk. 'Zijn jullie soms gek geworden of zo? We hebben hier recreatie gehad van acht tot negen.'

'O!' Er volgde een verbaasde stilte. 'Was dat de recreatie dan?' zei Marie. 'Toen u tijdens het naaien kwam praten? Was dat de recreatie?' De eerlijke verbazing die in haar stem doorklonk had moeder ondanks zichzelf in lachen doen uitbarsten.

Ik pakte het gehate stuk zwarte serge en keek stuurs naar de belachelijke knoopsgaten. Op naar nummer 64, dacht ik vermoeid. De witte steken rondom de onhandig geknipte spleten in de stof leken op verachtelijk grinnikende clownsmonden. Het was hopeloos. Een absolute tijdverspilling. Nee, zei ik streng tegen mezelf. Er was ons verteld dat de regel zei dat we tijdens de recreatie vrolijk moesten zijn, de banden van zusterlijke eenheid moesten versterken en elkaar geestelijk moesten verheffen. Ik dwong mijn mond sereen terug te lachen naar de verschrikkelijke knoopsgaten maar voelde me inwendig koken van woede. Het is allemaal goed en wel dat de regel zegt dat we een geest van blijdschap moeten cultiveren, dacht ik, maar hoe kun je je vrolijk en blij voelen als je je ellendig en gefrustreerd voelt? Je kon toch niet gewoon een knop omdraaien?

Irene, die naast me zat, onderbrak mijn gemok door me met haar elleboog aan te stoten. 'Mag ik je schaar even lenen, zuster?' fluisterde ze.

'Mmm,' knikte ik afwezig en ik duwde hem in haar richting.

'Waar praatte je over, zuster Irene?' vroeg moeder streng.

Irene bloosde. 'Ik vroeg zuster Karen net of ik haar schaar even mocht lenen.'

'Zuster, ik heb je toch gezegd dat je geen privé-gesprekken mag voeren tijdens de recreatie.' Werkelijk, ik was stomverbaasd! Je kon dit toch nauwelijks een gesprek noemen? Dit was belachelijk! Nee. Opnieuw slikte ik mijn zucht van irritatie in. Dat was een wereldse gedachte. Ik dwong mezelf berouwvol naar moeder op te kijken. 'Het gaat erom,' legde ze vermoeid uit, 'dat we allemaal samen praten. Elke opmerking die je maakt moet tot mij gericht zijn.' Arme moeder. Ik voelde me plotseling toch berouwvol. De recreatie kon ook voor haar niet echt leuk zijn, terwijl ze de hele tijd met ons opgescheept was. Ze moest wel heel erg verlangen naar de recreatie van de geprofesten. Daar zouden ze tenminste andere dingen hebben om over te praten – school, hun werk. 'Het beste wat je kunt doen is wachten op een pauze in de algemene conversatie en zeggen: "Moeder, ik vraag me af of ik zuster Karen zou kunnen vragen of ik haar schaar mag lenen."'

Ik voelde me plotseling leeg bij de gedachte aan de vele jaren van dit soort doodse, formele recreaties die nog voor me lagen. Niet dat ik verlangde naar intieme gesprekken. Ik kwam uit een nogal gereserveerde familie en nam anderen niet gauw in vertrouwen. Maar wat voor soort leven was het als je niet eens even kon zeggen: 'Mag ik je schaar even lenen?' Het leek allemaal zo geforceerd en onwerkelijk, net alsof je voortdurend in een toneelstuk meespeelde. Tot nu toe had ik gelachen als ik me gelukkig voelde; en als me ik ongelukkig voelde, had ik dat op een of andere manier ook laten blijken. Maar hier moest dat allemaal worden onderdrukt. Ik moest denken aan wat moeder onlangs had gezegd – dat je, als je je gedeprimeerd voelde, met des te meer kracht volmaaktheid in het religieuze leven moest najagen. Juist dat was de tijd om onze liefde tot God te bewijzen, niet als alles gemakkelijk ging. Vastberaden glimlachte ik weer en deed mijn uiterste best om, zoals de regel zei, de algemene geestelijke vrolijkheid op te brengen.

Ondanks mijn stemmingen wilde ik nog steeds doorzetten. Moeder Albert had ons beloofd dat als we de regels uiterlijk in acht namen, dat uiteindelijk invloed zou hebben op onze geest. Als we handelden als nonnen zouden we weldra echt *zijn* als nonnen. Enthousiast zette ik door. Maar vaak deed de eindeloze onderdrukking van stemming en ideeën me ernaar verlangen om uit de band te springen, al was het maar voor even. Om lak te hebben aan de stille formaliteit en haar helemaal uit mijn leven te bannen. Het gebeurde vaak dat als ik me zo voelde mijn broeders dat ook hadden. Je kon de spanning soms voelen kraken in de lucht, wachtend om tot uitbarsting te komen.

Die uitbarsting kwam een paar avonden later na die recreatie toen Marie plotseling door de façade van religieuze zelfbeheersing heen brak. We wachten op de les van die avond. Marie, die naast me stond, had de leiding in de communiteitskamer. Haar ogen, die minder perfect waren neergeslagen dan die van ons, keken op naar het grote beeld van Onze-Lieve-Vrouw tegenover ons. Ze gromde en stootte me in mijn ribben.

'Help!' fluisterde ze. 'Kijk eens naar die bloemen.'

O nee! Een paar verwelkte takjes groen dreven de spot met ons in het vaasje. En dat bij Onze-Lieve-Vrouw! Mijn hart zonk me in de schoenen. Ik vond het vreselijk als een van mijn broeders in de problemen kwam, bijna even vreselijk als wanneer ik het zelf zou zijn. Moeder wist met haar verzengende woorden precies hoe ze ons moest treffen. Ik was me er voortdurend maar al te goed van bewust dat ook mij dat kon overkomen. 'Weer herrie!' zuchtte Marie en ze begon aan een briljante imitatie van moeder Albert. 'Zuster, heb je dan geen respect voor Onze-Lieve-Vrouw dat je die bloemen zo laat staan! Beter helemaal geen bloemen dan dode.' Geschokt maar het tegelijkertijd prachtig vindend keek ik nerveus naar de deur. Moeder kon elk moment binnenkomen. 'Wanneer leren jullie nu eens dat elk klein dingetje ertoe doet,' vervolgde Marie. Ze kon het eigenlijk niet maken maar wat een opluchting was het erom te kunnen lachen. Ik begon te giechelen, eerst nog voorzichtig maar vervolgens voluit toen de opgekropte spanningen van de laatste paar weken in me explodeerden.

'Sssst!' sisten een paar deugdzame zielen aan het hoofd van de tafel.

'Hou zelf je kop dicht!' snauwde Marie, glorieus de regels van religieuze hoffelijkheid aan haar laars lappend. Adèle trok geschokt en verwijtend haar wenkbrauwen op. 'Ik vraag me af of er nog tijd is,' hoorde ik Marie zeggen, en voordat ik begreep wat ze bedoelde stapte ze op de tafel. Nee! Ik volgde haar als gehypnotiseerd met mijn ogen en huiverde over haar rebellie en geweldige durf. Ik hoorde de anderen naar adem happen – geschokt maar ook in de ban van de angst en het gevaar van dat alles. Een snelle stap bracht Marie aan de andere kant van de tafel; daar sprong ze er weer af, greep de vaas en – ze zou toch niet op dezelfde manier weer terugkomen? Dat zou ze toch nooit durven? – sprong weer op de tafel.

'Zuster!' hijgden we geschokt.

'Wat zei je ook alweer dat Sint-Teresa van Avila deed tijdens de recreatie, zuster?' vroeg Marie me. Ik had haar verteld dat de zestiende-eeuwse karmelietes op een keer tijdens de recreatie op de tafel de flamenco had gedanst en daarbij had uitgeroepen: 'Zusters! Laten wij dansen van blijdschap in de Heer!'

'Wat zouden jullie van zoiets denken tijdens de recreatie van vanavond?' zei Marie terwijl ze een verwelkte bloem tussen haar tanden stak, me de vaas gaf, met haar rok zwaaide en met haar vingers knipte.

We waren allemaal slap van het lachen. Het leek wel of er een veer was gesprongen na al die weken van stille onderdrukking. Bang maar niet in staat te stoppen met lachen keken we naar Marie en dan naar de deur.

'Marie, kom in godsnaam naar beneden!' smeekte ik. 'Moeder kan elk moment binnenkomen!'

'Arme ouwe Albert, zie je haar ons voorgaan in de flamenco, net als Sint-Teresa?' vroeg Marie en met een laatste wild gebaar nam ze een pose aan: '*Olé!*' fluisterde ze hees, waarna ze in een fractie van een seconde voordat moeder binnenkwam terugsprong in de rij.

Het was nooit gemakkelijk om stil te blijven als je in de refter moest werken. Elke dag verscheen ik met mijn blauwgeruite schort omgebonden tussen de restanten van het ontbijt om er onder leiding van zuster Brendan te werken. De grote ruimte weergalmde vreemd wanneer alleen wij tweeën erin rondrenden. Zuster Brendan, een kleine gebogen Ierse lekenzuster in wier benige gezicht een paar geestige ogen glinsterden, was een verstokt praatster.

'God zij geloofd!' zei ze zuur toen ik me voor het eerst voor mijn taak aanmeldde.

'Alweer zo'n onervaren postulante! De kruisen die Onze Lieve Heer me oplegt! Ik neem aan dat je nog nooit een vloer hebt geveegd, of wel soms?'

'O ja, zuster.' Dan keek ik naar de enorme oppervlakte van glanzend parket. Heel wat anders dan de kleine keuken thuis. 'Maar misschien nog nooit zo'n grote vloer als deze!'

'Ik wist het wel,' zuchtte ze. 'Ik alle moeite doen om het je te leren en als me dat dan net prachtig is gelukt, verdwijn je weer in het noviciaat en moet ik weer van voren af aan beginnen met een ander!' Haar glimlach was in tegenspraak met de strengheid van haar stem. 'Vertel me eens, zuster,' zei ze, haar ogen scherp achter de goudgerande brilleglazen. 'Hoe oud ben je?'

'Zeventien.'

'God zegene en beware ons!' zei ze hoofdschuddend. 'Je bent nog maar een baby!'

Zuster Brendan liet me zien hoe ik moest vegen. 'Volg de nerf van het hout, zuster.' Ze liet me ook zien hoe ik mijn hand in een walgelijke hoop natte theeblaadjes moest steken, ze moest uitwringen – bah! – en ze over de vloer moest uitstrooien om alle stof op te vangen. Persoonlijk vond ik al deze triviale dingen tijdverspilling. Ik was hier gekomen om God te zoeken, vond ik, en niet om mijn hoofd te vermoeien met deze huishoudelijke karweitjes. En zuster Brendan maar kwebbelen. Ze vroeg me naar mijn familie, mijn school, en hoe het met de andere postulanten ging. De lekenzusters, bedacht ik, waren heel anders dan de geprofeste nonnen. Ze gedroegen zich veel vrijer, minder verkrampt. Telkens wanneer ik 's avonds langs hun communiteitskamer liep nadat ik de afwas had gedaan, klonken er golven van gelach uit op. Heel anders dan de stijve recreatie in het postulantenhuis. Ik wist dat onze stichtster had gevochten tegen de canonieke wet die voorschreef dat de koorzusters en de lekenzusters gescheiden recreatie moesten hebben, maar dat Rome haar verzoek had geweigerd. Ik denk niet dat de lekenzusters dat erg vonden. Ze schenen onder elkaar veel meer plezier te hebben!

Hoe verwachtten ze dat ik bij zuster Brendan de stilte kon bewaren?

Het was een netelige zaak. Als ik haar pedant weigerde te antwoorden, zou dat een stilzwijgende berisping van een oudere non betekenen. En ik genoot juist zo van onze gesprekken. Ik voelde me hier in de refter thuis, afgezien dan van al dat afschuwelijke schoonmaakwerk.

Zodra het werk op gang was, begon zuster Brendan de hemel te bestormen met een vloed van hardop uitgesproken gebeden. We doorliepen elk gebed in het boek – de rozenkrans, de kruiswegstaties, novenen tot Sint-Antonius – en eindigden met de lofprijzingen van God. Dit alles onder begeleiding van kletterende bezems en borstels.

'Wees gegroet, Maria, vol van genade, de Heer is met u,' begon zuster Brendan dan op Ierse manier zachtjes en weeklagend te zingen, terwijl ze met een ratelend gekras de stoelen op hun plaatsen schoof. 'Gezegend zijt Gij onder de vrouwen, en gezegend – Zuster, let op al die kruimels onder de hoofdtafel! Ere zij God, heb je geen ogen in je hoofd! – gezegend is Jezus, de vrucht van uw schoot!' De heilige naam werd triomfantelijk uitgeschreeuwd met een nadrukkelijke bons van de wateremmer.

'Sorry, zuster,' antwoordde ik terwijl ik me met mijn bezem naar de hoofdtafel haastte. Een halfuur later waren we nog bezig.

'De vierde statie: Jezus ontmoet zijn Heilige Moeder op de weg naar Golgotha,' zong zuster Brendan treurig met scherp glinsterende ogen terwijl ze de pasgedekte tafels inspecteerde. 'Wij loven U, o Christus – Zuster, wil je even kijken naar deze vieze kom die je vergeten bent? Zo kom je nooit klaar voordat je naar de mis gaat – en prijzen U,' zong ze terwijl de toon in droeve eerbied opnieuw zakte.

'Omdat Gij door uw heilig kruis de wereld verlost hebt!' antwoordde ik kordaat terwijl ik een theedoek uitwrong in een emmer die tot aan de rand was gevuld met vettig sop.

'God zij geloofd!' verkondigde zuster Brendan vervolgens krachtig. De laatste etappe, eindelijk de lofprijzingen van God. 'God zij geloofd!' herhaalde ik vrolijk terwijl we samen de zware emmer optilden en ermee wegwankelden.

'Kalm aan, zuster,' mompelde ze, hijgend van inspanning. 'Zijn heilige naam zij geloofd! Kijk uit, zuster Karen, je zult het over je heen krijgen en dan moet ik moeder Albert uitleg geven over de toestand van je rok.'

'God zij geloofd in zijn engelen en zijn heiligen!' besloten we dan triomfantelijk in koor terwijl we, rood van onze inspanningen van die morgen, een glanzende refter overzagen.

Ik klopte op de deur van moeder Albert. Het was tijd voor mijn wekelijkse gesprek met haar. Vrijdags om half een. Mijn 'gelukkige tijd', zoals
Marie deze sessies oneerbiedig noemde. 'Kom binnen!' hoorde ik haar
zeggen met haar holle, onbewogen stem.

'Ga zitten, zuster,' zei ze glimlachend om me vervolgens zuchtend van
boven tot onder op te nemen. 'Zuster,' zei ze vermoeid, 'je ziet er slordig
uit! Hoe komt het toch dat je er altijd uitziet als een voddenbaal?'

Ik keek naar mezelf. Mijn cape was gerafeld aan de hoeken en er zaten twee strepen gedroogd kaarsvet op mijn rok, resten van de processie
van deze morgen. 'Is dat een scheur?' vervolgde moeder, wijzend naar
een gerafelde scheur die ik in een amateuristische poging haar te stoppen onhandig had hersteld.

'Ja, moeder,' zei ik verontschuldigend terwijl ik op het harde stoeltje
voor haar bureau ging zitten.

'Hoe heb je dat nou weer voor elkaar gekregen?'

'Het is afgelopen zaterdag gebeurd, moeder.' Ik grinnikte bij de herinnering. 'Zuster Martin leidde de wandeling en we raakten verdwaald.
We zouden te laat komen en de enige manier om snel weer op de weg te
komen was onder een hek van prikkeldraad door te kruipen.' Ik keek
vrolijk naar moeder Albert op.

'En jij was zeker de enige die je rok scheurde?'

'Ja, moeder.' De anderen hadden het verschrikkelijk grappig gevonden. Ik was altijd de enige die mijn kleren scheurde of rafelde. Ik vond
het enig dat ik het doelwit was van zoveel vriendelijk geplaag.

'Ben je altijd al zo slordig geweest, zuster?'

'O nee, moeder.' Nu ik eraan moest denken was het gek dat ik er
thuis ook nooit netjes had uitgezien in mijn kleren, maar ik had er nooit
scheuren of rafels in gehad op de manier waarop dat nu gebeurde. 'Ik
denk,' voegde ik er langzaam aan toe, 'dat het komt doordat het er nu
niet meer zo toe doet. Weet u, moeder, in de wereld is het verschrikkelijk belangrijk hoe je eruitziet. En toen kon het me ook wat schelen.
Maar hier,' glimlachte ik gelukkig, 'doen al die dingen er niet meer toe;
er zijn zoveel belangrijker dingen om me druk over te maken.'

Moeder Albert keek me aan en er ontsnapte een korte scherpe zucht
van verbazing aan haar lippen. Toen leunde ze naar voren op het bureau
en zei met nadruk: 'Maar het doet er wel toe, zuster, het is heel belang-

126

rijk. Het doet er wel toe dat je er altijd netjes uitziet, het doet er wel toe dat je naaiwerk perfect is, het doet er wel toe dat je de refter perfect veegt. Perfect, zuster.' Ze sloeg zachtjes op het bureau om haar woorden kracht bij te zetten. 'Niet zo goed als je kunt maar perfect.'

Ik knipperde verschrikt met mijn ogen bij deze plotselinge uitval. 'Maar moeder,' protesteerde ik, 'ik ben niet goed in die dingen. Ik kan niet naaien! Ik kan het gewoon niet.'

'In het religieuze leven, zuster,' zei moeder Albert met een stem die haar gebruikelijke toonloze kalmte had herkregen, 'bestaat geen woord als *kan niet*.'

Ze stopte en keek me vragend aan. 'Het is zeker nieuw voor je om slecht te zijn in iets?'

Daar moest ik even over nadenken. Het was waar. Natuurlijk waren er altijd wel dingen geweest die ik niet goed had gekund. Wiskunde bijvoorbeeld. Maar daar had ik me nooit druk over gemaakt. Ik had me gewoon geconcentreerd op de dingen die ik leuk vond om te doen. Ik knikte terwijl ik me opeens klein en vernederd voelde. Wat een verwend kind was ik!

'Ja, dat dacht ik al,' vervolgde moeder genadeloos. 'Je bent intelligent. Je bent altijd goed geweest in intellectueel werk. En je denkt dat huishoudelijk werk beneden je stand is.'

Nu ze het zo stelde, zag ik in dat het waar was. En hoe verkeerd klonk het. Ik keek haar sprakeloos aan en maakte een hulpeloos gebaar.

'Waarom denk je dat we je op het moment niet toestaan intellectueel werk te doen?' vroeg moeder. 'En je weet dat dat zo blijft tot het tweede jaar van je noviciaat.'

Ik voelde me zekerder nu; ik wist het antwoord op die vraag.

'Dat is omdat handwerk je geest vrijer voor God houdt. Als je aan het studeren of aan het lezen bent, vind je geen rust in je hoofd en kun je niet met God spreken of naar Hem luisteren. Maar moeder,' vervolgde ik, denkend dat ik evengoed deze vraag onder woorden mocht brengen, 'ik zie wel dat dat bij sommige mensen werkt. Maar ik raak zo gefrustreerd door dat naaien dat ik helemaal opgewonden word, en dan kan ik helemaal niet meer aan God denken. Kon ik maar eens wat lezen, dan weet ik zeker dat dat me zou helpen. Zo ging het tenminste vroeger altijd.'

Moeder Albert leunde achterover in haar stoel. 'Zuster,' zei ze rustig, 'je bent heel erg trots, nietwaar?' Ik was geschokt. Trots was de ergste van de zeven doodzonden. Dat wist ik. En ik wou nog wel non worden.

'Waarom denk je,' ging moeder verder, me dwingend haar aan te kijken, 'dat het niet goed voor je is je gefrustreerd te voelen?'

Ik was verbijsterd. Het antwoord was toch duidelijk.

'Het is wel goed voor je gefrustreerd te zijn, zuster,' zei moeder vlak. 'Je moet leren je hele wil en al je eigen verlangens en voorkeuren opzij te zetten. Je eigen wil moet worden gebroken, weet je, voordat God door jou kan werken.'

Ik dacht hierover na. Ik herinnerde me de waarschuwing van moeder Katherine over de blanco cheque. In theorie had ik natuurlijk begrepen dat mijn eigen verlangens onbelangrijk waren. Maar op een of andere manier... 'Ik had nooit gedacht dat het vegen van een vloer ook maar iets heiligs of religieus had. Ik dacht gewoon dat het iets was dat je deed terwijl je aan God dacht...' Ik voelde me helemaal slap worden onder de strakke blik van moeder.

'Precies. Je vond dat deze dingen, zoals schoonmaken en naaien, er op zich niet toe deden. Maar dat doen ze wel, zuster. Elke fout – een slecht geveegde vloer, een gescheurde rok, een losse zoom – is een religieuze fout. Dan schiet je tekort in het dienen van God. Of je nu goed bent in deze dingen of niet.'

'Toch is het een beetje oneerlijk,' zei ik. 'Mensen als zuster Margaret of zuster Adèle vinden naaien en schoonmaken leuk. Ze hebben een hekel aan studeren en lezen; dat hebben ze me zelf verteld. Dan is het voor hen zeker gemakkelijker God te dienen?'

'Daar heb je het nu precies mis, zuster,' antwoordde moeder. 'Het is voor jou juist gemakkelijker omdat jij de kans hebt op dit moment méér te geven in dit opzicht. Jouw wil en je hele ik zullen sneller worden gebroken. Je zult steeds weer blijven falen en je vervelen en gefrustreerd zijn en zo zul je geleidelijk aan voor jezelf sterven.'

Ik zuchtte. 'En je zult in de problemen komen door je falen,' vervolgde moeder onverbiddelijk, 'en dan zal niemand je sparen. Alleen als je niet langer denkt, geen moment meer, aan wat gemakkelijker is of bevredigender, kun je een leven gaan leiden waarvan Christus het middelpunt is.'

Het was moeilijk. Ik kon het nauwelijks verdragen eraan te denken, maar op een of andere manier riep het mijn liefde voor een uitdaging weer wakker, ook al had ik het nooit eerder op een dergelijke negatieve manier bekeken. Het was opnieuw een duw het zwembad in. Trappelend en gillend tot aan de rand ervan. Maar ditmaal zou ik niet gespaard worden voor vernietiging.

'Je moet sterven, zuster, voordat je opnieuw kunt leven,' zei moeder, en ze gebaarde ten teken dat het onderhoud was afgelopen.

'En niets is te gering als mogelijkheid om jezelf ter dood te brengen. Ga nu de laarzenkamer maar vegen; doe dat perfect, hoe zinloos het ook mag lijken. Dat vraagt God van je. Frustratie en dood.' Ze glimlachte opeens vriendelijk naar me toen ik opstond – duizelig, dat wel, maar vastbesloten om me erdoorheen te slepen. 'Ga nu en denk erover na. God zegene je.'

Ik verliet moeders kamer met een gevoel van verwarring. Ik had nog wel gedacht dat ik het zo goed deed en me verbeeld dat God allerlei diepe geestelijke verzoekingen voor me in petto had, terwijl alles wat Hij van me wilde was dat ik de laarzenkamer veegde. Perfect. Gods wil bleek zo anders te zijn dan alles wat ik me had voorgesteld. Het toonde alleen maar aan hoe vol ik nog was van wereldse waarden, dacht ik nuchter toen ik de stoffige kleine laarzenkamer in de kelder binnenging, met zijn geur van modder en schoensmeer. Ik kuchte toen de wolken stof mijn neus bereikten en mijn keel irriteerden. Ik vocht een uur lang met mijn taak. Naarmate mijn schaamte afnam, voelde ik een nieuwe gloed van enthousiasme. God had tot me gesproken door moeder Albert. Deze arbeid, hoe gering ook van betekenis, zou me dichter bij Hem brengen, dichter bij mijn doel. Ik nam het ferme besluit op mijn hoede te zijn voor wereldse gedachten. Moeder Albert had gelijk. Mijn vertrouwen in mijn eigen kijk op de dingen was geschokt. Hoe gemakkelijk was het niet verkeerd te kiezen en de brede weg op te gaan die wegvoert van God en alleen naar het ik leidt.

Het was waar dat naarmate de weken voorbijgingen, de oude wereld steeds meer terugweek en een onwerkelijke plaats werd. We lazen geen kranten, hoorden geen nieuwsbulletins. Niets uit de wijde wereld buiten Triptons hoofdstraat bereikte ons. Slechts één keer, een paar weken nadat ik was ingetreden, hoorden we van een internationale gebeurtenis. Het was op een zondagmorgen, het feest van Christus Koning, de dag van de maandelijkse retraite. Elke eerste zondag van de maand hadden we een dag van speciale stilte en gebed waarop de geprofeste nonnen, de novicen en de postulanten in gebed neerknielden voor het Heilig Sacrament dat op het altaar werd uitgestald. Die zondag riep moeder Albert ons allemaal naar de communiteitskamer. Ze had het vaag over een crisis, over Cuba, over Rusland en Amerika, over een paar schepen. We stonden, sprak ze kalm, aan de rand van een atoomoorlog. Geen details, alleen maar losse feiten, die wij bevreemd aanhoorden als tijdingen van een andere planeet. Opeens was er de verschrikkelijke dreiging van de dood. Ik was doodsbang.

'Bid, zusters,' zei moeder Albert. 'Het gebed kan zoals we weten wonderen verrichten. Het kan bergen verzetten. Bid voor de vrede.'

Dus baden we en baden we. Een dag ging voorbij. Dan drie dagen, dan een week. Er was ons gezegd er niet onder elkaar over te praten en dat deden we ook niet. Maar ik merkte wel op dat we veel meer van onze vrije tijd in de kerk doorbrachten. Tien dagen gingen voorbij. Elke morgen werd ik wakker en keek uit over het vredige land dat er zo lijdzaam bijlag, en stelde het me voor als een verschroeide en dorre woestenij, verduisterd door wolken van radioactieve stof. Het zou kunnen gebeuren, dacht ik. *Zal het vandaag zijn?* vroeg ik me onder het zingen van de lofprijzingen van God met zuster Brendan af, terwijl ik de vloer van de refter in de was zette. Het duurde nu al veertien dagen. Er moest nu toch vast iets zijn gebeurd. Er moest iets zijn gebeurd, ten goede of ten kwade: ze konden niet nog steeds naar elkaar zitten staren met hun vingers resoluut aan de fatale knoppen. Zeventien dagen. Er moest toch nieuws zijn. Drie weken!

Uiteindelijk kon ik het niet langer verdragen. Die avond tijdens de recreatie keek ik wanhopig naar het habijt dat ik zat te naaien. Zou ik nog leven om het te kunnen dragen?

'Moeder,' barstte ik uit. Ik mocht het misschien niet vragen, ik zou niet mogen hunkeren naar nieuws uit de wereld buiten het klooster. Daardoor zou ik in verschrikkelijke problemen kunnen komen.

'Moeder, is er nieuws over Cuba?'

De andere postulanten luisterden nu echt, opgewonden, hun naalden in de lucht geheven. Zuster Adèle had een handvol stof gepakt en kneep er stevig in. We wachtten.

Stilte.

Moeder keek neutraal. 'Cuba?' vroeg ze, even opgeschrikt.

'Ja,' vervolgde ik, 'u weet wel, de internationale crisis, de schepen...' Ik hield op omdat haar gezicht steeds meer verbazing uitdrukte. Ze kon het toch niet helemaal vergeten zijn; die graad van onverschilligheid voor het lot van de wereld had ze vast niet bereikt.

Plotseling klaarde het gezicht van moeder op. 'O, Cuba!' zei ze en ze trok verbaasd haar wenkbrauwen op. 'Maar dat is al weken geleden opgelost. De Russen hebben hun schepen verplaatst.' Ze keek de tafel rond naar onze gezichten, de waarheid drong tot haar door. 'Hebben we jullie dat dan niet verteld?' vroeg ze.

We schudden onze hoofden.

'O!' Moeder wierp haar hoofd achterover en lachte haar karakteristieke lach, stilletjes, met opgetrokken schouders. 'Dat moeten we dan zijn vergeten! Wat vreselijk grappig!'

Voor het eerst konden we niet met haar meelachen. Het was bepaald niet grappig.

Door dit incident besefte ik hoe totaal afgesloten van de buitenwereld we waren geworden, zelfs al na een paar weken. Toen ik een paar dagen later zag dat Nessa niet op haar plaats zat tijdens een stichtelijke lezing, schonk ik er weinig aandacht aan.

Moeder Albert kwam binnen en we gingen allemaal zitten.

'Zuster Nessa is vanmorgen weggegaan,' zei ze nonchalant. 'Ik heb haar net op de trein naar Londen gezet. Ze was tot de conclusie gekomen dat ze geen roeping had.' Er had geen enkele emotie in haar stem geklonken. Vervolgens keek ze naar zuster Margaret, wier beurt het die morgen was om voor te lezen en gaf haar het teken om te beginnen.

Overdonderd keek ik naar mijn naaiwerk. Nessa weg! De wereld leek nu zo ver weg dat het moeilijk was je te herinneren dat er nog andere plaatsen waren waar je heen kon gaan. En wat was ze stilletjes vertrokken. Geen afscheid, geen uitleg. Ze was gewoon uit ons midden geplukt. Ik had haar nooit gekend en nu zou ik haar nooit meer leren kennen. Dat was een vreemde gedachte.

Zelfs mijn familie werd een verre herinnering. We kregen eens in de week brieven, behalve tijdens de vasten en de advent, en ze werden eerst geopend en gelezen door moeder Albert. Tijdens het noviciaat, had ze uitgelegd, zouden we maar eens in de maand brieven ontvangen. We mochten onze naaste familie schrijven op de laatste zondag van de maand van elf tot kwart voor twaalf. Eerst keek ik ernaar uit maar langzamerhand werd het een corvee. 'We schrijven nooit iets over wat er binnen het klooster gebeurt,' was ons verteld, 'en ook spreken we niet over onze persoonlijke gevoelens in een brief aan een leek.' Dat is allemaal goed en wel, dacht ik op een zondag vermoeid terwijl ik op mijn pen beet in de hoop op wat inspiratie, als je lesgeeft of je bezighoudt met een taak die je buiten het klooster brengt, maar wij komen nooit buiten het postulantenhuis behalve voor onze dagelijkse wandeling. Ik keek treurig naar mijn brief. Wat kon ik in hemelsnaam schrijven? Dit was gewoon een verslag over het veranderende gezicht van de natuur, een beschrijving van de modderige wandelingen, de schilderachtige bossen, de planten en bloemen die je in de hagen vond. Hier en daar, alleen maar voor de goede orde, stond een plichtmatige opmerking over de Schepper van al deze wonderen. Al onze brieven moesten onze familie stichten en inspireren tot een grotere liefde voor God. Moeder Albert las alle brieven voordat ze werden gepost en ook dat was een beletsel om iets persoonlijks te schrijven. Deze brief, dacht ik, was absoluut geen natuurlijke brief. Ik trok me erin terug van mijn familie achter een scherm van hoogdravende woorden en frasen. Het was pijnlijk.

Aan de overkant van de tafel barstte Marie opeens uit in grote vrolijkheid. Gierend van het lachen streepte ze een woord door.

'Ssst,' siste zuster Adèle aan mijn kant van de tafel.

Ik keek haar hoopvol aan. Marie wist me altijd weer op te vrolijken. 'Zuster,' fluisterde ze, nog steeds giechelend en de afkeurende blikken van de broeders negerend: 'Ik schreef: "Eindelijk zijn er tekenen van de lente. Eindelijk springen de bloesems langs de kant van de weg open." '

Ik keek haar onthutst aan. Het klonk alsof deze zin rechtstreeks uit mijn eigen brief was gelicht. Ik kon er niets grappigs in zien.

Marie giechelde opnieuw. 'Zuster,' verklaarde ze, 'ik vergat de *l* in bloesems!'

Naarmate de wereld vervaagde, vulde het klooster de hele horizon. Dingen als het vreemde ritueel in de refter, het kriebelige warme ondergoed en de onpersoonlijke stilte werden onze enige realiteiten. Weliswaar verlangde ik er vaak naar eens heerlijk te weken in een heet bad, eens vrolijk te lachen en eens een goed boek te lezen, maar bij het verstrijken van de maanden leek een wereld waarin deze dingen dagelijkse realiteiten waren in plaats van onmogelijke en onwaardige dromen steeds meer in een ander leven mijn wereld te zijn geweest. Was het eigenlijk allemaal ook niet erg onbeduidend! Toen Kerstmis naderde, bereidden we ons voor op de sombere penitenties van de advent. In de buitenwereld, bedacht ik met iets van verbazing, renden ze nu rond in de overvolle winkels, gaven ze absurde sommen geld uit en propten ze zich vol met voedsel. Ze hadden er nooit bij stilgestaan wat Kerstmis eigenlijk betekende. Het klooster leek het gezonde centrum van een krankzinnige wereld. Maar hoe vreemd de buitenwereld met al haar normen en waarden ook werd, ik wist dat ik ermee in aanraking zou komen wanneer mijn ouders zouden komen voor hun afgesproken bezoek. Naarmate de dag naderbij kwam, merkte ik dat ik er met een zekere ongerustheid naar uitkeek. Natuurlijk verlangde ik er op een bepaalde manier naar hen te zien. Wat had ik ze gemist – de manier waarop mijn vader zijn gezicht verwrong alsof hij in doodsnood verkeerde wanneer hij gestoofde vruchten at, de brede, gretige glimlach van mijn moeder wanneer ze luisterde. Kleine dingen die hen uniek maakten. Bovenal miste ik de eenvoudige acceptatie van mezelf en alles wat ik was. Dat was natuurlijk op een bepaalde manier ook niet reëel, maar hier, waar mijn fouten en eigenaardigheden, mijn luide stem en lach, mijn te expressieve gezicht voortdurend werden bekritiseerd en gecorrigeerd, leek het gezinsleven zo gemakkelijk en ongecompliceerd.

Maar, dacht ik toen ik de gastenkamer naderde, was ik nog wel dezelfde persoon die ik was geweest? Zouden ze me niet onmogelijk veranderd vinden? Ik had er geen idee van. Ik voelde me nog altijd dezelfde en voelde me vaak ellendig over elk duidelijk gebrek aan vooruitgang. Tenslotte was ik hier gekomen om mezelf radicaal te veranderen. Hoe zou het voor hen zijn me in deze kleren te zien, in deze sombere omgeving?

Ik duwde de deur zenuwachtig open en draaide me om om hem zorgvuldig en zacht weer te sluiten, zoals ik dat had geleerd, hem behoedzaam in het slot te laten vallen en de knop rustig los te laten, zodat de gebedsrust van het huis niet zou worden verstoord. Voor een goede non, had moeder Albert gezegd, is zelfs het openen en sluiten van een deur een teken van liefde voor God. Dan draaide ik me om om mijn familie tegemoet te treden.

Daar waren ze in de grote bibliotheek-gastenkamer; ze zagen er nogal verloren en kleintjes uit naast de hoge kasten vol boeken die dreigend boven hen oprezen en de ruimte vulden met een enigszins muffe geur. Mijn moeder zat rechtop in een met brokaat beklede armstoel terwijl ze zich, nerveus en op haar hoede, inspande de eerste glimp van mij op te vangen. Mijn vader en mijn neef Anthony stonden bij de open haard en bekeken kennelijk met intense aandacht een prent. Met bestudeerde nonchalance draaiden ze zich terloops om, alsof ze werden gestoord door mijn binnenkomst en weigerden de situatie uit de hand te laten lopen. Lindsey zat in de vensterbank en bekeek me opstandig. Ze zagen er zo vertrouwd uit dat een deel van mezelf instinctief op hen af rende. Maar hoe gek was het hen in deze omgeving te zien en hoe slecht op hun plaats waren ze hier. Er was even een pijnlijk moment toen we elkaar zwijgend bekeken en de veranderde relatie op ons lieten inwerken. Dit was mijn plek, niet die van hen, en het deel van mij dat instinctief op hen af rende was het deel dat ik moest opgeven.

Dan ging ik naar mijn moeder toe om haar een zoen te geven, waarbij ik ervoor zorgde rustig en zedig te lopen.

'Hoe is het met je, lieveling?' Ik hoorde de ongerustheid in haar stem. Ze bekeek me in mijn vreemde uniform. Misschien verlangde ze wel naar die verschrikkelijke suikerspin en de strakke spijkerbroek. Dan lichtte haar gezicht op. 'Gossie, wat zie je er goed uit!' zei ze, zich onderwijl naar de anderen kerend. 'Vinden jullie ook niet? Ik heb je nog nooit met zo'n gezonde kleur gezien.' De rest van de familie maakte beleefde geluiden van instemming.

'Ben je gelukkig, Karen?' vroeg mijn vader twijfelend toen we allemaal zaten.

'O, ja!' zei ik met nadruk. Hoe kon ik hen overtuigen? En wat betekende het woord *gelukkig* nu eigenlijk? Moeder Albert had het begrip voor ons opnieuw gedefinieerd; geluk, had ze gezegd, is Gods wil doen. Nonnen traden niet in het klooster om gelukkig te worden; ze kwamen er om Gods wil te doen. We spraken nu al in verschillende talen. 'Ik ben heel gelukkig,' herhaalde ik. 'Ik ben nog nooit zo gelukkig geweest in mijn leven.'

Er viel een gespannen stilte. Echt een opmerking om aan elk gesprek een einde te maken, bedacht ik. Hoe kon iemand dat nou begrijpen? 'Nou, dat is dan geweldig. Ja, ik moet toegeven dat je er gelukkig uitziet,' probeerde mijn moeder dapper. Ze onderzocht mijn gezicht terwijl ik haar onverstoorbaar bleef toelachen. De regels van zedigheid hielden in dat we er onder alle omstandigheden vredig en tevreden uit moesten zien. Terwijl ik naar mijn familie glimlachte, voelde ik hoe poeslief ik dat deed, net als de nonnen op school hadden geglimlacht. Het was een gewoonte geworden. Op geen enkele manier weerspiegelde het wat zich binnen in mij afspeelde. 'Ziet ze er niet gelukkig uit?' zei mijn moeder in een poging zichzelf gerust te stellen. Mijn vader en Anthony stemden haastig en met een luidruchtig enthousiasme met haar in. Alleen Lindsey, die tegen de tafelpoot schopte, keek chagrijnig en ongelovig.

'Maar Karen,' zei ze op dwingende toon. 'Hoe is het hier? Ik bedoel, wat doe je zo de hele dag?'

'Nou, hoofdzakelijk naaien en huishoudelijk werk.' Zuur bedacht ik dat het klonk alsof ik een hulp in de huishouding was. Het was niet een echt antwoord.

'Jij naaien?' zei mijn moeder naar adem happend. 'Dat moet je verschrikkelijk vinden.'

Natuurlijk vond ik dat. In een bepaald opzicht. Maar daar ging het allang niet meer om. Als het Gods wil was, maakte het me gelukkig. Maar hoe kon ik dit alles uitleggen? 'Ja, ik was er in het begin heel slecht in. Maar ik heb bijgeleerd. Ik ben er nu veel beter in geworden. Ik heb er nu geen hekel meer aan.' Wat een zwakke afspiegeling van de waarheid waren deze woorden. Mijn familie keek me stomverbaasd aan.

'Maar is dat nou niet een enorme tijdverspilling?' drong mijn vader aan. 'Je hebt tenslotte goed eindexamen gedaan.'

'Och,' zei ik rustig, 'het hoort bij de opleiding. Boeken en studeren zouden ons maar van God afhouden. Later ga ik misschien weer studeren. Ik zou het nu niet anders willen.'

Ik zag Lindsey en Anthony gezichten naar elkaar trekken. Ik kon het ze niet kwalijk nemen. Het klonk zo pedant. Maar mijn woorden drukten wel de waarheid uit, hoe onhandig ook. En de toon, de manier? Een deel van mezelf zei me dat ik een toneelstukje opvoerde zoals ik dat moest en dat ik me gedroeg zoals een non zich moest gedragen. Maar het was ook waar dat ik me niet anders zou kunnen gedragen. Het was raar. Alsof ik twee mensen tegelijk was.

'Hoeveel tijd brengen jullie in de kerk door?' vroeg Anthony.

Ik rekende. De mis, een halfuur meditatie, twee gewetensonderzoekingen, een rozenkrans, een halfuur avondgebed, stichtelijke lezingen, breviergebed. 'Ongeveer vijf uur, breviergebed niet meegerekend.'

'Wat,' riep Lindsey verschrikt uit. 'Wat verschrikkelijk.' Mijn ouders, die dat kennelijk ook zo voelden, hadden er moeite mee haar berispend aan te kijken. 'Hoe kun je in hemelsnaam zolang doorgaan met bidden? Wat moet dat vervelend zijn!'

Ik dacht aan de lange uren. Mijn knieën twee vuurballen van pijn en mijn geest totaal blanco. Verlangend naar het klinken van de bel. Dan het schuldgevoel. De herhaalde pogingen het goed te doen. De over me heen komende loomheid. Maar ook die andere keren wanneer mijn geest zich verhief en ik Gods liefde kon voelen. Bijna, bijna was Hij daar.

'Soms is het natuurlijk wel moeilijk,' zei ik. 'Niemand heeft zin om altijd te bidden. Maar het doet er niet toe hoe je je voelt. Het proberen, dat telt.' Moeder had ons verteld dat we vaak het dichtst bij God waren als we ons helemaal leeg voelden, zolang we maar doorgingen met proberen. 'Je moet het gewoon steeds weer proberen en doorgaan,' legde ik uit. 'Het is al een gebed op zichzelf om daar te zijn waar God je wil hebben.'

'Nou, ik ben verschrikkelijk blij dat Hij niet wil dat ik al die tijd in de kerk doorbreng,' zei Anthony uit de grond van zijn hart.

'Ik snap niet hoe je het uithoudt,' zei mijn moeder.

'Hoe laat sta je op?' vroeg Lindsey.

'Dit jaar om zes uur. Maar na het postulaat wordt het iedere morgen halfzes.'

'God!' Lindsey klonk ontzet. Dan bloosde ze en keek met een schuldige blik de gastenkamer rond alsof ze verwachtte dat God uit een van de boekenplanken zou opduiken. Hoe moest ze dit alles haten, besefte ik met een opwelling van sympathie. Wat een manier om je vrije dagen door te brengen voor een meisje van vijftien. 'Elke morgen? Heb je nooit eens een moment rust?'

En zo gingen ze maar door met vragen. Hoe was het eten? Mocht ik in het bad? Had ik veel vriendinnen onder de andere nonnen? Allemaal vragen die net de kern niet raakten. En mijn antwoorden dwaalden steeds verder af van de waarheid. Ik kon ze niet vertellen over de kaas waar ik misselijk van werd, over je ellendig en neerslachtig voelen, over de regel, over ook maar iets dat echt belangrijk voor me was. Ik zag dat mijn ouders blikken wisselden. Ik wist dat wat ik zei te mooi klonk om waar te zijn, maar ik besefte steeds meer dat ik was veranderd. Ik was op een vanzelfsprekende manier begonnen te denken, te spreken en te handelen als een non.

Naarmate de middag vorderde, begon ik me steeds vermoeider te voelen. Na de maanden van stilte was al dit gepraat onnatuurlijk voor me. Woorden, begreep ik snel, waren geen voertuig voor communicatie. Ze trokken alleen maar een scherm van onbegrip en verwijdering op.

Mijn hoofd barstte van alle inspanning en ik voelde me uitgeput en leeg. Ik verlangde ernaar terug te gaan naar het stille klooster. Zuster Rebecca had gelijk gehad. Na een tijdje werd zwijgen gemakkelijker dan spreken.

'We kunnen je dus niet overhalen weer thuis te komen?' vroeg mijn vader.

Achter de opzettelijke scherts kon ik zijn verdriet en pijn horen. Ik glimlachte naar hem terwijl ik bleef geloven dat hij zijn vraag schertsend had bedoeld, en antwoordde opgewekt: 'O nee hoor, daar is geen kans op!' Ik zag aan hun gezichten dat ze wisten dat ze me op een veel fundamentelere manier hadden verloren dan toen ze me op Kings Cross op de trein hadden gezet. Was dat echt nog maar een paar maanden geleden? Hun verdriet deed me plotseling pijn en we staarden elkaar aan terwijl de strenge gastenkamer zich vulde met droefheid. Het was één ding blij te zijn omdat ik voor mezelf een offer bracht, maar het was heel iets anders hun lijden te voelen. Ik kon het niet verdragen om er al te veel aan te denken. De helderheid van mijn besluit vervaagde even en ik voelde me verscheurd worden tussen loyaliteit aan hen en loyaliteit aan het klooster. Niet dat ik ook maar een moment serieus overwoog met hen mee terug te gaan naar huis, maar ik wilde niet dat ze zich zo diepbedroefd en in de steek gelaten voelden. Ik ging snel verder. 'Moeder Albert komt zo binnen om jullie even te begroeten. Ze neemt jullie mee om thee te drinken terwijl ik zelf ook thee ga drinken. Daarna kom ik weer bij jullie in de grote gastenkamer.'

'Mag je geen thee drinken met ons?' vroeg mijn moeder onthutst.

'Nee,' zei ik zo vriendelijk als ik kon. 'Jullie weten dat nonnen niet samen mogen eten met...' Ik stond op het punt het woord *leken* te gebruiken maar slikte het in. Het was zo'n afstandelijk woord dat maar zout in hun wonden zou wrijven.

'Met... mensen van buiten.' O God, dat was nog erger. 'We eten nooit buiten het klooster.'

'Maar we zijn je eigen familie, in hemelsnaam!' Ze klonk zo gekwetst. Deze scheiding op theetijd benadrukte alleen maar de echte kloof tussen ons die die middag zo wreed had onthuld. *Maak alsjeblieft geen scène*, bad ik in stilte. 'Het is belachelijk!' snauwde ze.

'Tja' – de zekerheid die ik eerder had gevoeld ebde snel weg – 'zo is het nu eenmaal.' Ik voelde me niet langer als een non, sereen en boven menselijke gevoelens verheven. Ik voelde hoe de kracht van het verdriet van mijn ouders me terugtrok naar mijn vroegere ik, ongelukkig en in de war. Ik probeerde ze in stilte de liefde die ik voor hen voelde en mijn oprechte medeleven met wat ze doormaakten te laten voelen.

Er klonk een discreet klopje op de deur en moeder Albert stapte binnen, een en al glimlach.

'En, hoe vind u dat ze eruitziet?' vroeg ze terwijl ze door de kamer beende. Mijn familie trok zich terug in vriendelijke beleefdheid en er klonk een verward koor van 'Geweldig!' 'Heel erg goed!' en 'Fantastisch!' dat vervolgens stilletjes wegebde.

'Het is ons niet gelukt haar over te halen met ons mee naar huis te gaan,' grapte mijn vader met een charmante glimlach.

Moeder Albert lachte en glunderde naar mij. Ik deed mee en glimlachte naar haar terug. *Nu is het uw beurt*, dacht ik terwijl ik hen overdroeg aan haar sterke leiding. 'O, nee!' zei moeder, 'ik geloof niet dat ze dat zou willen, hè, zuster?'

Opnieuw lachten we allemaal.

'Nee.' Moeder Albert keek me aan met een afstandelijke en taxerende glimlach. 'Nee, ze is heel gelukkig. Zelfs bij het schoonmaken. In het begin wist ze nauwelijks het ene eind van de bezem van het andere te onderscheiden!'

We lachten allemaal gehoorzaam. 'Maar,' vervolgde moeder terwijl ze me een veelbetekenende glimlach toezond, 'ze leert het wel.' Opnieuw voelde ik me in tweeën gescheurd. Moeder Albert begreep me beter dan wie ook in de kamer. Zij was mijn nieuwe moeder. Maar mijn gevoelens trokken me naar mijn familie; zij hadden me tenslotte voortgebracht. Ik liep naar de overkant en ging naast moeder Albert staan.

'Hoe lang mogen we vanavond blijven?' vroeg mijn vader ronduit.

'Tot zeven uur of half acht, denk ik, meneer Armstrong.'

'En dan?' zei mijn moeder met een stem die iets hoger klonk dan normaal. Onbewust bewoog ze zich dichter naar me toe en kwam naast me staan. Ze wilde me aanraken maar durfde dat op een of andere manier niet. 'Dan zien we haar weer zes maanden niet, nietwaar?'

'Ik ben bang dat dat de regel is,' knikte moeder. 'Maar ik hoop dat u in juli naar de kleding kunt komen. Nu,' zei ze bruusk, 'moet zuster thee drinken. Wilt u met me meegaan naar de grote gastenkamer en uw thee drinken met de andere bezoekers?'

Toen ik in de stille refter stond, voelde ik me onmetelijk opgelucht. De nonnen stonden naar het grote crucifix gekeerd, een kopje in de ene hand, een stuk brood met margarine in de andere. De muren hadden een geruststellende neutrale kleur. Hier was geen rauwe emotie die je verscheurde of aan je trok. Kalm keerden we ons allemaal in één richting, naar de gekruisigde God die ons de betekenis van zijn liefde toonde. Het leek zo eenvoudig. Even had ik in de gastenkamer het gevoel gehad alsof ik als een non begon te reageren. Nu wist ik hoe ver ik nog van die pure standvastigheid afstond. Mijn ouders waren mensen van de wereld. Hun opvattingen, hun natuurlijke manier om naar de wereld te kijken hadden het wereldse ik gecreëerd dat ik moest loslaten. En dat betekende dat ik ook hen moest loslaten en niet terug mocht vallen in die oude, gemakkelijke manieren van denken en spreken. Het betekende dat ik me door mijn natuurlijke gevoelens van medeleven niet mocht laten afhouden van God, maar onversaagd voorwaarts moest gaan naar Gods wereld waar bovennatuurlijke opvattingen heersten. Waarom was het zo moeilijk om eenvoudig te zijn in mijn verlangens? Ik wilde mijn ouders gelukkig maken; ik wilde dat zo vurig dat ik me verscheurd voelde door het conflict. Ik wist dat dit een deel van mijn offer was. Ik moest mijn ouders laten lijden en zelf de pijn voelen, maar ik voelde me er diep verward en ellendig bij. Alstublieft, bad ik in stilte tot de onbeweeglijke figuur aan het kruis, help me kalm van geest te zijn zoals een non behoort te zijn. Toen ik mijn dankgebed had uitgesproken en me gereed maakte om me weer bij mijn ouders te voegen, nam ik me vast voor nog beter mijn best te doen een goede postulante te zijn, de regels nog strikter na te leven en nog vuriger te bidden. Alleen dan kon ik die vredige en veilige haven bereiken die Christus me aanbood en waarvan Hij had gezegd dat de wereld haar niet kon geven. Een plek waar ik eenvoudig en kalm kon handelen, boven deze verwarrende chaos van botsende gevoelens.

De sfeer in de gastenkamer was er een van ingehouden vriendelijkheid. Iedereen was buitengewoon beleefd, en ik was kort genoeg uit de wereld om nog te weten hoe onaangenaam het was te eten in aanwezigheid van een gezelschap nonnen dat zelf niet meeat. Er bevonden zich twee novicen en verscheidene geprofesten in de gastenkamer die plakken cake doorgaven en thee inschonken. Anthony, die op een akelige manier een scone aan het verkruimelen was op zijn bord, bood een slanke elegante vrouw die naast hem zat een doosje met zachte kaas aan. Ze keek er kritisch naar en trok toen met beschaafde afschuw haar neus op.

'Cheez Whiz,' las ze op het etiket met een lichte rilling. 'Nee, dank u. Ik hoef echt niet.'

Anthony kwam opeens tot leven: 'Cheez Whiz!' riep hij uit. 'Toch niet *Cheez Whiz!* Tjee, mijn favoriete kaas! Wilt u de Cheez Whiz even doorgeven. Lindsey, neem ook wat Cheez Whiz.' Hij nam een flinke homp van de dikke, plakkerige substantie waarvan ik wist dat hij er een hekel aan had en gaf hem aan mijn zusje, die intussen stikte van pubergegiechel. 'Tante Eileen,' riep hij naar mijn moeder, 'neem wat van de Cheez Whiz!' De verwaande dame staarde hem aan alsof hij geestelijk gestoord was. De nonnen glimlachten beleefd met opgetrokken wenkbrauwen. 'Karen, weet je zeker dat je er niets van mag hebben?' vroeg Lindsey. 'Ik geloof nooit dat jij Cheez Whiz bij de thee hebt gehad!'

Zwetend van gêne glimlachte ik sereen terwijl de ontvangkamer resoneerde van de Armstrong-stemmen die de deugden ophemelden van het doosje kaas dat met voorgewend enthousiasme van hand tot hand ging. Ik begreep het. Mijn familie was bezweken onder de spanning en in opstand gekomen tegen de krachten die mij van hen wegvoerden.

Een paar weken later kwam Marie me achterop uit de communiteitskamer. Een moment lang stond ik in dubio – zou ik het zwijgen verbreken? – maar mijn nieuwsgierigheid had de overhand. Marie zag bleek en zag eruit alsof ze gehuild had. Haar donkere ogen gloeiden dramatisch. Ik volgde haar naar het benedenbuiten, waar we een van de kale badkamers binnengingen en op de rand van het bad gingen zitten.

'Wat is er?' fluisterde ik. Marie leek het, nu ze me bij zich had, moeilijk te vinden om te spreken. Ze staarde naar de vloer en plukte nerveus aan haar zakdoek. 'Heb je weer ruzie gehad?' vervolgde ik. Ze had altijd problemen, was het niet omdat ze de trap oprende, dan wel omdat ze te laat kwam, de stilte verbrak of op het verkeerde moment lachte. Meestal bracht het haar echter niet van haar stuk. Niet zoals nu.

Ze schudde heftig met haar hoofd. 'Zuster,' zei ze, 'ik moet je wat vertellen. Ik weet dat het niet mag, maar ik kan er niets aan doen. Morgen ga ik weg.'

'Ga je weg?' bracht ik hijgend uit. We zaten in stilte bij elkaar. Na

Nessa waren er nog twee postulanten weggegaan, maar Marie had altijd zo gelukkig geleken. 'Morgen!' herhaalde ik stom.

Ze knikte. 'Direct na de mis,' zei ze verdrietig. 'Ik moet naar het klooster gaan zodra we uit de kerk komen, naar de grote gastenkamer, me verkleden en ontbijten – ik zal wel geen hap door m'n keel kunnen krijgen! Daaarna brengt moeder Albert me naar het station waar ik de vroege trein naar Londen neem.'

Ik keek haar aan, nog steeds stomverbaasd. Zo werd dat dus gedaan. Ik had me al vaak afgevraagd hoe postulanten zo stilletjes konden verdwijnen. 'Ik moest even afscheid van je nemen.'

'Maar zuster,' zei ik en hield meteen onzeker op. Marie was mijn zuster niet echt meer. 'Je voelt je er zo ellendig onder. Wil je dan naar huis?'

'Nee.' De stem van Marie smoorde in een lange snik. 'Nee, dat wil ik niet! Ik zou veel liever willen blijven. O, ik wou dat dat kon!'

'Word je naar huis gestuurd?' vroeg ik geschokt. We wisten dat die mogelijkheid er altijd was, voor ieder van ons. Ik durfde er niet aan te denken, omdat ik net als Marie wilde blijven. Meer dan wat ook in de wereld wilde ik doorgaan.

Marie schudde haar hoofd. 'Nee. Maar moeder Albert zei dat als ik de beslissing niet zelf zou nemen, zij de Provinciale Raad zou adviseren me weg te sturen. Ik heb geen roeping.'

Ik keek haar medelijdend aan, niet wetend wat te doen om haar te helpen.

'Wat heeft je tot het besluit gebracht weg te gaan?' vroeg ik uiteindelijk.

'O, zuster, ik ben niet zoals jij. Jij bent een geboren non – dat ziet iedereen.' Ik luisterde, verbaasd dat ze dat kon denken. 'Jij maakt er niet zo'n rommeltje van als ik. Jij houdt je aan de regels.'

'Nu houd ik me er niet aan,' onderbrak ik haar.

'Nee,' vervolgde Marie, 'maar dat komt door mij! Moeder Albert zegt dat ik een slechte invloed op jullie allemaal heb. Door mij gaan jullie praten en streken uithalen. O, ik weet dat iedereen in het begin steeds weer tekortschiet omdat het zo moeilijk is. Jij weet echt wat je wilt. Dat heeft moeder Albert me verteld. Maar ik! Ik begrijp de regels enzo wel. Alleen houd ik me er niet serieus genoeg aan!'

Ze zuchtte. 'Wat heeft je uiteindelijk tot het besluit gebracht?' vroeg ik.

Ze haalde boos haar schouders op. 'O, vorige week had ik typeles van moeder Serena. Jij krijgt geen typeles, hè? Daar bof je bij, is alles wat ik ervan kan zeggen. Die vrouw is een kreng!' Ik sprong op. Zulke taal was al uit mijn vocabulaire verdwenen. 'Hoe dan ook, ik was te laat voor de les en dat vertelde ze aan moeder Albert.'

'En?' drong ik aan.

'Moeder Albert zei: "Zuster, ik heb gehoord dat je te laat op je typeles kwam." En ik zei – stom genoeg van me! – "O, sorry" waarop Albert tegen het plafond vloog. Ze zei dat ik gewoon de ernst van alles niet inzag. Dat ik nog steeds dacht dat als ik nu maar even mijn excuses maakte, het wel weer in orde was. Maar dat is niet zo. "Dat was een religieuze fout, zuster. Je hebt verzuimd je aan de regel van punctualiteit te houden. Je hebt gefaald in de dienst van God!" Dat zette me aan het denken. Het lukt me nooit, zuster. Ik kan niet tegen al die kleinzieligheid en dat gezeur. O, ik weet best dat dat een werelds standpunt is maar zo is het nu eenmaal. Ik *ben* werelds!'

'Maar Marie, ik ben ook hopeloos!' zei ik. 'Ik zit hier met jou te praten en hou de stilte niet. Ik word altijd afgeleid als ik behoor te bidden. Soms kan ik nauwelijks wakker blijven bij de ochtendmeditatie, laat staan bidden. En ik lach te luid, loop te luidruchtig. Moeder Albert heeft me gezegd dat ik vol intellectuele hoogmoed zit. Ik drijf de spot met die sentimentele boeken die we lezen; ik hunker er altijd naar om poëzie te lezen of een roman of wat dan ook...'

'Nee, zuster,' onderbrak Marie me streng. 'Jij bent veranderd. Als jij een fout begaat ben je echt overstuur. En jij hebt op een of andere manier iets... iets diepers. Jij zit altijd in de kerk als we een halfuurtje vrij hebben. Je gezicht staat kalmer, meer als dat van een non. Maar ik ben helemaal niet veranderd. En het probleem is dat ik ook niet wil veranderen.'

'Maar als het niet om jezelf is, waarom ben je dan zo verdrietig om weg te gaan?' vroeg ik haar.

Haar ogen vulden zich met tranen. 'Omdat ik denk dat het het mooiste leven in de wereld is. Wat zou er eigenlijk beter kunnen zijn dan dit? Gewoon vrij te zijn om God dag en nacht lief te hebben. Ik kijk naar de novicen, weet je, en naar hun kalme, mooie gezichten. O, ik heb me zo verheugd op het noviciaat. En ik hou van het habijt en het zingen en de prachtige diensten. Ik wou dat ik non kon zijn. Maar ik kan het gewoon niet.'

'Ik zal je missen,' zei ik langzaam. Het was waar. Marie was hier iets voor me geweest dat het dichtst bij een vriendin kwam.

'Ik zal jou ook missen. En natuurlijk zou moeder Albert, als ik je zou schrijven, je mijn brieven niet geven. Ik zal je nooit meer terugzien.'

Ik had een brok in mijn keel. Weer een definitief afscheid.

'Hier, zuster,' zei Marie. 'Vergeet me niet!' Buiten klonk de bel. Twee-de-tafel-avondeten. Marie drukte een bidprentje in mijn hand. 'Bewaar dit als ze het goedvinden. Ik weet hoe je poëzie mist, daarom heb ik iets voor je op de achterkant geschreven. Wil je voor me bidden?' Dan ging ze ervandoor. Ik keek naar het plaatje in mijn hand en draaide het om. Op de achterkant had Marie het gedicht 'Veilige haven hemel: Een non neemt de sluier aan' van Hopkins overgeschreven:

Ik heb verlangd te gaan
Waar bronnen zijn,
Naar velden waar geen scherpe hagel slaat met pijn
En een paar lelies staan.

Ik heb gevraagd te zijn
Waar stormwind rust,
De groene brand der zee in kalme haven is geblust
En stilte en vrede zijn mijn.

De volgende morgen na de mis zag ik Marie haar reis terug naar de wereld beginnen. Ik huilde en zag dat zij dat ook deed.

Ik zag haar de kloostergang in lopen in de kwieke pas die ze nooit had afgeleerd, en wist dat ik afscheid nam van mijn laatste vriendin. Marie was mijn vriendin geweest omdat ze niet geschikt was non te worden.

Haar vertrek dwong me mijn eigen positie te onderzoeken. Met alles wat ze had gezegd over de schoonheid van dit leven was ik het absoluut eens. De gedachte me steeds verder te begeven in een geestelijk avontuur wond me op. Het was moeilijk, verschrikkelijk moeilijk. Maar ik wilde het.

Eén ding waarin ik van Marie verschilde was evenwel dat ik niet naar het noviciaat verlangde. Het vooruitzicht maakte me bang. Naarmate de maanden verstreken en de datum 2 juli, de dag die was vastgesteld voor onze kleding in het religieuze habijt, dichterbij kwam, werd ik steeds ongeruster bij de gedachte aan wat voor me lag. Moeder Albert had ons verteld dat het noviciaat de tijd was dat we definitief zouden worden gebroken. En dat zou pijnlijk zijn. 'Wacht maar af,' had ze met een zuur glimlachje gezegd. 'Wacht maar af.' En wachten was moeilijk. De deur naar het novicenhuis bevond zich in de gang van het postulantenhuis. Ik keek naar de zware eikenhouten deur en vroeg me af wat erachter lag. Wanneer we in processie de kerk binnenmarcheerden voor formele geestelijke plichten, wachtten we in de rij in de gang op de novicen die ons naar binnen moesten leiden. Dan hoorden we zware grendels opzijschuiven en de grote sleutel in het slot omdraaien – want het novicenhuis was altijd afgesloten tegen de wereld. En dan kwamen de novicen een voor een naar buiten, met neergeslagen ogen en met een onthechte en devote uitdrukking op hun gezicht. Vaak hadden er een paar gehuild; dan hadden ze opgezwollen, rode ogen en een bleek gezicht met paarse vlekken erop vanwege het gebrek aan slaap.

En dan was daar de novicenmeesteres. Moeder Walter was een bijzonder lange vrouw van ruim een meter tachtig. Ze had een smal hoofd in de vorm van een peer en een streng gezicht met dunne, strak opeengeperste lippen. Ze sloop door het klooster als een grote vleermuis, waarbij ze haar ogen voortdurend op de novicen gericht hield en elke beweging van hen volgde. Zij zou er verantwoordelijk voor zijn van mij een onbaatzuchtig instrument van God te maken. Ik vroeg me ongerust af hoe ik het ervan zou afbrengen. Ze zag er zo sterk en spiritueel uit.

Op een dag lag ik geknield op de trap van het postulantenhuis om de zwarte strepen die door onze rubberzolen waren achtergelaten te verwijderen. Het was een taak die een hoop elleboogvet en een hoop gebuk vereiste. Ik voelde me warm en plakkerig en ging helemaal op in mijn taak, zozeer dat ik de zware voetstappen achter me niet hoorde.

'Neem me niet kwalijk, zuster.' Ik sprong verschrikt op en maakte me klein tegen de muur terwijl ik opkeek naar moeder Walter, die boven me uittorende. Ze boog diep omlaag en hief vervolgens haar arm. Ik keek gehypnotiseerd toe; moeders arm naderde snel mijn wang; haar gezicht stond streng. In een razendsnelle reflex wendde ik mijn gezicht af en hief mijn arm alsof ik een klap wilde afweren.

Er viel een stilte. 'Je hebt een baard, zuster,' zei moeder Walter mild. Maar haar ogen stonden geschokt. Ze doelde op de bandjes die bij mijn harde werken uit mijn kap waren gevallen en grotesk langs mijn kin hingen. Ze had ze naar binnen willen duwen. We keken elkaar strak aan. Ik voelde me diep geschokt. Hoe kwam ik erbij dat ze me had willen slaan? Zoiets was ondenkbaar. Een lange stilte, en dan liep moeder Walter de trap op en draaide de gang in.

Een paar avonden later waren Edna, Adèle en ik aan het afwassen in de keuken van de nonnen en vervolgens gingen we naar de kerk om snel het verplichte bezoekje aan het Heilig Sacrament te brengen alvorens ons bij de andere postulanten te voegen voor de recreatie. Ik hield van de kerk bij avond. De duisternis werd alleen verzacht door een scherp wit strijklicht op het grote crucifix boven het altaar, en er vielen vreemde dramatische schaduwen op de grijze stenen muren.

Vleermuizen fladderden angstig op tussen de balken hoog boven ons. En de stilte was er zo diep.

Maar op deze avond klonk er van ergens gezang. Na een paar momenten wist ik waar het vandaan kwam. De novicen hadden een eigen kapel met een groot raam dat op het hoogaltaar uitkeek. Om een of andere reden waren ze niet naar de recreatie gegaan en hadden ze een extra koorrepetitie. Ik herkende het motet. We hadden het afgelopen zondag bij het lof gezongen. De Latijnse woorden kropen door de donkere kerk. Ik sloot mijn ogen en liet het gebed door me heen stromen. Plotseling werd de sfeer ruw verbroken. Iemand schreeuwde met een woedende stem die door de kerk echode, krachtig weerkaatste tegen de hoge bogen en dan in een onsamenhangend gekabbel van woede wegstierf. En vervolgens begon het slaan. In een woedend ritme sloeg een vuist tegen het glas-in-loodraam van de kapel.

'Jesu, Salvator Mundi.'

Pats, pats, pats. Nog meer geschreeuw. Het was moeder Walter.

'Tuis famulis subveni.'

De prachtige woorden die spraken van troost en bemoediging verloren nimmer hun kracht, maar nu werden ze overstemd door de echo van die verschrikkelijke woede. Ik hoorde hoe Adèle naast me uitbarstte in een hysterische lachbui. Al gauw stonden we alle drie met ons gezicht verborgen in onze handen te schudden van het lachen. Het was op een bepaalde manier grappig, dat verschrikkelijke contrapunt. Maar ook weer niet zo grappig. Mijn keel deed zeer van opgekropte hysterie.

'Quos pretioso sanguine redemisti.'

Opeens viel mijn blik op het in het licht badende crucifix: Christus keek, terwijl het bloed van zijn handen stroomde, roerloos in zijn lijden door de donkere kerk, recht naar die scène in de kapel. Mijn gelach verstierf even plotseling als het was begonnen terwijl ik opkeek naar de stervende God die mij vroeg Hem te volgen. Wat lag er voor me in het verschiet tijdens mijn noviciaat?

6

Een non neemt de sluier aan

Er was één lege plaats aan de tafel in de communiteitskamer. We waren in retraite en brachten de laatste acht dagen van ons postulaat door in totale stilte en gebed om ons voor te bereiden op onze kleding in het religieuze habijt en onze officiële opname in het noviciaat. Het waren fantastische dagen. Ik voelde een onstuimige verrukking bij het vooruitzicht van de grote stap voorwaarts. Het was heerlijk geweest toen eerwaarde moeder-provinciaal het postulantenhuis was binnengekomen om ons te vertellen dat de Provinciale Raad ons had geaccepteerd voor de kleding. Van de tien meisjes die er in het begin waren, waren er nog maar zes over – Adèle, Edna, Joan, Teresa, Margaret en ik.

Vanavond waren we met moeder Albert bijeen in de communiteitskamer om instructie te ontvangen. We namen met haar de plechtigheid van komende dinsdag door, overdachten de prachtige woorden van de gebeden en overwogen al hun implicaties. Op zulke bijeenkomsten maakte het besef speciaal door God te zijn uitverkoren voor een bijzonder innige relatie met Hem me gelukkig en nederig tegelijk. Ik wist dat er moeilijke tijden in het verschiet lagen, al had ik geen idee hoe ik ze me moest voorstellen. Maar nu voelde ik me er zeker van dat God me erdoorheen zou helpen. Tenslotte had Hij me tot hier gebracht.

Om een of andere reden wilde ik de lege plaats aan het hoofd van de tafel naast moeder Albert niet zien; dat was iets dat te verontrustend was om er hier aan te denken. Moeder kwam binnen en samen keerden we ons naar het beeld van Onze-Lieve-Vrouw en knielden als gewoonlijk neer om te bidden om leiding. Dan gingen we zitten.

'Zusters, ik heb vanavond erg droevig nieuws voor jullie.' Ik hield mijn adem in en durfde niet te denken aan wat er zou komen. 'Zuster

Adèle heeft ons vanmiddag verlaten om naar haar ouders in Frankrijk terug te gaan.'

Ongeloof. Adèle was deze laatste weken zo gelukkig geweest. Haar habijt was af geweest voor de plechtigheid van dinsdag en hing in de naaikamer hiernaast, geperst en wel. Ze had haar nieuwe religieuze naam ontvangen, zuster Bernarde. De bruidsjurk, die haar zo beeldig stond en waarvan de witte tule en zijde zo afstaken tegen haar donkere, waardige gezicht, hing boven naast die van ons. Ik was er intussen al aan gewend geraakt dat er meisjes weggingen. Ik was verdrietig geweest toen Marie vertrok, maar alleen voor mezelf, want objectief begreep ik wel dat ze de juiste beslissing had genomen. Dat Adèle wegging, leek ook voor moeder Albert moeilijk te verwerken. Ze leidde het nieuws over het vertrek van een van ons nooit in door droefheid en spijt te tonen. Wat was er gebeurd? Ik luisterde, verbaasd naar wat ze vertelde.

'Ik denk dat de meesten van jullie wel weten dat haar ouders er erg op tegen waren dat ze bij ons zou intreden. Gedurende haar hele postulaat heeft ze afschuwelijke brieven van hen gekregen die haar erg overstuur maakten. Te erg, eigenlijk.'

Moeder pauzeerde even en fronste licht haar wenkbrauwen alsof ze probeerde dit zelf te verwerken.

'Zuster Adèle is niet de enige postulante die ik ken die een hoop nare problemen met haar ouders heeft gehad. In het noviciaat ken ik op het moment ook een paar novicen die daaronder lijden. Hoe het ook zij,' sprak ze nu kortaf, omdat pure feiten gemakkelijker waren, 'Adèle heeft vorige week een telegram van een tante ontvangen waarin stond dat haar moeder erg ziek is. Dat is al eerder gebeurd, zoals jullie weten. Het was onmogelijk er achter te komen hoe ziek ze is en hoe urgent het voor Adèle was naar huis te gaan om haar te verzorgen. Ze heeft besloten te gaan.'

Er viel een stilte. Wat moedig was Adèle geweest, dacht ik; niemand had ervan afgeweten. Ze was zelfs begonnen met haar retraite alsof ze zo ver wilde komen als maar mogelijk was.

'Is er iemand die iets wil vragen?' zei moeder Albert onverwacht. 'Jullie weten dat we gewoonlijk geen vragen stellen tijdens de les, maar dit moet voor jullie een schok zijn en ik wil niet dat het jullie afleidt van de retraite.' Ze keek de tafel rond naar de geschokte, verdrietige gezichten.

'Moeder,' vroeg ik, 'zoals u nog wel zult weten hebt u ons verteld dat

het feit dat de orde ons accepteerde voor de kleding, een onfeilbaar teken was dat God wilde dat wij het noviciaat zouden ingaan...'

'Ja, zuster,' zei moeder aanmoedigend terwijl ik naar de goede woorden zocht om iets naars te zeggen.

'Betekent dat dan dat Adèle haar roeping heeft opgegeven? Was het
verkeerd dat ze naar huis ging?'

Moeder Albert zuchtte. 'Daar wil ik liever geen oordeel over uitspreken, zuster. Hoe zou iemand van ons dat kunnen weten? Ja, ik meende
inderdaad, en de Provinciale Raad ook, dat Adèle een sterke roeping had
en dat God haar hier wilde.'

'Maar zij kon er ook niets aan doen dat haar moeder ziek werd,'
kwam Joan tussenbeide. Nee. Wat ingewikkeld was alles toch.

'Maar moeder, wat gebeurt er als Adèles moeder niet echt zo ziek is
als wordt gezegd? Kan ze dan terugkomen en het opnieuw proberen?'
vroeg ik.

'Natuurlijk kan ze dat, zuster. Maar dan zal ze moeten beslissen of ze
het deze keer wel echt kan volhouden. Tenslotte, als dit één keer kan gebeuren, kan het vaker gebeuren. En een keuze voor het kloosterleven
moet een keuze voor altijd zijn, hoe moeilijk het ook is.'

Ik zat alles stilletjes te overdenken. Wat verschrikkelijk als Adèle haar
roeping had weggegooid alleen omdat ze het niet kon verdragen haar
ouders in de steek te laten.

'In elk geval,' zei moeder Albert ten slotte, 'kan dit jullie helpen jullie
eigen roeping nog hoger te schatten. Bidt dat jullie haar nooit verliezen
door jullie eigen fouten.'

Die avond in de kerk dacht ik aan Adèle, die nu in de trein moest zitten en door de duisternis wegsnelde van alles wat ze had gewild. Opnieuw keek ik op naar het kruisbeeld. De boodschap was duidelijk: je
moest voorbereid zijn op het kruis. *Help me niet te falen*, bad ik in stilte.

De avond voor de kleedceremonie verliep in een krankzinnige chaos
van voorbereidingen. Om kwart over zeven riep moeder Albert ons naar
de communiteitskamer.

'Luister, zusters,' zei ze zuur, 'morgenmiddag moeten jullie allemaal in
jullie bruidsjurk en op witte schoenen met hoge hakken in processie
door het middenpad van de kerk lopen. Het is ruim negen maanden geleden dat jullie dat soort schoenen hebben gedragen en ik wil niet dat

iemand,' – ze keek streng naar mij als de meest voor de hand liggende kandidate – 'op haar gezicht zal vallen!'

We lachten opgetogen. De laatste acht dagen met hun intense, stille voorbereiding hadden ertoe geleid dat ik me heel erg gespannen voelde. Het onderzoek van mijn ziel dat me rechtstreeks naar de diepten van mijn egoïsme had gevoerd, zoals Sint-Ignatius had aanbevolen in zijn *Geestelijke oefeningen*, de generale biecht van alle zonden die ik in het verleden had begaan en het besluit mijn hele leven aan God te geven dat ik uiteindelijk had genomen onder leiding van de jezuïet die tijdens de retraite preekte, hadden me zwak en licht in het hoofd gemaakt. Het was een heerlijke opluchting me in een gewettigde lachbui van al die opgehoopte spanning te bevrijden.

'Dus,' vervolgde moeder Albert, 'wil ik dat jullie, wanneer wij aan het eerste-tafel-avondeten zitten, deze schoenen aantrekken en ermee oefenen het middenpad op en neer te lopen en te knielen om elk mogelijke ramp te voorkomen. Het spijt me,' voegde ze er zuchtend aan toe, 'dat jullie de laatste avond van de retraite zo moeten doorbrengen, maar ik ben bang dat het nodig is. Verbreek de stilte niet, dat hoeft natuurlijk geen betoog, en probeer je hierdoor zo min mogelijk te laten afleiden.'

De schoenen die we voor de plechtigheid van de volgende dag hadden gekregen, vormden een wonderlijke collectie. Ze werd alleen voor deze jaarlijkse gebeurtenis bewaard in een speciale kast en bestond uit alle witte schoenen die voorgaande postulanten hadden gedragen toen ze in het klooster aankwamen; daardoor vormde ze een ratjetoe van allerlei jaargangen en modes. Zuster Edna had een erg vreemd paar schoenen uit de jaren veertig met een bandje over de wreef dat werd gesloten met een vetertje; zuster Teresa droeg een paar met vierkante neuzen dat door een of andere postulante was achtergelaten in de late jaren vijftig. Ik kreeg een paar puntige schoenen met hoge naaldhakken toegewezen.

Terwijl we probeerden elkaar niet aan te kijken, wankelden we de trappen van het postulantenhuis af en gingen de kapel binnen. In de kerk lagen een paar kinderen geknield, maar hun devotie was snel verdwenen toen ze de vijf postulanten zagen met hun dikke zwarte kousen en witte schoenen, die hun voeten enorm groot en net als die van Minnie Mouse deden lijken. Het was verbazend hoe vreemd het was om na al die tijd weer op hoge hakken te lopen. Ik wiebelde onzeker het middenpad op en voelde mijn enkels verkrampt trillen. Toen ik een kniebuiging probeerde te maken, begon ik te wankelen, zodat ik mijn armen wild in het rond zwaaide in een vergeefse poging mijn evenwicht te hervinden. Zuster Teresa, die nog nooit in haar leven hoge hakken had gedragen, was de wanhoop nabij toen ze probeerde haar wiegende Nigeriaanse manier van lopen te verzoenen met de trippelpasjes die door Bond Street werden gedicteerd. Vanaf haar voetstuk keek het houten beeld van Onze-Lieve-Vrouw afkeurend naar onze capriolen. Tegen die tijd waren we allemaal hysterisch, hingen slap tegen de banken en lagen dubbel van het lachen.

Die avond in de slaapzaal ging het al niet veel beter. 'Jullie moeten krullen in je haar zetten, zusters,' had moeder Albert verontschuldigend gezegd, 'anders zien jullie eruit als vogelverschrikkers.' Daarna had ze een grote doos met krulspelden en haarlotion midden in de slaapzaal gezet en ons op het hart gedrukt ons zo mooi mogelijk te maken. 'Jullie familie wil dat jullie er leuk uitzien,' zei ze tegen onze verbaasde gezichten. De gedachte om mijn haar weer in de krul te zetten in deze vreemde omgeving leek zo inconsequent. 'Het is het laatste wat jullie voor hen kunnen doen, ze een mooie herinnering aan jullie laten behouden door er zo goed mogelijk uit te zien,' besloot ze terwijl ze weifelend naar ons keek toen we opnieuw in lachen uitbarstten.

Met een aantal krulspelden en haarspelden ging ik naar mijn cel en keek in het kleine handspiegeltje dat we speciaal voor deze gelegenheid hadden gekregen. Het was maanden geleden dat ik aan mijn haar had gedacht. *Goeie hemel!* zei ik geschrokken tegen mezelf, toen ik naar de wilde bos haar keek die ik in de spiegel zag. Wat moet ik hier in hemelsnaam mee doen? We hadden te horen gekregen dat we ons groeiende haar steeds weer moesten bijknippen, omdat te veel haar onder onze strakke kleine kappen lastig en ongezond was. Af en toe had ik er halfhartig wat afgeknipt als me een lange lok was opgevallen, maar je eigen haar knippen met een grote roestige schaar en zonder spiegel was een onmogelijke taak. Negen maanden zonder licht, het stijfsel van mijn kap dat erin zat en het wassen met carbolzeep hadden de conditie van mijn haar geen goed gedaan. Ik probeerde een ultieme reddingsoperatie en verbaasde me erover hoe snel ik had verleerd krullen in te zetten met van die prikkende fluorescerende krulspelden. Ik prikte me in mijn schedel met scherpe haarspelden en trok plukken haar, die ik rijkelijk met haarlotion had ingesmeerd, zo strak rond de krulspelden dat het leek alsof het haar met wortel en al uit mijn hoofd werd getrokken. Af en toe vertelde een gesmoorde snik van de pijn me dat mijn broeders net zo leden als ik, en naarmate een zware geur van lotion de atmosfeer van onze keurige kleine slaapzaal veranderde in die van een kapsalon, begonnen we steeds meer te giechelen.

Uiteindelijk ging ik, heet en bezweet van de inspanning en met een verschrikkelijke pijn in mijn armen, mijn koude water voor de ochtend halen. Bij de kraan stond zuster Teresa voor mij haar kan te vullen en terwijl ik rustig wachtte voelde ik de stekels in mijn hoofdhuid prikken. Eindelijk was ze klaar. Ik keek jaloers naar haar dikke kroezige krullen. Zij hoefde zich nergens druk over te maken. Ze draaide zich sereen om, keek naar me, slaakte een gesmoorde gil en liet haar kan met water op de tegelvloer vallen. Haar bruine ogen rolden wild heen en weer totdat ze me herkende. Toen brak er een brede glimlach door op haar gezicht. Even later schudde ze zo van het lachen dat het haar de adem benam. 'Grote goedheid!' bracht ze hijgend uit. Natuurlijk! realiseerde ik me plotseling. Ze had waarschijnlijk nog nooit iemand met krulspelden in het haar gezien. Ik zag de humor van de situatie in en samen lagen we krom van het lachen in de badkamer, terwijl de tranen over onze wangen biggelden.

De laatste maanden had ik de taak gehad de grote kloosterklok te luiden om de communiteit op te roepen tot gebed. Dit, bedacht ik de volgende morgen, zou de laatste keer zijn dat ik dit moest doen. Vanavond zou ik eerstejaars novice zijn en in het eerste jaar leidden de novicen een leven dat totaal was afgesloten van de buitenwereld, waarbij ze het novicenhuis nooit verlieten. Ik liep door de tuin totdat ik bij de klokkentoren kwam met zijn wenteltrap. Ik vroeg me af hoe ik me de volgende keer dat ik hier kwam, zou voelen. Tegen die tijd zou ik het ergste wel weten. Dan zou ik over het ergste heen zijn. Ik bereikte de bovenkant van de trap, waar het klokkentouw hing: dun, strak gespannen en glimmend van ouderdom en gebruik. Ik grijnsde er vriendschappelijk naar. We hadden samen heel wat meegemaakt voordat ik in de mysteries van het luiden was ingewijd. Je moest het touw vastgrijpen en er op een bepaalde hoogte aan trekken en dan weten hoe je het zachtjes moest loslaten, anders begon de klok in het wilde weg te luiden. Het strakke touw deed ook nog pijn aan je handen en liet witte strepen achter. *Daar gaan we!* dacht ik, *dit is het einde van onze vriendschap. Wens me geluk.* Ik trok hard aan het touw om voor de laatste maal de klok feestelijk te laten beieren.

Er klonk een onwelluidend gerinkel van metaal op metaal, een wild gebeier vol dissonanten en dan volgde een verschrikkelijke stilte. Het klokketouw hing slap in mijn hand.

O nee! Als de bisschop deze middag over het middenpad liep zouden er veertig zware slagen van de klok moeten klinken om hem welkom te heten en om het begin van de plechtige ceremonie aan te geven. Dat moet mij weer overkomen, dacht ik wanhopig. Telkens wanneer we iets braken moesten we onszelf aangeven bij moeder Albert. Wat zou zij wel niet zeggen?

Ik zag moeder Albert door de kloostergang lopen en steeds dichterbij komen. Haar ogen waren neergeslagen en ze leek een toonbeeld van vrede en rust, maar ik kende haar goed genoeg om te weten dat haar gedachten bij de honderdeneen dingen waren die deze morgen moesten worden gedaan. Ze moest ieder van ons inspecteren om er zeker van te zijn dat we er netjes genoeg uitzagen als onze ouders kwamen. Ze moest nakijken of de slaapzaal klaar was voor het haarknippen dat daar plaatsvond tijdens de kleedceremonie. Dan moest ze met de hulp van een paar novicen al onze nieuwe habijten opvouwen en op presenteerbladen leggen – een ingewikkelde klus die uren in beslag nam, had ze ons verteld – om deze vervolgens op het altaar te zetten waar ze vanmiddag door de bisschop zouden worden gezegend. Ze moest deze morgen alle bezoekende familieleden begroeten in de gastenkamer, een lunch organiseren voor onze ouders en ook nog toezien op ons wanneer we onze bruidsjurken aantrokken. Het was het slechtst mogelijke moment om haar het nieuws over de klok te melden. Ik verloor de moed bij de gedachte aan haar kokende woede.

Ze keek naar me op toen ik de deur van het postulantenhuis voor haar openhield. Ik snakte naar adem en toen ik mijn mond opende, keek ze me ongeduldig aan. Ze schudde humeurig haar hoofd en schoot langs me heen de gang in.

'Moeder...' begon ik, en ik hoorde mijn stem nerveus bibberen.

'Ik heb nu geen tijd, zuster,' zei ze streng. 'Ik heb het verschrikkelijk druk.' O nee! dacht ik terwijl ik me kleintjes achter haar aan haastte. Genadig draaide ze zich om. 'Is het iets dringends?' vroeg ze vermoeid.

'Ja, dat is het, moeder.' Door de opluchting dat ik mijn hart mocht luchten, schoot mijn stem triomfantelijk omhoog. 'Ik heb de klok gebroken!'

Moeder Albert bleef plotseling staan en leunde zwak tegen de muur. Ik bekeek haar nieuwsgierig. Ze zag er niet boos uit. 'Wat zeg je daar?' vroeg ze zacht.

'Ik heb de klok gebroken,' zei ik, ditmaal wat rustiger, maar toch keek ik haar zenuwachtig aan, bang voor het moment dat het verbijsterende karakter van mijn wandaad tot haar zou doordringen en de storm zou losbarsten. 'Toen ik vanmorgen het Angelus luidde heb ik hem gebroken. Hebt u het niet gehoord? Ik heb er zo'n spijt van, moeder. Ik weet dat het vandaag de slechtst mogelijke dag is om dit te laten gebeuren. Ik moet te hard aan het touw hebben getrokken. Het spijt me...' Verbaasd hield ik mijn mond. Moeder Albert lachte hulpeloos.

'O, zuster!' zei ze eindelijk terwijl ze langzaam bijkwam en haar ogen afwiste. 'Echt iets voor jou, nietwaar? Echt iets voor jou! De manier waarop je het zei,' vervolgde ze, opnieuw lachend, 'je klonk zo zelfvoldaan:"Ik heb de klok gebroken!"' Ze deed mijn stem na. 'Het klonk alsof het de triomf van je postulaat was!' Ze schudde vrolijk haar hoofd en liep de trap naar haar kamer op. 'En zuster!' zei ze over haar schouder. 'Zorg er in hemelsnaam voor dat je er netjes uitziet voordat je vanmorgen naar de gastenkamer gaat.'

Opnieuw was ik verbijsterd. 'Zie ik er niet goed uit, moeder?' vroeg ik terwijl ik mezelf bekeek. 'Ik heb er gisteren nog uren aan besteed...'

Ze lachte weer. 'Je boordje is gezakt! Jij blijft ook tot op het laatste moment jezelf, hè zuster!'

Die middag was de grote kloosterkerk vol menscn. Het waren de ouders en familieleden van de postulanten die werden gekleed, een aantal kinderen van de kostschool, en een groep kinderen van het klooster in Birmingham, die waren overgekomen om me gekleed te zien worden. De kandelaars glansden bleek op het altaar in de heldere zomerzonneschijn en een grote bos delfiniums schitterde in een dik blauwe waas ter ere van Onze-Lieve-Vrouw wier feestdag het was. Op de achtergrond speelde de organist zachtjes Bach. De sfeer was gespannen en verwachtingsvol en de schoonheid van de omgeving mengde zich met de ontroering over wat ging komen.

Plotseling stopte het orgel, midden in een frase. Er was een pauze. Uit de kerkgangers klonk een geruis op en iedereen keek verwachtingsvol naar de ingang van de kerk. De stilte werd dieper. Met een krachtig akkoord zette de organist het 'Magnificat' in, de grote lofzang van Maria waarin God lof wordt gezongen, en het novicenkoor achter in de kerk barstte uit in gezang.

'Mijn hart prijst hoog de Heer, van vreugde juicht mijn geest om God mijn redder: daar Hij welwillend neerzag op de kleinheid zijner dienstmaagd. En zie, van heden af prijst elk geslacht mij zalig...'

Het was wonderlijk toepasselijk. Op ieder van de postulanten die hier vanmiddag waren gekomen, had God welwillend neergezien en Hij had ieder van hen tot Zich geroepen. Dan schreed, onder het zingen van deze lofzang om dank te zeggen voor hun eigen roeping, door het middenpad de lange rij geprofeste nonnen naar voren, en terwijl hun gezang steeds luider klonk, vulden zij de kerk langzaam met hun zwarte aanwezigheid. De processie werd aangevoerd door de postulantenmeesteres, die een groot crucifix droeg. De nonnen en de postulanten, die naar het altaar schreden, deden dat niet ter vervulling van een gewone verplichting. Het was een offeraltaar en overal waar ze in hun leven heengingen, zouden ze het teken van het kruis volgen en alles waar het voor stond.

De gemeente wachtte ademloos. Dan, vlak achter de processie, betrad een enkele rij van vijf jonge meisjes gekleed als bruiden de kerk. Alle vijf hadden een kaars in de hand. Het zonlicht scheen door de hoge ramen op de stijve witte jurken en deed de tulen sluiers op doorschijnende halo's lijken. Hun onopgemaakte gezichten zagen er jong en kwetsbaar uit. Ieder van hen hield de blik gericht op het altaar waar haar bruidegom op haar wachtte. Onzichtbaar maar aanwezig, volgens het geloof.

Elke familie had alleen maar oog voor hun eigen dochter, die nu werd geflankeerd door de strenge zwarte nonnen en voorwaarts liep om haar hele leven in de handen van God te leggen. Alle families trokken in gedachten de vergelijking met een gewone bruiloft. Dat was een gebeurtenis waar ze allemaal naar hadden uitgekeken, maar hier werden de ontroering en de vochtige ogen die een bruid altijd weer oproept nog verhevigd doordat ze voorgoed afstand van hun dochters deden. Dit was hun officiële afscheid van hen. Vandaag stonden ze hen definitief af – stonden ze hen af aan een leven waarvan de meesten zich geen enkele voorstelling konden maken.

Iedere postulante betrad het priesterkoor en knielde aan de voeten van de bisschop.

'Wat zoek je, mijn dochter?' vroeg hij.

'De genade van God en het habijt van het heilig geloof.'

Dat was alles. Geen van hen kon ooit beweren dat God hen had teleurgesteld. Ze zochten alleen de genade van God, de eenheid met God
– geen geluk, geen plezier, geen liefde, geen succes of vriendschap. Alleen God.

'En ben je van plan trouw te volharden in alle regels en verordenin-
gen van deze orde?' ging de ondervraging verder.

'Met de hulp van de goddelijke genade ben ik dat van plan en hoop
ik erin te volharden.'

Voor alle zekerheid werd er nog een andere formele vraag gesteld.

'En begeer je waarlijk de staat van het heilig geloof binnen te gaan?'
En het laatste antwoord: *'Ex corde volo.'* Dat begeer ik met mijn hele hart.

'Moge God, wat Hij in jou is begonnen,' zei de bisschop terwijl hij
het kruisteken over me maakte, 'Zelf voleinden.' Een nuchtere waarschuwing. Het is God die de oorsprong van elke roeping is. Alleen Hij
kan de non in staat stellen te leven overeenkomstig zijn eisen. Het is haar
taak zichzelf geheel open te stellen voor Hem en niets achter te houden.

Na de zegening van de habijten verlieten de bruiden langzaam de
kerk. Hun ouders rekten zich uit om nog een laatste glimp op te vangen
van hun dochters zoals ze die altijd hadden gekend. Dan sloot de zware
kloosterdeur zich achter hen.

In de slaapzaal was het een drukte van belang. Moeder Katherine, die
toestemming had gekregen voor de ceremonie naar Tripton te komen,
wachtte me op in mijn cel. Ze rukte mijn bruidsjurk van me af, boog
zich over me heen en begon ruw en meedogenloos mijn haar af te knippen. Ik keek naar de krullen die zich op het bed ophoopten. *Daar gaan
ze*, dacht ik emotieloos. *Het schoonste sieraad van een vrouw.* Alle schoonheid waarop ik aanspraak kon maken, werd van me afgerukt – weer iets
dat weg moest. Dan trok moeder het lange zwarte habijt over mijn
hoofd en ik zag hoe mijn bleke meisjesachtige ledematen verdwenen
onder de plooien van de zware zwarte serge. Nu was ik een non. Ten
slotte kwam de nonnenkap, waarover mijn postulantenkap onhandig was
vastgespeld. Ik zwaaide ongemakkelijk heen en weer in de vreemde
zware kleren. Wat was die nonnenkap raar! Zij beperkte mijn zicht aan
beide kanten. Als non kon ik dus alleen maar recht vooruit kijken, niet
naar links en rechts, wat me maar zou afleiden, maar recht vooruit, direct
naar mijn doel.

Weer gingen we de kerk binnen. Ik voelde hoe de ogen van mijn ouders zich door de plooien van de stof boorden, in een poging zich een beeld van me te vormen in mijn habijt en in een poging me te herkennen in deze vreemde kleding.

Opnieuw betrad iedere postulante het priesterkoor om van de bisschop de sluier te ontvangen. En met haar sluier kreeg ze een nieuwe naam. Dit was een nieuw leven met een nieuwe identiteit. Ze had haar oude leven nu even compleet afgelegd als haar haar, dat weldra zou worden verbrand in de vuilverbrandingsoven van het klooster.

'Ontvang, zuster Martha,' zei de bisschop tegen me, 'de sluier van het heilig geloof. Hieraan zal men weten dat je de wereld hebt versmaad en jezelf voor altijd als een bruid aan Jezus Christus hebt gegeven.' Opnieuw die nadruk op de zelfverloochening die van me werd verwacht en opnieuw die nadruk op mijn afwijzing van mijn ouders. Wat een verdriet zou het hun weer doen. Hun dochter was nu symbolisch apart gezet, herkend als een voor eeuwig gewijde maagd die van God haar vervulling verwachtte. Hoe had dat kunnen gebeuren? vroegen ze zichzelf af. En dan kwam de gordel, de riem met zijn lange uiteinden die gehoorzaamheid symboliseerde. 'Toen ge jong waart,' zei de bisschop terwijl ik de gordel kuste, de woorden citerend die Jezus na de verrijzenis tot Petrus had gesproken, 'deed ge zelf uw gordel om en ging waarheen ge wilde, maar wanneer ge oud zijt, zult ge uw handen uitstrekken, een ander zal u omgorden en u brengen waarheen ge niet wilt.' Het waren harde woorden. De bisschop citeert niet de volgende zin uit het evangelie: 'Hiermee zinspeelde Hij op de dood waardoor hij God zou verheerlijken,' maar ik moest er wel sterk aan denken. Ik wist dat ik de roede kuste die mij zou brengen tot het doden van alles wat ik was en alles waarvan ik hield.

Ten slotte stonden de nieuwe novicen op in hun lange zwarte habijt en hun witte novicensluier, terwijl het koor hun lied zong, het 'Regnum Mundi' met zijn repeterende melodie:

'Ik heb het koninkrijk der wereld en elk werelds geluk versmaad omwille van Jezus Christus, mijn Heer, die ik heb gezien, die ik liefheb, in wie ik geloof, en in wie ik mijn vreugde vind.'

Dat was natuurlijk de betekenis van wat ze hadden gedaan. Dat wisten ze en hun ouders probeerden het te begrijpen. Ze zochten offerande en dood, niet omwille van zichzelf maar als een middel om zich te verenigen met Christus.

Het was een heerlijke middag. De zon scheen stralend op het gazon en erachter zagen de strenge kloostergebouwen er schilderachtig en idyllisch uit. Mijn ouders keken naar me. Ze hadden zich er absoluut geen voorstelling van kunnen maken hoe ik er in het habijt zou uitzien en nu was ik hier, met een gezicht dat er vreemd gewoon uitzag in de nonnenkap.

'Hoe voelt het?' vroeg Lindsey.

Ik glimlachte gelukkig. 'Nu nog erg zwaar, niet echt ongemakkelijk maar vreemd. Het is gek om steeds je hele hoofd te moeten draaien als je iets opzij van je wilt zien. En deze sluier weegt een ton. We zijn ervoor gewaarschuwd, maar het schijnt dat je er gauw aan gewend raakt.'

'Je ziet er prachtig uit,' zei mijn moeder. En dat meende ze. Ik was geen schoonheid – wat dat betreft misleidde ze zichzelf niet – maar op deze middag zag ik er gelukkig uit. Natuurlijk was de ceremonie volmaakt geweest, maar verdrietig, erg verdrietig voor hen. Maar als ik echt zo gelukkig was als ik eruitzag, waarom zouden ze me dan nog in de weg staan? Tenslotte moesten ze voor de zoveelste keer op die dag tegen zichzelf hebben gezegd dat als er een God was – en natuurlijk was dat zo – ik voor iets prachtigs had gekozen.

'Vinden jullie mijn nieuwe naam mooi?' vroeg ik.

Mijn vader gromde. Die nieuwe naam was opnieuw een teken dat zijn dochter een ander was geworden en voor hem verloren was gegaan.

'Heb je hem zelf gekozen?' vroeg hij.

'Ja. Ik heb moeten leren dat praktische dingen veel belangrijker zijn dan ik eerst dacht. En Martha is een echt praktische heilige – weet je nog, zij was degene die zich bezighield met het huishouden terwijl Maria, haar zuster, aan Jezus' voeten zat om naar hem te luisteren. Arme Martha. Ik heb altijd een warm plekje voor haar in mijn hart gehad; ze is zo menselijk en verontwaardigd. Het moet echt naar voor haar zijn geweest toen Jezus over Maria zei dat zij het beste deel gekozen had!'

Ze moesten allemaal lachen.

'Vonden jullie de ceremonie niet prachtig?' bleef ik maar zeggen. 'Zijn jullie nu niet blij over dit alles?'

Ze wisten dat ze dat moesten zijn.

Om zes uur die avond waren we terug in het postulantenhuis en ston-
den we voor de brede deur die naar het novicenhuis leidde. Moeder
Albert was druk bezig onze sluiers glad te strijken en onze grote rozen-
kransen te schikken die we eerder die dag zo gehaast hadden omgedaan.
'Eindelijk netjes!' grinnikte ze naar me terwijl ze me kritisch bekeek.
'Ik vraag me af hoe lang dat zo blijft.'

Ik keek naar de deur van het novicenhuis. Nog steeds opgebeurd
door de ceremonie voelde ik me minder angstig dan ik had verwacht.

De kleding had het lijden dat in mijn offer lag besloten, gevuld met
een grootse en verheven symboliek. God zou me helpen, daar was ik zeker van.

De klok in de kloostergang sloeg zes uur. En dan werden plotseling
aan de andere kant van de deur een voor een de grendels weggeschoven.
Wat was het vreemd daar opgesloten te zijn, dacht ik, en er voer een ijskoude rilling door me heen. Mijn nieuwe vertrouwen wankelde. Natuurlijk kon ik nu niet meer terug, en dat wilde ik ook geen moment. Ik
raakte mijn nieuwe gordel aan. 'Een ander zal u brengen waarheen ge
niet wilt.' De dood waardoor ik God zal verheerlijken. Naar welke verlaten en beangstigende plaatsen zou ik nu worden gebracht?

De sleutel draaide om in het slot van de deur, die geruisloos open-
zwaaide.

En dan liepen we er een voor een doorheen.

Karen met haar ouders

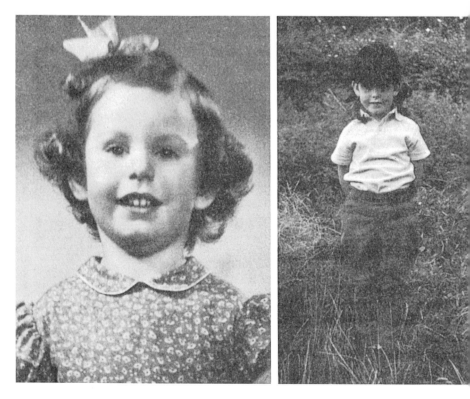

Karen als kind
(ze zit helemaal rechts op de groepsfoto)

Na de ceremonie waarin ze
bruid van Christus werd

Karen viert het aannemen
van de sluier met
vrienden en familie

Karen als jonge postulante

Karen tijdens een vakantie in Samarkand in 1979

7

'De dood waardoor ik God zal verheerlijken'

Toen ik door de deur van het novicenhuis liep, was het eerste wat ik zag een tekst op de muur, een uitspraak van een heilige: 'Ik zou mezelf tot poeder vermalen als ik daardoor Gods wil kon vervullen.' Dat is het doel van het noviciaat: het is een tweejarige opleidingsperiode die de jonge non in staat stelt zich die tekst eigen te maken. Ze moet in deze periode van intensieve opleiding bereid zijn te worden verpulverd en haar eigenliefde en haar eigen wil te laten verkruimelen in een langzaam proces van wrijving, totdat er slechts een klein hoopje poeder overblijft dat God opnieuw vorm kan geven voor zijn eigen doeleinden. In de bijbel staat dat de mens, zoals hij oorspronkelijk door God werd geschapen, werd gevormd uit het stof der aarde waar God de levensadem inblies. Na de zondeval moet de mens opnieuw door God worden geschapen zodat hij Gods oorspronkelijk ontwerp voor hem zo dicht mogelijk benadert.

De novice ontvangt nu de hele regel van haar orde om te betrachten, niet slechts geselecteerde delen zoals ze tijdens haar postulaat ontving. Ze is totaal afgesloten van de wereld zodat niets haar kan afleiden van de mammoettaak die ze op zich heeft genomen. Ze wordt opgeleid in het gebed en in de deugden van het kloosterleven: nederigheid, armoede, kuisheid en gehoorzaamheid. In de loop van deze opleiding moet ze geheel worden gebroken. Alleen als haar oude wereldse ik aan stukken is geslagen, kan God van de brokstukken een nieuwe, geheel op Christus gerichte persoon maken.

Het is een proces dat enigszins lijkt op de twaalf taken van Hercules. De novice worden speciale lasten en beproevingen opgelegd om haar te helpen zichzelf te overwinnen, en als ze uiteindelijk waardig wordt bevonden, mag ze de geloften van armoede, kuisheid en gehoorzaamheid afleggen en haar leven als non beginnen. Ook tijdens het noviciaat gaan mensen weg, maar niet in zulke grote aantallen als tijdens het postulaat, dat, hoewel het leven er minder streng is, zorvuldig is opgezet om mensen die niet echt geschikt zijn voor het kloosterleven uit te zeven.

Tijdens haar eerste jaar verlaat de novice nooit het novicenhuis, behalve om naar de kerk te gaan voor formele geestelijke plichten of naar de refter voor de maaltijden. Dan is er nog de middagwandeling in processie op straat. De rest van de dag wordt doorgebracht in strikte afzondering. Ze leidt het leven van een afgezonderde non zodat ze haar relatie met God kan verdiepen. Ze leest geen andere boeken dan de stichtelijke werken die voor haar zijn uitgekozen door de novicenmeesteres, en ze brengt haar dagen door in gebed en met huishoudelijk werk. Ze is opgesloten in het novicenhuis om te worstelen met God, haar jaloerse en veeleisende geliefde.

In het tweede jaar is de afzondering wat minder streng. Het is de tweedejaars novice geoorloofd zich te verdiepen in de theologie, de bijbel en de kerkgeschiedenis. Net als de postulanten kan ze buiten het novicenhuis worden tewerkgesteld in de refter en de sacristie. Als ze een bevoegde lerares is, wordt haar soms toegestaan wat les te geven op de kostschool. Maar altijd ligt de nadruk op het uitschakelen en breken van haar ik.

Iedere novice die een goede non wil worden, zal een vreselijke tijd doormaken in het noviciaat. In feite werd ons verteld dat als we het niet ondraaglijk moeilijk vonden, dat een heel duidelijke aanwijzing was dat we niet genoeg ons best deden. Geen twee novicen zullen echter dezelfde ervaring hebben. Bij ieder van hen zullen de dingen die moeten worden gebroken, weer anders zijn. Het moeilijkste is met jezelf in het reine te komen. Ik had me nooit helemaal gerealiseerd hoezeer de wereld buiten het klooster iemand beschermt tegen het moeten verdragen van een grote mate van onaangename zelfkennis. Daar wordt van ons verwacht dat we sociale dieren zijn en gezelschap zoeken; daar moeten de meesten van ons samenwerken met andere mensen. Daar is het huwelijk waarin iemands partner een ego probeert te versterken dat het gevaar loopt te vervallen. In de twintigste eeuw zijn er talloze gemakkelijke manieren om aan jezelf te ontkomen, zoals televisie, bioscoop, eindeloos lawaai op de radio, drukke bezigheden en je omringen met mensen. In het klooster heb je zeeën van tijd om met jezelf en God door te brengen.

Ik had nooit een erg hoge dunk van mezelf gehad. Ik wist dat ik tekortkomingen had, maar ze leken me niet veel erger toe dan die van anderen. Ik had een redelijk aantal talenten – niet al te bijzonder – om de dingen waar ik niet goed in was in evenwicht te houden. Niets in mijn verleden had me voorbereid op deze diep intieme kennis van mezelf. Hoe hard ik ook mijn best deed me aan de regel te houden, hoe hard ik ook mijn best deed te bidden en nederigheid, liefde en al die andere dingen te betrachten, hoe hard ik ook mijn best deed mezelf te veranderen, ik faalde. Ik faalde in persoonlijke, onbeduidend kleine dingen. Mijn meditatie liep uit op een uur van verwarde, van mezelf vervulde fantasieën; de stille tijden van bezinning waren gevuld met triviale gedachten vol zelfbeklag. Telkens als ik probeerde bijzonder vriendelijk of nederig te zijn, liepen mijn gedachten over van trots. Als ik probeerde, zoals van me werd verwacht, de liefde en genegenheid van mensen niet meer nodig te hebben, hunkerde ik er juist naar. En ik had zo'n afschuwelijk medelijden met mezelf. Het leek allemaal zo eenvoudig als je de regel las. Hij eindigde met een citaat uit Jesaja: 'Dit is de weg; bewandel hem.' Zo gemakkelijk leek het. Maar het lukte me niet. Ik kon mezelf niet veranderen. O ja, ik kon me uiterlijk aanpassen, daar had ik geen enkele moeite mee, maar innerlijk bleef ik dezelfde: werelds en vol van mezelf. Theologen leren ons dat de hel niet overeenkomt met de populaire opvatting van een poel van vuur. Het is veel verschrikkelijker dan dat. De hel is dat je jezelf voor eeuwig moet verdragen zonder enige verlichting. Het is logisch. Je hebt voor jezelf gekozen in plaats van voor God, dus God geeft je jezelf. Maar ditmaal zonder iets of iemand die je van jezelf afleidt. Alleen jij in je eentje.

Ik herinner me nog heel duidelijk wanneer deze afkeer van mezelf me voor het eerst overviel. Het was bij gelegenheid van mijn eerste kapittel van zonden. Al sinds ons hierover was verteld, was ik er bang voor. Het leek zo'n onwaardige, vernederende procedure om je zonden in het openbaar op te biechten. Maar ik was totaal niet voorbereid op de verschrikking die het bleek te zijn.

Na het avondgebed liepen we op een vrijdag in de rij vanuit de kerk naar de communiteitskamer van het novicenhuis. Het was een ruime kamer, veel groter dan de communiteitskamer van de postulanten, maar verder ongeveer hetzelfde ingericht; langs de muren schrijftafels die naar het midden van de kamer gericht stonden, en in het midden een lange tafel met de tafel van moeder Walter aan het hoofd ervan. Daarachter stond op een zwaar voetstuk een levensgroot beeld van Onze-Lieve-

Vrouw met het Kindeke Jezus in de armen. Het was een moderne kamer en drie van de muren bestonden bijna geheel uit ramen.

Toen ik er die avond binnenkwam, was het eerste wat me opviel dat de gordijnen waren dichtgetrokken en dat de kamer in totale duisternis was gehuld, op een plek aan het uiterste einde van de tafel na, waar een felgeel spotje op gericht stond. Onze stoelen waren naar achteren geschoven en we liepen er in totale stilte heen en bleven in volgorde van leeftijd in twee lange rijen staan – de tweedejaars aan het hoofd van de tafel naast moeder Walter, en ik, de op een na jongste novice, recht tegenover haar aan het verste eind. In het novicenhuis was het altijd stil maar vanavond vibreerde de stilte van spanning. Ik merkte dat ik een beetje trilde. *Het is dom om zo nerveus te zijn*, hield ik mezelf dapper voor. *Er zal je heus niets gebeuren – het gaat er alleen maar om een opsomming te geven van de zonden die je de afgelopen week hebt begaan.*

We waren nauwkeurig geïnstrueerd hoe we deze zonden moesten uitkiezen. We konden geen innerlijke zonden opbiechten; ik kon mezelf bijvoorbeeld niet beschuldigen van het hebben van liefdeloze gedachten. Dat was te danken aan een edict van Rome. In de zeventiende eeuw was er kennelijk een schandaal geweest omdat veel moeder-oversten het geweten van hun ondergeschikten geweld aandeden door hen te dwingen hun zonden aan hen op te biechten en hun biecht aan te horen, en op die manier tussen het persoonlijke geweten en God in waren komen te staan. Om de nonnen te beschermen had de paus verklaard dat zo'n onderzoek van het geweten niet was toegestaan en dat publieke beschuldigingen zich moesten beperken tot uiterlijke zaken, dingen die mijn zusters bij mij hadden opgemerkt en die om die reden de standaard van vroomheid in de communiteit naar beneden haalden. *Zo erg zal het wel niet zijn*, beloofde ik mezelf. Het zou afschuwelijk zijn als ik mezelf moest beschuldigen van de talloze keren dat ik deze week slecht had gebeden of medelijden met mezelf had gehad. Maar dit, dit was eigenlijk niets anders dan een publieke verontschuldiging aan mijn zusters voor alle 'onstichtelijke dingen', zoals het werd genoemd, die ik had gedaan.

Maar hoe rationeel ik ook probeerde te zijn, ik bleef doodsbang. Het was de duisternis. En meer dan dat het onpersoonlijke van dit alles. Iedere novice had haar handen verborgen in haar mouwen en haar ogen neergeslagen naar de grond. Elk gezicht vertoonde een afstandelijke en lege uitdrukking. Dit waren nu de mensen met wie ik at en sliep en wier uiterlijke gewoontes ik net zo goed kende als de mijne. Volkomen vreemden. Zelfs de broeders. Ik wierp een verstolen blik op Edna die nu zuster Griselda heette. Haar gezicht was onherkenbaar in de duisternis. Helemaal in zichzelf gekeerd.

In de gang hoorde ik het geluid van zware voetstappen en ik zette me schrap. Moeder Walter en moeder Albert, die behalve postulantenmeesteres ook assistent-novicenmeesteres was, kwamen de zaal binnen. Wat was het vreemd mijn vroegere superieure hier nu zelf als ondergeschikte te zien! Ik keek naar de voeten van moeder Walter terwijl ze mijn gezichtsveld passeerden, massief en blinkend in hun bovenmaatse schoenen. Toen ze het hoofd van de tafel had bereikt, vielen we allemaal op onze knieën.

'Kom, Heilige Geest, vervul de harten van uw gelovigen en ontsteek in hen het vuur van uw liefde,' begon moeder Walter. Ze sprak de woorden weloverwogen maar toonloos uit, zonder ook maar iets van zichzelf erin te leggen. Wij beantwoordden ze en ook onze stemmen leken ijl en zonder uitdrukking. Vervolgens gingen we allen zitten. Stilte. Dan: 'Wil je je beschuldiging beginnen, zuster?' Moeder sprak alsof ze een rol uit een script voorlas. En op een bepaalde manier was dat ook zo, begreep ik plotseling. Al honderd jaar kwamen de nonnen bijeen voor deze plicht en volgden ze hetzelfde patroon, speelden ze dezelfde rollen. Maar de beschuldigingen waren niet voor jou geschreven, dacht ik, terwijl zich een koud gevoel in mijn maag nestelde. Ze waren een extract van de persoonlijke strijd die iedere non elke week weer had te voeren.

Zuster Margaret die nu zuster Jeremy heette, was de jongste novice. Ze stond op, liep naar het hoofdeinde van de tafel en knielde neer in het felgele licht. Mijn hart klopte voor haar. Wat afschuwelijk om de eerste te moeten zijn. Ze begon met het uitspreken van de formule: 'Ik beschuldig mijzelf tegenover u, dierbare moeder, en tegenover u allen, mijn dierbare zusters...'

Wat klonk dat onnatuurlijk. We zeiden gewoonlijk nooit 'dierbare' tegen elkaar. Honderd jaar geleden spraken ze elkaar op deze manier aan, maar nu deden we dat niet meer. Het leek of zuster Jeremy niet echt tegen ons sprak. Toen ze al haar zonden begon op te sommen, wilde ik eigenlijk niet luisteren. Dit was Margaret niet en als ze het wel was, zou ik eigenlijk niet naar deze opsomming van persoonlijke zonden moeten luisteren. Maar ik wist dat ik dat wel moest doen en deze belijdenis van zwakheden moest aanhoren. Dan opeens, te vlug, eindigde de zelfbeschuldiging en was het mijn beurt. Ik liep naar voren en knielde neer in de lichtcirkel die me afsloot van de rest van de zaal. Daarbuiten in de donkere stilte waren mijn zusters in Christus, maar ik kon hen niet zien of horen. Ze waren helemaal teruggeweken. Ik schraapte mijn keel en begon: 'Ik beschuldig mijzelf tegenover u, dierbare moeder, en tegenover u allen, mijn dierbare zusters...' maar het leek alsof ik in een leegte sprak. Dit was een verontschuldiging, maar ik verontschuldigde me tegenover niemand in het bijzonder. Gewoonlijk wanneer ik me verontschuldigde, hoe pijnlijk de ervaring ook was, was er contact, oogcontact, waren er gezichten die reageerden en werd uiteindelijk het contact tussen mij en de ander hersteld. Hier was ik alleen, opgesloten in mijn eigen schuld.

'...dat ik vele zonden tegen de naastenliefde heb begaan door me ongeduldig te betonen tegenover een zuster;

'van vele zonden tegen de nederigheid, vooral door bij de recreatie mijn mening te sterk te uiten en overgevoelig te reageren toen ik door een meerdere werd gecorrigeerd;

'van een zonde tegen de gehoorzaamheid door kritiek uit te oefenen op een regel.'

Terwijl ik me, met trillende en onvaste stem, naar het eind van mijn zelfbeschuldiging spoedde, zag ik scherp in waarom alles in de zaal zo was gearrangeerd als het was gearrangeerd. Ik was helemaal alleen. Al mijn zonden schreeuwden van mezelf, mezelf, mezelf. Van mijn meningen, mijn kritiek, mijn ongeduld. Ze schreeuwden hoe nietig ik was, hoe opgesloten ik was in mijn beperkingen en aan niets anders dacht dan aan mijn zwakke kleine ik en mijn gevoelens en mijn ideeën. Ze schreeuwden wat een verschrikkelijk toonbeeld van onbeduidendheid ik was – niet iemand met grote zonden, met titanische worstelingen zoals de heiligen die hadden gehad. Ze schreeuwden dat ik alleen maar ik was. Saai, zwak en onbetekenend.

'...van een zonde tegen de naastenliefde door onsympathiek te glimlachen toen een andere zuster een fout maakte en door gedachteloos een zuster buiten te sluiten van een gesprek tijdens de wandeling;

'van een zonde tegen de nederigheid en religieuze eerbied door mijn superieure tegen te spreken toen ze me vriendelijk terechtwees en door te proberen mezelf te rechtvaardigen.'

Mezelf, mezelf. Ik kon niet eens de eenvoudigste regel houden.

'...van heel veel zonden tegen de religieuze zedigheid door niet in staat te zijn me aan de bewaring van de ogen te houden en veel zonden

tegen de stilte, vooral de stilte van handeling door bij het wandelen lawaai te maken.'
Ik was klaar.
Ik wachtte beverig. De stilte die op mijn woorden volgde, leek te duren en te duren. Dan sprak moeder Walter koud en onpersoonlijk: 'Ga
zitten, zuster.'
Ik liep terug naar mijn stoel. Tot mijn schande merkte ik dat ik in tranen was en een brok in mijn keel had. Deze verontschuldiging leidde
niet tot een catharsis. Hoe zou dat ook hebben gekund en hoe had ik
kunnen hopen een goede non te worden? Juist vanwege deze slappe
toegeeflijkheid tegenover mezelf, dit slappe zelfbeklag, voelde ik zo'n afkeer van mezelf. Wanneer zou ik mezelf ooit achterlaten?

In die kerstweek van 1963 was er een vergadering van het Provinciaal Kapittel. De superieuren van alle zeventien kloosters van de Engelse provincie
waren bijeen in Tripton, ieder van hen in gezelschap van een door haar
communiteit gekozen afgevaardigde. De afgevaardigde uit Birmingham
was moeder Katherine en het was raar haar door het klooster te zien lopen
of haar in de refter te bedienen, zonder ook maar een woord of zelfs maar
een glimlach met haar te kunnen wisselen. Maar omdat het eind van de
vergadering van het kapittel op Driekoningen viel, een feest dat in de orde
een speciale betekenis had, mochten de geprofeste nonnen het novicenhuis
bezoeken. Moeder Katherine kwam en ik was dolblij haar te zien. Ze gaf
me de officiële omarming van de orde, waarbij onze kappen elkaar stijfjes
aan elke kant raakten, maar aan haar ogen kon ik zien dat ze het fijn vond
me in het habijt te zien. Het was moeilijk in het overvolle novicenhuis een
plek te vinden om privé te praten, maar uiteindelijk ontdekte ik een bijna
lege kamer. Het was de oude communiteitskamer van het novicenhuis die
vanwege het toenemende aantal novicen was afgedankt. Nu stond zij helemaal leeg. We zaten zij aan zij op een brede vensterbank; andere bezoekende nonnen deden hetzelfde. We praatten een poosje gezellig met elkaar,
waarbij moeder Katherine nieuwtjes uit Birmingham vertelde. Het was
vreemd naast haar te zitten als lid van haar orde en nu zoveel dingen te horen die ze me nooit eerder had kunnen vertellen.
Plotseling verstrakte haar gezicht en staarde ze met glazige ogen en
met halfgeopende mond in de ruimte. Ik wachtte ongerust op wat ze
zou gaan zeggen.

'Dit,' zei ze langzaam en toonloos, 'was onze communiteitskamer. Moeder Gertrude was destijds de novicenmeesteres. Heb je wel eens over haar gehoord?'

Ik knikte. Moeder Gertrude was een legende in de orde. Ze was twintig jaar lang novicenmeesteres geweest en had haar novicen een extreem strenge opleiding gegeven.

'Ze was ook meesteres toen moeder Walter novice was. Was u samen met haar novice?'

'Ja,' antwoordde moeder Katherine vlak. 'Zij was een perfecte novice. Ik had altijd problemen; ik deed alles verkeerd. Maar later zei moeder Gertrude altijd dat moeder Walter de beste novice was die ze ooit had opgeleid, degene die haar geest het grondigst had geabsorbeerd.' Even was er een uitdrukking van bezorgdheid op haar gezicht en ze keek me onderzoekend aan. Sinds moeder Gertrude waren er nog twee andere novicenmeesteressen geweest; de ene was moeder Jerome, die moeder Albert had opgeleid, een strenge vrouw, had ik begrepen, maar niet zo onmenselijk streng als haar voorgangster. Na haar kwam moeder Leo. Een jaar voor ik intrad, was moeder Walter benoemd.

Ik zag dat het gezicht van moeder Katherine langzaam al zijn normale levendigheid verloor en grauw wegtrok. Haar ogen staarden leeg naar de gedoofde open haard.

'Op die muur,' zei ze, nog steeds sprekend met die lage doffe stem, 'hadden we een tekst. We veranderden hem elke dag. Doen jullie dat ook?'

'Ja, moeder.'

'En daar,' vervolgde ze, wuivend als in trance, 'hadden we kasten en zo.'

We zaten stilletjes bijeen. Ze bevond zich in gedachten in die kamer van twintig jaar geleden. Eindelijk sprak ze.

'Het was verschrikkelijk.' Dat was alles. Ze draaide zich om en keek me aan en uit onze ogen sprak een gedeelde kennis. 'Vind jij het ook zo verschrikkelijk?'

Ik knikte. Het was moeilijk iets te zeggen. 'Dat had ik al gedacht,' zei ze. 'Maar het gaat toch wel goed met je? Wil je nog steeds blijven?'

'O ja,' zei ik nadrukkelijk. 'Moeder Walter heeft ons verteld dat het heel moeilijk zal zijn – en dat moet ook.' Opnieuw merkte ik haar bezorgdheid op toen ik de naam van mijn novicenmeesteres noemde.

'Wat vind je het moeilijkst?' vroeg ze vriendelijk.

'Mezelf,' zei ik prompt.

'Ach ja,' knikte moeder Katherine. 'Dat is het. Dat blijft altijd bij je, weet je. Wat bedoel je precies, zuster?'

Wat vreemd was het om me door haar zuster te horen noemen. En wat vreemd om weer eens echt vriendschappelijk met iemand te praten. 'Ik raak mezelf maar niet kwijt,' flapte ik eruit. 'De hele tijd niet. Ik weet dat ik voor mezelf moet sterven maar dat lukt me niet. Telkens wanneer ik word geacht te bidden, telkens wanneer ik word terechtgewezen...'

'En dat gebeurt natuurlijk heel vaak, zo gaat het altijd.' De ogen van moeder Katherine dwaalden naar het eind van de zaal waar, naar ik vermoedde, de tafel van moeder Gertrude had gestaan.

'Ja,' zei ik, zuchtend bij de herinnering. 'Ik raak er zo van in de war. Soms moet ik zelfs huilen. En ik heb zo'n medelijden met mezelf. Het is allemaal zo onbeduidend, zo gewoon.'

De lichtblauwe ogen van Moeder Katherine boorden zich diep in de mijne. 'Wil je echt jezelf verliezen?'

'Ja!' riep ik uit. 'Ik kan mezelf niet uitstaan. Weet u, ik heb erover nagedacht. Ik heb altijd gedacht dat ik een bijzonder iemand was. Niet dat ik briljant was of een genie of zoiets. Maar ik was iets bijzonders voor mezelf. Natuurlijk zou ik het hebben ontkend als me ernaar was gevraagd. Ik bedoel, *rationeel* wist ik wel dat er niets bijzonders aan me was. Maar...'

'Ik weet het,' knikte moeder Katherine. 'Dat denken we allemaal. En in de wereld is het maar al te gemakkelijk dat van jezelf te denken. Getrouwde mensen hebben allemaal iemand die denkt dat ze op een of andere manier bijzonder zijn, en zelfs nu, op mijn werk, kan ik mezelf voor de gek houden door te zeggen dat ik iets belangrijks aan het doen ben dat niemand anders kan. Ik moet mezelf altijd herinneren aan wat ik tijdens het noviciaat heb geleerd.'

'Wat was dat?' vroeg ik.

'Dat ik eigenlijk maar een egoïstisch, zelfingenomen, vervelend mens ben!'

We moesten allebei lachen. Wat was het goed iemand dit te horen zeggen. Met moeder Walter zou ik nooit op deze manier kunnen praten. Dan zou ze heel boos worden.

'Dat zijn we allemaal,' zei ze, opnieuw glimlachend. 'Weet je nog wat Hopkins schreef? "Gods diepste bevel/Zou me bitter hebben gesmaakt:/Mijn smaak was *mezelf*." '

Ik knikte. 'Maar Hopkins was dan ook een bijzonder mens,' zei ik. 'Kijk maar naar zijn poëzie.'

Moeder Katherine haalde haar schouders op. 'Maar kijk ook eens naar zijn brieven. Daarin zegt hij hetzelfde wat wij nu zeggen.'

'Het gaat erom,' zei ik, helemaal in het onderwerp opgaand, 'dat er in het kloosterleven eigenlijk niets is dat je onderscheidt van iemand anders. We dragen allemaal precies dezelfde kleding, slapen in slaapzalen met identieke bedden; we kunnen niet toegeven aan onze persoonlijke sympathieën en antipathieën – zelfs niet wat het eten betreft. We verschillen in niets van elkaar! O, ik weet wel dat het zo moet zijn, maar vaak zou ik uit willen schreeuwen: "Hee! Dit ben *ik*, niet nummer 276." Soms zou ik willen dat iemand dat inziet, maar dat kan natuurlijk niet.'

'Nee.' Moeder Katherine schudde haar hoofd. 'En daar worden onze domme ego's zo boos van dat we ze geen minuut kunnen vergeten. En dat uit zich in al die toegeeflijke gedachten tegenover onszelf.'

'Maar hoe kan ik daar nou ooit van afkomen?' riep ik vertwijfeld uit. 'In de wereld hebben mensen het er altijd over hoe ze zijn veranderd. Of ze zeggen: "Ik ga aan mezelf werken en proberen meer te doen" – weet u, ik heb altijd gedacht dat ik de stukjes van mezelf waar ik niet van hield kon veranderen. Maar het lukt me gewoon niet!'

'Nee, niemand kan zichzelf echt zo veel veranderen,' zei moeder. 'Er zijn alleen maar weinig mensen die de kans hebben dat zo scherp te beseffen als een non. Maar weet je, het is belangrijk in te zien hoe afschuwelijk we zijn, anders willen we aan onszelf blijven hangen in plaats van ons ik te laten sterven. En dan beginnen we te praten over zelfvervulling en al die onzin.' We keken elkaar weer aan. 'Het is moeilijk, nietwaar?' zei ze.

En vervolgens, toen we elkaar ten afscheid omhelsden: 'Pas goed op jezelf! God zegene je! Ik zal voor je bidden.'

Een van de dingen die moest sterven was mijn geest. We werden getraind in de gehoorzaamheid volgens Ignatius, die gericht is op het breken van de wil en het oordeel van een kloosterling zodat hij de wil van God zonder meer aanvaardt zoals die hem door zijn superieur wordt opgelegd. Het is de gehoorzaamheid van de beroepssoldaat die Ignatius zelf vóór zijn bekering was: als je bevelvoerende officier je een bevel geeft, is het niet aan jou naar het waarom ervan te vragen maar het op te volgen en te sterven. De superieur vertegenwoordigt God voor een kloosterling: zijn bevelen, zijn orders – 'de minste tekenen van zijn wil', zoals de regel zegt – moeten worden beschouwd als een directe boodschap van God. Ignatius zegt dat 'allen zich geheel moeten onderwerpen aan hun superieur zoals een dood lichaam zichzelf op welke manier ook laat behandelen'. Ik moest mezelf tot dat dode lichaam maken.

Wat was dat moeilijk. Het is voor een non niet genoeg het bevel van haar superieure uit te voeren terwijl ze voortdurend denkt dat het absurd is. Ze moet haar geest leeg maken van haar eigen oordeel en zichzelf voorhouden dat dit – wat het ook is – het beste is wat ze mogelijkerwijs kan doen. Maar de geest sterft moeizaam. Denken en oordelen zijn reflexen. Hoe leer je ooit het absurde te omhelzen? Tijdens mijn eerste jaar als novice moest ik leren hoe...

De wekker liep luid ratelend af zonder tegenspraak te dulden en met een gesmoord gegrom sprong ik uit bed en viel op mijn knieën. Ik was degene die deze week de taak had de novicen te wekken. Niet dat een van hen ook maar de geringste kans had door te slapen. De wekker bleef maar doorratelen en ik hoorde de anderen onrustig woelen in hun bed, wensend dat er een eind aan zou komen. Ik wenste dat ook. Ik knielde op de prikkende mat naast mijn bed en bracht mijn ochtendoffer aan God terwijl de wekker meedogenloos voortging. Ik had geen toestemming hem af te zetten. De enige novice die de heilige klok mocht aanraken was de oudste tweedejaars, zuster Bartholomew. Wankelend van de slaap tastte ik in het donker naar mijn kleren. Ik trok mijn habijt aan over mijn nachtpon en wrong mijn voeten onhandig in mijn sloffen. Hortend en stotend kwam er gelukkig een einde aan het geratel. Zalig was de stilte toen ik mijn sluier en kap opzette en tastend vanuit mijn cel mijn weg zocht naar het lichtknopje.

De ruimte werd in een hard licht gedompeld. Voor me strekte zich in al zijn witheid de lange, strenge slaapzaal uit, die werd gedomineerd door het veertiende-eeuwse roosvenster. De vijftien ijzeren bedden gingen verborgen achter de dichtgetrokken gordijnen rond mijn zusters, die een laatste paar seconden rust probeerden te smaken. Ik keek verdwaasd naar de wekker. Kwart voor twaalf. Het zou halfzes in de morgen moeten zijn, maar geen van ons mocht de stand van de wijzers veranderen, zelfs zuster Bartholomew niet. Elke dag liep de wekker ongelijk, de ene dag achter, de andere voor, en wanneer zuster hem instelde zat ze tijdenlang, verdiept in duistere berekeningen, in de kloostergang te staren naar de antieke klok die daar hing met de defecte wekker in haar handen. Meestal had ze het goed. Slaperig haalde ik mijn schouders op. Het wekken was altijd een daad van geloof.

Ik begon mijn gang door de slaapzaal, bleef bij elke cel staan en sloeg hard op elk bed zodat de koperen beddenknoppen ervan trilden: 'God zij geloofd!' riep ik waarna ik wachtte op het gesmoorde antwoord: 'Nu en tot in alle eeuwigheid, Amen!' en bleef staan tot ik de novice uit haar bed op haar knieën hoorde vallen. Ze mocht zich niet nog twee minuten omdraaien. We moesten ons bed uitspringen op het moment dat we werden gewekt, ons bed afhalen en de bobbelige matrassen omkeren.

'God zij geloofd!'

'Nu en tot in alle eeuwigheid, Amen!' klonk het vijftien keer.

Nadat ik me van mijn plicht had gekweten ging ik, bijna geheel wakker nu, terug naar mijn cel, haalde mijn eigen bed af en liep naar beneden om op de deur van moeder Walter te kloppen. 'God zij geloofd!' riep ik in de bedompte duisternis, waarna ik mijn weg vervolgde naar de communiteitskamer om de sleutels te halen waarmee de diverse deuren van het novicenhuis werden geopend. Toen ik mechanisch op de klok keek die daar hing bleef ik stokstijf staan. *O nee!*

Ik rende terug naar de slaapzaal waar ik werd begroet door het geluid van kordaat watergespetter en stevig tandengepoets. 'Zusters!' riep ik dringend, 'ga weer naar bed. Het is pas kwart over twee!'

Plotseling viel er een geschokte stilte, hier en daar klonk een zielig gekreun en zuster Bartholomew kwam haar cel uit met haar kap scheef op haar hoofd. Haar verschrikte ogen ontmoetten de mijne terwijl ik in een verwoed gebarenspel naar haar zwaaide met de wekker. We staarden elkaar hulpeloos aan en stormden de overloop op. Ze trok de wekker uit mijn handen en ging op de trap zitten, haar gezicht vertrokken in bezorgde concentratie. *Dit is belachelijk!* dacht ik boos. Ik mocht natuurlijk niets zeggen; het was de Grote Stilte. Waarom konden we in hemelsnaam geen behoorlijke wekker kopen? Ik leunde tegen de trapleuning en staarde naar de maan, die ons leek uit te lachen. En als het tegen de regel van heilige armoede was een nieuwe wekker te kopen, dan kon het zuster Bartholomew wel worden toevertrouwd hem goed af te stellen zonder hem helemaal kapot te maken. Met vertrokken gezicht en een verontschuldigende blik in haar ogen keek zuster naar me op. Wat een rotbaan! Ik zag haar regelmatig uit de kamer van moeder Walter komen, met rode ogen en altijd weer met de wekker in haar handen. Moeder Walter! Plotseling schoot ik wakker uit mijn opstandige gedroom. Ik was haar totaal vergeten. Ik rende de trap af en bleef vastgenageld staan toen ik de bekende voetstappen hoorde. Moeder stond voor ons, horloge in de hand, en keek ons beiden in kille woede aan. Ik sidderde toen ik opkeek naar haar massieve gestalte. Ze leek recht door me heen te kijken en te zien wat ik had gedacht. Een lang, woedend ogenblik. Dan draaide ze zich plotseling om en ging terug naar haar kamer.

Bleek en bevend gaf zuster Bartholomew me de wekker terug. Ik nam hem voorzichtig aan alsof het een tijdbom was, sloop terug naar mijn cel, wikkelde me in een deken en ging weer op de dunne matras liggen. Ik zuchtte. Een zonde tegen de gehoorzaamheid. Ik had mijn superieure bekritiseerd! Alweer. Maar hoe kon je 's nachts om kwart over twee de reacties van je geest in bedwang houden? Dat was onmogelijk! Maar ik wist dat dat geen excuus was.

Een paar weken later verging het me al niet veel beter met de nagelborstel. 'Zuster!' zei moeder Walter vriendelijk. 'Die treden van de keldertrap moeten eens goed geboend worden.' Ze stond voor me, met opgestroopte rokken om huishoudelijk werk te doen, waardoor er twee magere enkels en twee in stevige klompschoenen gestoken, reusachtige voeten te zien waren. Ik merkte dat ik er gehypnotiseerd naar staarde. Het was altijd jammer dat we onze ogen neergeslagen moesten houden als we tegen personen spraken die boven ons stonden. Ik vond die voeten zo verbijsterend. Maar misschien was het in dit geval wel goed – omdat ik daardoor niet meer dacht aan het feit dat ik die traptreden gisteren ook al had geboend en dat ze blonken van schoonheid.

'Ja, moeder,' zei ik vrolijk en volgde haar door de poort naar buiten.

'Je moet deze treden wat regelmatiger boenen, zuster. Je hebt ze al minstens een week niet geboend!' Moeders stem was scherp. 'Trouw in kleine dingen! Vind je dat ze er schoon uitzien?'

Ik keek zwijgend naar hun ongerepte witheid. 'Nee, moeder,' zei ik gedwee. *Maar ze zien er wel schoon uit!* schreeuwde ik inwendig. *Ze zien er prachtig uit!* En op dat moment nam de novice in mij het over. 'Stop hiermee,' zei ze, en gewaarschuwd keek ik naar de traptreden om naar vuile plekken te speuren. Nee, misschien waren ze toch niet zo schoon. Er was inderdaad een vlek in de hoek van de vierde tree, en er lagen twee dode blaadjes *en* een paar kruimeltjes gedroogde modder waar een postulante met vieze schoenen had gelopen. Moeder had gelijk.

'Het spijt me heel erg, moeder,' zei ik weer, terwijl ik mijn uiterste best deed mezelf niet te prijzen voor mijn volmaakte gehoorzaamheid. Dat zou haar weer ongedaan maken.

'Juist!' zei ze kortaf, 'dat vind ik ook. Wat je nodig hebt, zuster, is een behoorlijke borstel. Kijk, ik heb alles al voor je klaargezet.' Ze wees naar een emmer heet water en wat schuurpoeder links van ons.

'O,' zei ik verbaasd, 'dank u wel, moeder!' Wat raar. Ze verwende ons meestal niet zo. 'Ik zal even een borstel gaan halen,' voegde ik eraan toe en wilde al naar het buiten gaan.

'Nee, dat hoeft niet, zuster,' zei moeder vriendelijk. 'Hier,' vervolgde ze terwijl ze in haar zak zocht en er een roze nylon nagelborsteltje uit haalde. 'Alsjeblieft.'

Ik wierp een moeilijke blik op het borsteltje in haar uitgestrekte hand. Traag stak ik mijn hand uit, nam het borsteltje aan, mijn gezicht een onbeweeglijk masker van nonchalance, en keek naar haar op. De kleine blauwe ogen hielden mijn blik vast. Ze vertoonden geen enkele uitdrukking. 'Dank u, moeder,' zei ik eerbiedig. 'Dank u wel.'

Maar, dacht ik, toen ik twee uur later nog bezig was, natuurlijk is het niet genoeg het gewoon te doen. Ik moest mezelf voorhouden dat dit de best mogelijke manier was om de traptreden te boenen. Maar hoe? Ik keek naar het borsteltje waarvan de haren waren afgesleten tot onbruikbare stompjes en het zeepwater zonder effect van de ene kant van een tree naar de andere zwiepten. Een klus die slechts een halfuur had moeten duren, nam nu al twee volle uren in beslag. Ik keek naar de bovenste treden, die begonnen te drogen en waarop heel kleine streperige wervelingen te zien waren. Het was net zoiets als zeggen dat zwart wit was. En toch, bleef ik dapper zeggen, als moeder zegt dat zwart wit is, is het wit in de ogen van God.

Maar zo is het niet! dacht ik plotseling. *En dit is een stompzinnige tijdverspilling!*

Ik ging op mijn hurken zitten en liet mijn hoofd in mijn handen zakken. Waarom had God me hersens gegeven als Hij niet wilde dat ik ze zou gebruiken? Dit was een stom soort perversie. Ik zuchtte doodongelukkig. Ik wist vanuit mijn geloof dat dit een werelds standpunt was. Gods inzicht was zo superieur aan mijn eigen beperkte inzicht dat niet van me mocht worden verwacht dat ik het zou begrijpen. Wat stond er ook weer in Jesaja? 'Want zoals de hemel hoger is dan de aarde, zo gaan

174

ook mijn wegen uw wegen te boven, en mijn gedachten uw gedachten.' Om mezelf te zien door de ogen van God moest ik bereid zijn mijn eigen gezond verstand opzij te zetten. Het was gezond verstand. Ik moest erboven staan en mijn intelligentie laten sterven. Maar terwijl ik dit zo duidelijk inzag, protesteerde een ander stuk van mij dat het ook gehoord wilde worden. Ik wilde mijn geest niet doden. Voor mijn lichaam had ik al jaren geleden de hoop opgegeven. Dat was onhandig en opstandig. Maar mijn geest! Ik dacht terug aan de tijd dat ik nog op school zat en voelde weer de opwinding als je een discussie voerde en daarbij ontdekte hoe belangrijk het was correct en scherp te denken. Mijn geest was het beste deel van me. Waarom moest hij sterven?

Ik schudde mezelf door elkaar en ging mechanisch door met boenen. Ik voelde me verward en ongelukkig. Mijn geest was ikzelf. O, ik was geen Einstein of zoiets. Maar zonder mijn geest zou ik niets meer zijn dan dat mollige onopvallende lichaam en een chaos van verwarde emoties. Dan zou ik niets zijn. *Ik wil niet niets zijn!* zei ik trots tegen mezelf. *Dat wil ik niet.*

Misschien – ik probeerde het over een andere boeg te gooien – misschien moest ik moeder Walter er gewoon buiten laten. Oké. God wilde dat ik mijn tijd op deze manier verdeed voor zijn ondoorgrondelijke doeleinden. Maar opnieuw explodeerde er iets binnen in me. *Geloof je nou echt*, zei ik smalend, *dat dat Oneindige Wezen niets beters kan bedenken dan nagelborsteltjes en defecte wekkers? Is Hij dan zo kleinzielig?* En natuurlijk kon ik moeder Walter er niet buiten laten. Zij nam voor mij de plaats van God in. Telkens wanneer ik haar in het novicenhuis sprak, knielde ik neer om mezelf daaraan te herinneren. Nee, het was mijn geloof dat zwak was. En ik was bang om niets te worden, om dat beste deel van mezelf te laten sterven.

Vermoeid verzamelde ik de schoonmaakspullen. De treden waren slecht geboend, het werk van gisteren was vernietigd en ik had weer gefaald in gehoorzaamheid. Het ontbrak me aan moed. Ik hing nog steeds aan dat deel van mij dat kritiek uitoefende en aan mezelf vasthield. Wat was ik toch zwak. Tranen vertroebelden mijn ogen. Ik wilde zo graag goed over mezelf denken en het gevoel hebben dat ik in bepaalde opzichten iets unieks had te bieden. Ik wilde ook een goede non zijn, maar deze twee verlangens waren niet te verzoenen. Ik moest kiezen. Mij en mijn geest. Of God en die totale vervulling die Hij, naar ik op een of andere manier wist, aanbood.

Met de naaimachine had ik evenwel het gevoel dat ik er dichterbij was het gevecht te winnen. In het eerste jaar besteedden we onze ochtenden aan naaiwerk onder leiding van moeder Albert. Mijn naaien was wel wat beter geworden maar nog steeds ver verwijderd van wat ervan werd verwacht. Elke morgen vocht ik met het verlammende gevoel dat ik er niets van terecht bracht wanneer de stof onder mijn onhandige vingers wegleed. Het leek al zo lang geleden dat ik iets goed had gedaan. Wat zou het heerlijk zijn me van voldoening te voelen gloeien voor een klusje dat ik echt goed had volbracht. Moeder Albert boog zich over me heen om de zoom die ik overhands aan het naaien was te inspecteren. 'Zuster!' bromde ze wanhopig. 'Je machinewerk is abominabel! Leer je het dan nooit? Je wordt nog onbruikbaar voor ons als je zo'n eenvoudig klusje als dit niet aankan.'

Dat was het nou waar ik over inzat. Ik keek naar de tekst van de dag die boven de haard hing: 'Er zijn geen nietsnutten in Gods bijenkorf.' Zou ik mijn hele leven een nietsnut blijven, gedragen door de inspanningen van anderen?

'Het spijt me, moeder,' zei ik terwijl ik probeerde niet neerslachtig te klinken. Correctie moest met een glimlach worden aanvaard en we moesten er oprecht blij om zijn dat we op onze fouten werden gewezen. Hoe konden ze anders worden verbeterd? 'Heb je niet geoefend op je naaimachine?'

'Nee, moeder,' zei ik verbaasd terwijl ik naar haar opkeek.

'Wat!' riep ze uit, en ik was geschokt door de verandering in haar meestal rustige, onaangedane stem. Ze klonk alsof haar geduld op was. Haar geduld met mij. 'Waarom niet?'

Er stond een oude naaimachine waarop ik werd geacht elke dag een halfuur te oefenen. 'Gebruik die in hemelsnaam maar,' had moeder Albert gezegd. 'Dan kun je de goede machines tenminste niet ruïneren. Die machine kan zelfs jij niet kapot maken!' Wat leek het lang geleden sinds die morgen toen ze had gelachen over de klok. Maar dat soort toegeeflijkheid was natuurlijk alleen bestemd voor postulanten. Nu werd er van me verwacht dat ik sterker was. En natuurlijk deed de machine het op een gegeven moment niet meer. Ik had een naald gebroken. Ik had me verontschuldigd, in de refter een openbare penitentie gedaan voor mijn zonde tegen de heilige armoede, en een scherpe reprimande gekregen. De naald was niet vervangen. Ik had moeder Albert er timide meer dan eens aan herinnerd. 'Val me nu niet lastig, zuster!' had ze steeds weer uitgeroepen. 'Ik heb het veel te druk om achter jou aan te hollen en naalden te vervangen die je zo dom bent te breken!'

Nu keek ik haar hulpeloos aan. Ik spande me in het gevoel van on-rechtvaardigheid te onderdrukken dat opstandig in me opkwam. 'Er zit geen naald in, moeder,' zei ik ten slotte, terwijl ik met afkeer de trilling in mijn stem opmerkte.

Er viel een stilte. Een deel van mij wist dat moeder Albert de naald totaal was vergeten, maar ze was kwaad op me. Ik wachtte.

'Hoe durf je!' zei ze en haar kalmte was beangstigender dan haar eerdere woede. 'Hoe durf je me op zo'n manier antwoord te geven? Weet je niet wat nederigheid betekent, zuster? Weet je niet dat een non nooit probeert zichzelf te rechtvaardigen als ze een reprimande krijgt? Hoe de omstandigheden ook zijn. Je mag je superieure nooit zo brutaal antwoorden.'

Ik stond op en knielde neer. 'Het spijt me, moeder,' zei ik hees.

Weer een kans verkeken. Natuurlijk wist ik wat nederigheid betekende.

De stem van moeder Albert was ijskoud. 'Je gaat achter die machine zitten, zuster, en dan oefen je er elke dag een uurlang op tot ik verkies je een nieuwe naald te geven.'

Een paar weken later keek moeder Albert het naaikamertje binnen en zag me zitten. Mijn voeten trapten vlijtig en de machine snorde en jengel-de. Maar er was iets geks met het geluid. Zachtjes kwam moeder een beet-je dichterbij. Mijn handen lagen keurig voor me en rustten naast de ma-chine. Ik hield mijn hoofd wat naar voren gebogen en er lag een frons van concentratie op mijn gezicht. Niets kon me storen, ik was mijlenver weg. *Dit is het beste wat ik op dit moment kan doen*, herhaalde ik mechanisch. *Ik zou mijn tijd niet vruchtbaarder kunnen besteden.* Aanvankelijk was het moeilijk ge-weest. Ik had me gepikeerd en gefrustreerd gevoeld, hoe hard ik ook pro-beerde het te onderdrukken. Maar nu – ik wist niet meer hoeveel weken ik dit nu alweer deed – had het jengelende geluid van de machine iets in me in slaap gezongen. *Laat los*, zei ik. *Laat los.* Mijn stomme geest. Wat weet ik nu eigenlijk? Helemaal niets. De machine snorde verder. Dit was de beste manier om mijn tijd te besteden. Het was Gods manier. Als ik me mijn he-le leven liet leiden door mijn superieuren, zou ik er altijd zeker van zijn dat ik Gods wil deed. Wie gaf er nu de voorkeur aan zijn eigen beperkte inzicht als hij dat van God ervoor in de plaats kreeg? Niets anders deed er toe. Het was eigenlijk zo simpel. Waarom had ik het niet eerder ingezien?

'Zuster! Wat denk je eigenlijk dat je aan het doen bent?'

Ik sprong op, wreed uit mijn overpeinzingen gerukt. Moeder Albert stond naar me te kijken alsof ze dacht dat ik gek was.

'Oefenen op de naaimachine, moeder,' zei ik kalm. Ik stond eerbiedig op en keek haar aan. Het leek of ze heel ver weg was.

'Maar er zit geen naald in die...' Ik zag dat terwijl ze nog sprak haar een licht opging. Ze sloeg haar hand tegen haar voorhoofd, draaide zich dan abrupt om en keek uit het raam terwijl haar schouders in stilte schokten. *Ze is het vergeten*, zei ik tegen mezelf. Het was helemaal niet belangrijk. Mijn verantwoordelijkheid was gewoon haar volkomen te gehoorzamen.

Moeder draaide zich om terwijl haar lippen nog natrilden. Ze had gelachen. Dat was een goed teken. Ik moest mezelf voor gek zetten omwille van Christus, net als Hij zich had bekleed met de schande van de zondige mensheid. Ik stond en wachtte af.

'Wel,' zei ze afwezig, 'ik hoop dat je hebt geprofiteerd van al dit oefenen. En ik hoop dat je ook iets over jezelf hebt geleerd. Je bent erg vol van jezelf, nietwaar? Je weet dat je je superieure nooit mag antwoorden, ook niet als je denkt dat ze het mis heeft. Laat staan zo'n brutaal antwoord als jij hebt gegeven: "Er zit geen naald in de machine!" ' Ze wierp haar hoofd in de nek om mijn afwerende manier van doen te imiteren.

'Je zit vol hoogmoed, zuster, vol intellectuele hoogmoed. Je denkt dat er op alles een natuurlijk antwoord is, nietwaar?' Ze pauzeerde met een vragende blik in haar ogen.

'Ja, moeder, het spijt me.' Wat was dit alles goed voor me. Een deel van mij was gekwetst en wilde huilen. Het was zelfs in mijn stem te horen, dit verraderlijke deel van mezelf, maar dat was niet belangrijk meer. Ik wist hoe waardeloos ik echt was onder al die uiterlijke verwarring. Wat deden mijn gekwetste gevoelens er toe? Moeder kon niets zeggen tegen dit deel van mij dat uiteindelijk zou worden gevuld door God als ik het Hem liet vullen. Deze uiterlijke persoon die huilde en natuurlijke gevoelens had moest sterven. De harde woorden van moeder zouden haar des te sneller doden.

'Wanneer leer je nu eens dat ellendige kritische vermogen van je op te geven?' vervolgde moeder in een poging dat wereldse ego van me definitief de grond in te boren. 'Je bekijkt de dingen alleen op het natuurlijke niveau. Het is de wereld die denkt dat het zo belangrijk is – het kritisch vermogen, bedoel ik.'

Ze trok spottend haar neus op. 'En nog wat, zuster,' vervolgde ze. Ik kende de vorm van dergelijke reprimandes nu wel. Ze kwamen dagelijks voor in het noviciaat. Een klein voorval kon heel wat gebreken van je openbaren, gebreken waarvan je nooit had gedroomd dat je ze had tot iets wat je op een onbewaakt ogenblik zei of deed, ze allemaal onthulde. Ik voelde hoe mijn ogen zich vulden met tranen en schudde ongeduldig mijn hoofd. Dit ellendige, snotterende deel van mezelf moest worden vernietigd. 'Nog wat, zuster, je bent veel te gevoelig. Kijk eens naar jezelf. Huilen omdat een superieure zo vriendelijk is je op je fouten te wijzen. Wat moeten we toch doen aan die overgevoeligheid van je? Zij zal je spiritualiteit en je liefde voor God nog eens vernietigen. Je bent gewoon een slap hoopje zelfmedelijden, zuster. Je denkt aan niets anders dan jezelf. O, de wereld denkt dat gevoeligheid waardevol is, maar het is gewoon toegeeflijkheid tegenover jezelf. Gevoelens tellen niet, zuster, leer dat voor eens en voor altijd en zorg dat je ze kwijtraakt.'

'Ja, moeder.' Ik voelde me als een beul die dit wereldse deel van mezelf ter dood bracht. Kalm voelde ik mijn tranen opdrogen en keek naar de grond, zoals het hoorde als ik sprak met mensen die boven me stonden.

'Goed! En denk erom dat je je naaien op de machine verbetert!' Moeder Albert stormde op de deur af en ik haastte me om hem voor haar te openen.

Aan het eind van mijn eerste jaar in het noviciaat lag ik tijdens de jaarlijkse achtdaagse retraite geknield op de vloer van de refter te wachten op mijn speciale retraite-penitentie. Elke veertien dagen werd er van ons verwacht dat we tijdens de maaltijden een 'refter-penitentie' deden voor zonden tegen de regel, maar tijdens de retraite waren deze penitenties strenger. We moesten terugkijken op het afgelopen jaar, de zonde die we het meest begaan hadden eruit pikken, onszelf publiekelijk beschuldigen en de communiteit om vergeving vragen voor alle onstichtelijke dingen die we hadden gedaan.

Met gebogen hoofd zat ik geknield in de lange rij op mijn beurt te wachten. Voor me beschuldigde een non zichzelf van zonden tegen de regel van stilte. Vervolgens strekte ze haar armen uit in de vorm van een kruis, waarbij de wijde mouwen van haar habijt grotesk neerhingen, en bad ze vijf maal het Onze Vader. Rondom ging de maaltijd door als altijd: de serveersters renden onverschillig om ons heen met dampende schotels, er werden borden doorgegeven en ogen neergeslagen, en de nonnen schonken geen enkele aandacht aan de boetelingen op de vloer. Ik dacht na over de gebeurtenissen van het afgelopen jaar. Ik leek zo weinig vooruitgang te hebben geboekt, ondanks al mijn grootse voornemens op de dag van mijn kleding. Het had me geen enkele moeite gekost de zonde die ik het meest had begaan uit te kiezen. Moeder Walter had ernstig geknikt toen ik aan haar voeten knielde om te vragen waaruit mijn penitentie zou bestaan: 'Voor zonden tegen de gehoorzaamheid, zuster, moet je de voeten kussen van alle nonnen in de refter.' Ik was geschokt door het bijzondere karakter van wat me was bevolen te doen. Maar hoe juist was het eigenlijk, hield ik mezelf voor. Een openbare daad van vernedering om me te herinneren aan alle keren dat ik trots mijn eigen wil had gevolgd.

'...maar verlos ons van het kwade, Amen.' De non beëindigde haar laatste Onze Vader, deed haar armen omlaag, boog diep voor het kruisbeeld en kwam moeizaam omhoog. Mijn beurt.

'Ik beschuldig mijzelf tegenover u, dierbare eerwaarde moeder-provinciaal, en tegenover u allen, mijn dierbare zusters, dat ik sinds mijn laatste retraite vele zonden tegen de regels heb begaan, vooral tegen de regel van gehoorzaamheid.' Mijn stem trilde verraderlijk en vervolgens stond ik met gloeiende wangen van onbehagen op en begon langzaam naar de tafel van de superieuren te lopen. Achter me hoorde ik de volgende novice in de rij het woord nemen en zichzelf beschuldigen van zonden tegen de nederigheid. Niemand leek ook maar enige belangstelling te hebben voor wat ik ging doen en wat voor mij zo belangrijk was. Ik zag dat moeder Walter oplettend naar me keek maar dat de andere superieure doorat en zich kennelijk niet bewust was van mijn nabijheid. Dat bleek echter niet zo te zijn. Toen ik op mijn knieën viel en onder de tafel kroop, merkte ik dat ze hun rokken tot op hun enkels hadden opgetrokken en welbewust allemaal een voet naar me hadden uitgestrekt. Op handen en voeten gleed ik over de vloer en kuste ik voet na voet, waarbij ik zorgvuldig om het voetenbankje van moeder-provinciaal heen kroop en de onmiskenbare maat vierenveertig van moeder Walter herkende. 'Schiet op, zuster, je hebt niet de hele dag de tijd,' hoorde ik haar zeggen terwijl ik smadelijk naar de volgende tafel begon te kruipen.

Voordat ik in de orde intrad had ik Audrey Hepburn in *The Nun's Story* zien doen wat ik nu deed. Ironisch genoeg had die scène zich in mijn geest gegrift. In de film had die daad een theatrale waardigheid en betekenis gekregen, maar wat de film niet tot uitdrukking had gebracht, bedacht

ik, was de prozaïsche aard van de hele penitentie; de vertrapte erwtjes onder de tafel, de smaak van schoensmeer, de eeltknobbels. Ik gleed van tafel
naar tafel, handig de serveersters ontwijkend terwijl ze langsvlogen met
schalen vlees en jus. Wat was het moeilijk boven deze banaliteiten uit te
reiken en je te concentreren op de ware betekenis van de penitentie. De
onverschilligheid van de refter voor mijn beklagenswaardige positie ont-
nam de penitentie elke exotische glans en ik voelde alleen mijn pijnlijke
knieën en een splinter in mijn hand. Opeens werd me duidelijk dat het
juist om die banaliteiten ging. Dit was de plek waar ik geacht werd te zijn;
beneden op de grond, als de minste van de minsten, nauwelijks waardig de
kruimels te eten die van de tafel vielen. Zolang ik dat niet had begrepen,
zei ik tegen mezelf toen ik zeventig voeten later verhit en duizelig opstond, was mijn geestelijk leven nog niet begonnen. Ik had mijn les nu
voor eens en voor altijd geleerd, dat stond wel vast.

Maar natuurlijk was het niet echt zo gemakkelijk. De geest heeft net
als het lichaam een eigen leven. Je denkt dat je hem voor eens en voor
altijd hebt gedood, en dan blijkt hij, door een instinctieve schok of hui-
vering, nog steeds springlevend en in staat al je keurige calculaties binnen een minuut de grond in te boren.

In het tweede jaar mocht ik studeren. Alleen gewijde studies natuurlijk: theologie, bijbelkennis en kerkgeschiedenis. Niets dat de wereld onder mijn aandacht zou kunnen brengen. Mijn theoretische studies
moesten alleen mijn geloof versterken en mijn moeizaam gewonnen relatie met God ondersteunen die ik tijdens het laatste jaar had verworven.
Maar op een of andere manier pakte het anders uit.

Het probleem was dat toen ik met de studie theologie en bijbelkennis
begon, de grootsheid van God en van zijn plannen voor de wereld nauwelijks in overeenstemming leek met het beperkte leven in het klooster.
Ik hield mezelf voor dat dit een kwestie was van intellectuele hoogmoed
en dat deze kritische gedachten niet hoorden bij iemand die bereid was
haar hele wezen, ook haar geest, op te offeren aan de liefde van God.
Nog alarmerender was dat zelfs de theologie gaten vertoonde die het
hele bouwsel van mijn leven bedreigden.

Op een dag kwam het allemaal tot een climax. Ik was aangewezen voor
een vierjarige theologische opleiding en moeder Greta begeleidde me
voor mijn eerstejaars examens. Ik had de opdracht gekregen een opstel te

schrijven: 'Beoordeel de kwaliteit van de bewijzen voor de verrijzenis.' Dit was onderdeel van een cursus apologetiek. Apologetiek stelt zich ten doel de mysteries van het geloof logisch te verklaren. Maar hoe meer ik over deze mysteries nadacht, hoe onlogischer ze me voorkwamen. Natuurlijk ging het daar in het geloof om, betoogde ik tegen mezelf. Als het absoluut logisch was te geloven dat Christus uit de dood was verrezen, dan was geloof onnodig. Dan zou geloven in de verrijzenis niet moeilijker zijn dan geloven in de Slag bij Hastings. Ik had voor dit opstel zorgvuldig vooronderzoek gedaan en alle belangrijke boeken over apologetiek gelezen die leken te betogen dat de steen die van het graf was weggerold voor ieder redelijk denkend mens voldoende bewijs was om te geloven dat God mens was geworden, in het openbaar ter dood was gebracht buiten Jeruzalem, en na drie dagen uit de dood was verrezen. *Het kan niet worden bewezen*, dacht ik bezorgd; *dit opstel is een vorm van bedrog*. Maar omdat ik voor een examen werkte, vertoonde ik de geestelijke gymnastiek die van me werd verwacht, hoewel ik de hele tijd het gevoel had niet integer bezig te zijn. Mijn pen transformeerde het broze, symbolische bewijs in de evangeliën tot zwaarwegende, verifieerbare historische feiten. Mijn opstel bewees duidelijk, met behulp van mentale goocheltrucs, dat iedereen die naar dit bewijs keek en niet geloofde in de verrijzenis een idioot was. Vermoeid legde ik mijn pen neer en leverde mijn opstel in.

De dinsdag daarop zat ik bij mijn studiebegeleidster moeder Greta voor een bespreking van het opstel. Ze zette haar bril af, maakte de glazen schoon, en keek naar me met haar bijziende ogen.

'Ja, zuster,' zei ze glunderend tegen me. 'Dit is een uitstekend opstel. Je zult het examen vast heel goed doen.' Ze zette haar bril weer op.

Ik keek haar aan. Ik wist dat er in dat frêle vogelachtige lichaam een eerlijke geest huisde. Ik vertrouwde haar. Ik moest haar vragen over mijn dilemma. De verrijzenis waarvan mijn hele leven afhing was een wonder, iets waar de natuurlijke orde niet verantwoordelijk voor was.

'Maar moeder,' zei ik rustig terwijl ik haar strak aankeek, 'het is toch gewoon niet waar wat ik heb geschreven?'

Er viel een stilte. Ze zuchtte, stopte met een karakteristiek gebaar haar hand onder haar kap en wreef hard over haar voorhoofd. Haar stem was vermoeid toen ze sprak.

'Nee, zuster,' zei ze vlak. 'Nee, het is niet waar maar zeg het alsjeblieft niet tegen de andere novicen.'

Meer dan dat zei ze niet, en ik bleef in complete intellectuele verwarring achter. Wanneer ik mijn verstand en gevoel voor logica gebruikte, leidde dat tot conclusies die op een duistere en beschamende manier onjuist waren en anderen konden besmetten. Deze les bekrachtigde wat ik in het eerste jaar had geleerd: laat je verstand met rust; het kan je alleen maar kwaad doen.

Door het gesprek met moeder Greta moest ik terugdenken aan een voorval tijdens mijn eerste jaar. We zaten met moeder Walter bijeen voor de avondrecreatie en het gesprek kwam op kerkmuziek, het lievelingsonderwerp van moeder. Ze vertelde ons dat het Vaticaans Concilie net had voorgeschreven dat er in de kerkelijke liturgie meer gebruik moest worden gemaakt van de landstaal en dat sommige priesters in de geest van dit voorschrift gitaarmuziek in de diensten hadden geïntroduceerd. 'Zij denken,' zei ze nors, 'dat dat *relevanter* is.' Het woord kwam bijna als een sneer over haar lippen. 'Je moet er toch niet aan denken dat de Gregoriaanse zang helemaal zou verdwijnen,' voegde ze er verdrietig aan toe. 'Ze zouden natuurlijk best een compromis kunnen bedenken.'

Ik voelde me er ook verdrietig over. Ik was van het Gregoriaanse kerkgezang gaan houden. Ik kon helemaal niet zingen, maar de muziek, die met haar repeterende cadansen volmaakt uitdrukking gaf aan wat de woorden wilden zeggen, was een integraal onderdeel van mijn eigen gebed geworden en gaf er schoonheid en waardigheid aan.

'Moeder, wat is er zo verkeerd aan gitaarspel tijdens de mis?' We hapten allemaal naar lucht alsof er iets obsceens was gezegd. In bepaald opzicht was dat ook zo. We draaiden ons om naar degene die dit had gezegd. Het was zuster Jocasta, een novice uit het jaar boven ons. Haar sterke, knappe gezicht was helemaal in de ban van een idee. Hoe durft ze tegen moeder in te gaan, vroeg ik me af.

Moeder fronste haar wenkbrauwen. 'Ik zou toch denken,' sprak ze ijzig, 'dat dit iets is waarover we niet hoeven te discussiëren.'

Ieder van ons boog haar hoofd over haar naaiwerk en verloochende daarmee zuster Jocasta. Het onderwerp was onheilspellend afgesloten. Niemand kon er nu op doorgaan; dat zou een zware zonde tegen de gehoorzaamheid zijn.

'Maar sommige mensen,' vervolgde zuster Jocasta vasthoudend tot mijn verbazing, 'komen in eerste instantie misschien wel naar de kerk om van de gitaar te genieten, omdat zij van dat soort muziek houden. Ik bedoel,' voegde ze er vlug aan toe, 'dat wij het geluk hadden dat we het Gregoriaans hebben leren kennen en er op die manier van zijn gaan houden. Maar heel wat mensen in de wereld hebben die kans niet gehad en voor veel jongeren is het volkomen ontoegankelijk.'

Moeder zweeg maar het was een angstaanjagend zwijgen. Ik verbaasde me nog steeds over de moed van zuster Jocasta; het was verschrikkelijk verkeerd van haar, maar op een of andere manier – op een manier die ik niet wilde definiëren – was het van vitaal belang dat ze doorging.

Uiteindelijk sprak moeder. 'Iemand die alleen om een gitaar naar de mis gaat moet een nogal wankel geloof hebben, zou ik zo denken.' Ze lachte kort op een manier die ik had leren vrezen. Het was een woedend geblaf en ik wist dat ze nog woedender kon bijten.

Ik keek door mijn wimpers naar zuster Jocasta. De andere novicen waren met bang gezicht aan het naaien alsof hun leven ervan afhing en concentreerden zich ogenschijnlijk geheel op het stoppen van hun sokken of het plooien van hun kap. *Ze moet niet verder gaan*, dacht ik. *Dat moet ze niet doen, zeker niet nu.* Maar ik voelde een zeker respect voor zuster Jocasta. Mijn geest leek zo dood en verstoft nu, en natuurlijk was dat goed. Ik was niet meer in staat een discussie te voeren en een thema punt voor punt uit te diepen, maar het wond me op een perverse manier op als ik iemand anders het wel zag doen.

En dat deed ze, met een triomfantelijke blik in haar ogen. 'Maar misschien komen ze aanvankelijk wel alleen naar de kerk voor de muziek en ontdekken dan dat er iets meer is. Dat zou God een kans geven!'

'Zuster!' Moeders stem donderde van ongeloof. 'Denk je nu werkelijk dat God een gitaar nodig heeft om Hem een kans te geven?' Ik keek strak naar zuster Jocasta, niet langer pogend mijn belangstelling te verbergen. Ze bloosde in het besef van haar moed – of in het besef van haar zonde tegen de gehoorzaamheid.

'Maar ik weet zeker, moeder, dat als Christus nu leefde, Hij een gitaar zou gebruiken!'

'Onzin,' brieste moeder minachtend. 'Natuurlijk zou Hij dat niet doen!'

Ik boog mijn hoofd om een glimlach te verbergen. Ik zag Jezus plotseling op Hyde Park Corner op een zeepkist staan en Gregoriaans zingen. Hij zag er nogal raar uit. Natuurlijk zou Hij een gitaar gebruiken! Hij zou alles gebruiken wat in deze tijd zinnig was. Maar moeder Walter scheen een heel andere opvatting van Christus te hebben en zij was zijn vertegenwoordigster. Haar woorden waren zijn woorden; dat wist ik en het schokte me dat ik het niet met haar eens was. Was mijn opvatting van Christus dan helemaal verkeerd? De glimlach gleed van mijn gezicht. Maar net te laat. Ze had het gezien.

'Ik ben blij dat je dit leuk vindt, zuster Martha,' zei ze sarcastisch. 'Ik vind het erg treurig.'

'Het spijt me, moeder,' zei zuster Jocasta met plotseling matte stem. 'Ik heb hier niet echt veel over nagedacht. Alleen...'

'Nee, je hebt er kennelijk helemaal niet over nagedacht!' snauwde moeder. 'En je hebt een ernstige zonde tegen de gehoorzaamheid en een zonde tegen de naastenliefde begaan door de recreatie voor de rest van de communiteit te bederven. Ja!' zei ze kortaf tegen zuster Griselda, die aan haar voeten neerknielde. 'Ja, je kunt de bel luiden!'

Verslagen en gespannen borgen we zo snel we konden ons naaiwerk op. Stilletjes verzamelden we ons rond het beeld van Onze-Lieve-Vrouw om een avondlied te zingen. Zuster Jocasta deelde de liedbundels uit. Toen ze mij er een gaf ontmoetten onze ogen elkaar en begon ze plotseling te grinniken. En ze gaf me een knipoog.

Die knipoog was, nu ik erover nadacht, verontrustend. Hij suggereerde dat ik medeplichtig was. Ik mocht haar, ze was leuk, maar ik begreep dat haar geest gevaarlijk was. Het was verlokkelijk discussies te voeren, een thema correct uit te diepen en met gedachten te spelen, maar het gaf mijn geest de kans me af te leiden van de religieuze gehoorzaamheid, die volgens de regel mijn verbindingslijn met God was – en de voornaamste ignatiaanse deugd. Het zou me ook naar verraderlijke geloofsgebieden voeren. Al die boeken die ik had gelezen – was het echt mogelijk dat alleen moeder Greta en ik ze hadden doorzien? En als wij beiden het gevoel hadden dat wat erin stond niet waar was, waarom mocht ik dat dan in hemelsnaam niet aan de anderen vertellen? Ja, moeder Walter had me zo vaak gezegd dat mijn geest mijn voortgang op de weg naar God in de weg zou staan. 'God kennen in het gebed heeft niets te maken met de geest,' zei ze steeds weer tijdens de lessen. 'Het gaat erom je aan Hem te binden met je wil. We moeten bereid zijn onze eigen ideeën over God te laten sterven zodat Hij Zich aan ons kan openbaren zoals Hij is.'

Maar er waren tijdens dat tweede jaar nog andere moeilijkheden. In de zomer van 1964 was er een groep nieuwe novicen gekleed. Ze waren allemaal veel ouder dan wij en hadden veel meer levenservaring. Kort na de kleding ontdekte ik een van hen schaterlachend in de laarzenkamer. Het was een belangrijke feestdag en er mocht worden gesproken. Ik keek naar zuster David, een vrouw van achter in de twintig, afkomstig uit Wales, klein, scherpzinnig en onafhankelijk.

'Waar lach je om, zuster?'

'Hierom,' antwoordde ze terwijl ze naar een in een verzorgd gotisch schrift geschreven mededeling boven de doos met de schoenpoetsspullen wees. 'Telkens wanneer ik dat zie, heb ik het niet meer!' en ze lag alweer dubbel, slap van het lachen.

Ik staarde naar de mededeling. Een jaar geleden had ik er ook om moeten lachen, en ik wist nog dat moeder Walter erg boos was geweest. 'Hoe durf je zo'n totaal gebrek aan eerbied te tonen voor een officiële mededeling, zuster! Ze drukken alle de wil van God uit!' Nu merkte ik de mededeling nauwelijks op; zij was een onbetwistbaar onderdeel van de omgeving geworden. Ik las haar opnieuw. Zij gaf minutieuze aanwijzingen hoe een schoen moest worden gepoetst: neem hem in de linkerhand, smeer hem vol schoensmeer, borstel hem af en wrijf hem met een zachte doek. De clou kwam aan het eind, wist ik nog: 'Herhaal dit met de andere schoen.' Het was nauwelijks te geloven dat ik dat eens zo grappig had gevonden, zo gewend was ik er intussen aan geraakt te wachten tot me werd verteld wat ik moest doen, stap voor stap en regel voor regel.

'Herhaal dit met de andere schoen!' Zuster David proestte het uit. 'Schitterend! Een exacte samenvatting van het noviciaat, vind je niet, zuster? Doe alleen wat je gezegd is te doen. Moet je je voorstellen! Als moeder die laatste zin er niet bij had gezet, zouden alle novicen permanent rondlopen met één gepoetste schoen en één ongepoetste!'

Het was een lachwekkend beeld en onwillekeurig moest ik glimlachen. Ik vond zuster David leuk. Ze was kunstlerares geweest op een van onze scholen en had besloten katholiek te worden. Vervolgens had ze ontdekt dat ze roeping had voor de orde. De wereld van het katholicisme moest nog steeds vreemd voor haar zijn, dacht ik, zeker het kloosterleven, maar haar ontspannen reactie erop was gezond en scherp. Het leven leek altijd zo serieus, maar dat ik zo vaak lachte gaf aan hoe werelds en weinig serieus ik zelf was. Toch was het heerlijk weer eens iemand te horen lachen en dat kwam steeds vaker voor sinds zuster David in het novicenhuis was gekomen. En dat terwijl moeder Walter ons heel ernstig had toegesproken over onze verantwoordelijkheid als tweedejaars om de eerstejaars te helpen de juiste ideeën over het kloosterleven te krijgen. Ik merkte dat ik haar vermaning van vorig jaar klakkeloos napraatte.

'Zuster, je mag echt niet lachen om mededelingen of om het ideaal van gehoorzaamheid erachter.' Ik hoorde hoe verschrikkelijk opgeblazen ik klonk, maar wat kon ik anders doen?

'Och, kom nou,' bromde zuster David terwijl ze boven op de laarzenkast zat. 'Als we zo nu en dan niet lachen, worden we allemaal gek! Wees toch niet altijd zo serieus. God weet dat er hier genoeg te lachen valt!'

'Wat bedoel je?'

'Nou, kijk maar eens naar dingen als de wekker – wat dacht je daarvan? Ik heb nog nooit zoiets belachelijks gehoord. Zuster, je bent een intelligent meisje en ook nog gevoelig. Wat vind jij er nou van? Zijn al deze regels nou absoluut logisch, of zijn het alleen maar idioterieën bedacht door stomme novicen in het verleden en van oudsher doorgegeven?'

'O nee!' sprak ik nadrukkelijk. 'Zeker de wekker niet, geloof me. Je zou eens moeten horen wat moeder Walter te zeggen heeft als ze denkt dat iemand er met zijn vingers heeft aangezeten!'

'Nou ja, ik denk dat jij dat beter weet.'

'Echt, zuster, ik dacht vroeger ook dat al deze dingen belachelijk waren, maar nu zie ik het anders. Je moet gewoon bereid zijn je eigen oordeel opzij te zetten, zoals de regel zegt.'

'Maar sommige van deze dingen zijn zinloos,' hield zuster David vol. 'Zuster, ik heb gehoord dat je altijd ziek bent als we kaas bij het avondeten krijgen.'

'Niet altijd,' zei ik dankbaar. 'Ik raak er nu aan gewend.'

'Maar zuster, het is duidelijk dat je niet tegen gesmolten kaas kunt; het is slecht voor je. Je ziet er de volgende dag altijd spierwit en bibberig uit. En dan is er die belachelijke regel die zegt dat we niet alleen alles moeten eten wat we voorgezet krijgen, maar dat we zelfs twee keer moeten opscheppen. Ik begrijp heus wel dat we niet kieskeurig moeten zijn en dat het belangrijk voor ons is genoeg te eten, maar je doet je maag de ergste dingen aan als je zo doorgaat! Heb je moeder Walter verteld dat je ziek wordt van kaas?'

'Jazeker,' zei ik. We moesten het onze superieuren vertellen als we ziek waren; ook dat stond in de regel.

'En wat heeft ze toen gezegd?'

'Ze zei dat ik mezelf moest overwinnen en dat ik eraan gewend zou raken. En dat is ook gebeurd.'

'Maar hoe zit het dan met al die andere regels! We mogen nooit met z'n tweeën praten in spreektijd; we moeten wachten tot er een derde persoon bij is. Waar zijn ze in hemelsnaam bang voor – dat we allemaal lesbisch worden?' Ik wist niet meteen wat ik daarop moest zeggen. Ik had de gedachte nooit durven uiten, maar ik had me hetzelfde afgevraagd. 'We mogen op zondag niet naaien; we mogen geen water tussen de maaltijden drinken zonder toestemming te vragen; we mogen onze haren niet knippen zonder toestemming. Als we onze onderbroeken verstellen, moeten we moeder Walter het stopsel laten zien voordat we ze weer aantrekken. We worden behandeld als kinderen! En we moeten mensen gehoorzamen, zelfs als ze duidelijk een fout maken. Net als gisteren. Zuster Griselda zei me dat ik die rok moest naaien op een manier die duidelijk verkeerd was en toen ik dat tegen haar zei, kreeg ik een standje van moeder Albert. Ze zei dat zuster Griselda die morgen de leiding had over het naaien en daarom een lagere autoriteit was en gehoorzaamd moest worden. Maar zuster had het bij het verkeerde eind; de manier waarop ik het moest doen betekent dat het binnen een paar weken weer gaat rafelen. Het is allemaal zo stom.'

'Dat is het niet, zuster; het gaat erom dat we onszelf moeten aanleren niet vast te houden aan onze eigen ideeën.'

'Maar waarom heeft God ons hersenen gegeven als we ze niet mogen gebruiken?'

Op dat moment zag ik door de matglazen deuren de onmiskenbare gestalte van moeder Walter, die ons gesprek duidelijk had afgeluisterd.

Pas veel later begon ik iets te begrijpen van wat er op dat moment door moeder Walter was heengegaan. Een paar maanden eerder zou ze rechtstreeks naar de laarzenkamer zijn gegaan en zuster David ervan langs hebben gegeven. Ten eerste hadden we 'met z'n tweeën' gepraat en dus het gevaar gelopen van een bijzondere vriendschap, wat ze beschouwde als een groot kwaad. Als de genegenheid van een non helemaal uitging naar een andere zuster, hoe kon ze dan al haar liefde aan God geven? Maar nog erger was dat zuster Davids zienswijze in strijd was met haar idee van religieuze gehoorzaamheid. Natuurlijk werden novicen als kinderen behandeld. Christus had gezegd dat alleen de mens die zichzelf vernederde en als

188

een klein kind werd, het Koninkrijk der hemelen kon binnengaan. Hoe kon een novice ophouden haar kritische vermogen met al zijn ongepaste rationaliseringen te gebruiken als ze niet als een kind werd? Ze had het altijd als haar taak beschouwd die neiging om kritiek uit te oefenen te beteugelen. Natuurlijk waren vanuit een natuurlijk oogpunt beschouwd sommige dingen zinloos, maar wie had ooit gezegd dat het dienen van God iets had uit te staan met gezond verstand? Het kloosterleven was een soort geïnspireerde gekte. Sint-Ignatius had een goede kloosterling vergeleken met de stok van een oude man, die de gebruiker op elke plek en voor elk doel dient. Een non moest onverschillig worden voor zichzelf en haar eigen opvattingen, haar geest moest even levenloos worden als die stok zodat hij voor een hoger doel kon worden gebruikt.

Maar de dingen veranderden. In Rome discussieerde het Vaticaans Concilie over de rol van de kloosterling in de moderne wereld en naar ieders mening zouden de nonnen in de toekomst veel meer vrijheid krijgen. Kardinaal Suenens was in zijn boek *De non in de moderne wereld* heftig uitgevaren tegen de traditionele opleiding van novicen. Moeder Walter had altijd met diep wantrouwen over dit boek gesproken. Ze achtte het zo gevaarlijk dat wanneer ze ermee door het novicenhuis liep, ze het probeerde te verstoppen. Op een keer had ik het onder haar cape zien uitsteken, en daarbij had ze zo behoedzaam gekeken dat het leek alsof ze een bom droeg, alsof wij al door het zien van het boek ermee konden worden besmet.

Maar natuurlijk was het boek in zeker opzicht een bom – een bom die de leerstellingen die moeder Walter zo dierbaar waren, in duigen zou doen vallen. De kerk leek de opvattingen van de kardinaal te onderschrijven en misschien had men moeder Walter wel gesuggereerd haar opleidingsmethoden een klein beetje te verzachten – niet drastisch natuurlijk, niet zo dat het de basisprincipes van de orde aantastte – maar vooral wat de gehoorzaamheid betrof kon er misschien een *beetje* meer ruimte worden geboden aan het gezond verstand van de novice, om haar voor te bereiden op de vrijheid die misschien later zou komen.

Dit moet een moeilijke test voor moeder Walters eigen gehoorzaamheid zijn geweest. Natuurlijk zou ze haar superieuren gehoorzamen, wat haar ook zou worden bevolen, zelfs als de bevelen tegen haar diepste overtuigingen zouden ingaan. Ze mocht net zo min aan haar eigen opvattingen vasthouden als een novice. Maar het moet haar grote moeite hebben gekost in te zien hoe novicen die hun kritische vermogens gebruikten binnen Ignatius' idee van gehoorzaamheid konden blijven. Want was hij niet duidelijk in zijn standpunt dat gehoorzaamheid van de wil *en* van het oordeelsvermogen van beslissend belang waren? En had hij in zijn beroemde brief over de gehoorzaamheid die eens per maand hardop werd voorgelezen in de communiteit, niet het voorbeeld aangehaald van de novice die op bevel van zijn superieur jarenlang een droge staak water had gegeven, in het besef dat deze nooit tot bloei zou komen, zonder zich ooit af te vragen wat de waarde van de handeling was die hij zo gehoorzaam had uitgevoerd? Dat was een essentieel principe. Hoe kon zij haar superieuren gehoorzamen door novicen toe te staan na te denken en kritiek te uiten, en toch trouw blijven aan de geest van de regel?

Arme moeder Walter. Het concilie nam haar zoveel af dat ze koesterde: de Gregoriaanse zang van de liturgie, alle gebruiken van het kloosterleven waarvan zij het volmaakte zo niet fanatieke voorbeeld was. Uiteindelijk zou zelfs het religieuze habijt verdwijnen. Terwijl ze worstelde met de wil van de kerk, vertoonden haar gedrag en haar opleidingsmethoden grote schommelingen. Destijds zag ik niets van dat alles en leken haar methoden zo willekeurig en onverklaarbaar dat ze me tot een steeds diepere twijfel over mijn eigen geest dreven.

Ze kwam de laarzenkamer binnen en wij twee novices sprongen met een schuldige blik in onze ogen op. 'Jullie schijnen hier een stevige theologische discussie te hebben gevoerd,' zei ze droog. 'Hoe begon ze?'

Zuster David wees op de mededeling. 'Daarmee, moeder. Het spijt me, maar ik vind die laatste zin zo dwaas, en toen zei ik dat veel van de regels in het noviciaat niet zijn gebaseerd op gezond verstand.'

'Welke dan bijvoorbeeld niet?'

'Eh...' begon ze terwijl ze diep nadacht. 'Het gehoorzamen aan iemand, een andere novice bijvoorbeeld, als ze een lagere autoriteit is, zelfs als ze je opdraagt iets te doen waarvan je weet dat het stom is. Het is toch de bedoeling dat we ons verstand gebruiken?'

'Natuurlijk!' snauwde moeder Walter en ze wendde zich tot mij. 'Heb jij dan helemaal geen gezond verstand, zuster? Heb jij dan geen hersens? Ik denk dat ze waarschijnlijk zijn verschrompeld in de tijd dat je hier bent.' Een moment lang staarde ik haar sprakeloos aan voordat ik me herinnerde dat ik mijn ogen neer moest slaan. Wat gebeurde hier? Ik voelde me verbijsterd maar het kwam niet in me op haar te antwoorden of te zeggen: 'Moeder, u hebt *zelf* gezegd...' Zo langzamerhand was ik geconditioneerd alles te accepteren. Alles wat ik moest doen was gehoorzamen, niet zoeken naar rechtlijnigheid. Moeder verhief haar stem en schreeuwde me toe: 'Je moet altijd je gezonde verstand gebruiken, zuster! Versta je me? Altijd!'

Dus begon ik helemaal opnieuw. Voorzover ik al iets dacht, dacht ik waarschijnlijk dat dit weer een van de methoden van moeder Walter was om ervoor te zorgen dat ik mijn geest wantrouwde en om me duidelijk te maken hoezeer ik dat wantrouwen moest koesteren! Mijn geest was gevaarlijk; hij moest weg. Ik dacht dat ik de principes van de ignatiaanse gehoorzaamheid had begrepen. Maar moeder ging door met ons te waarschuwen ons gezonde verstand te gebruiken, gewoonlijk in de vorm van een strenge reprimande als een van ons de gehoorzaamheid beoefende zoals er het vorige jaar over was gepreekt. Ik voelde me steeds meer in verwarring gebracht. Wat was gehoorzaamheid? En wat werd er van me verwacht? Werd er *echt* van me verwacht dat ik nadacht en mijn gezonde verstand gebruikte? Zat ik er dan zo faliekant naast? Zo ja, dan bewees dat alleen maar hoe onbetrouwbaar mijn geest was. Hoe dan ook, hield ik mezelf voor, nadenken schijnt tegenwoordig aan de orde van de dag te zijn, en dus probeerde ik mijn geest te bevrijden van de letterlijke manier om alles te verklaren waarin ik hem had getraind. Dat viel niet mee; mijn geest was heel erg verstoft – zelf nadenken ging me niet langer gemakkelijk af en ook nam ik niet gemakkelijk het initiatief. Een paar weken eerder zou ik dat hebben gezien als een teken van overwinning, maar nu was het kennelijk een tekortkoming. Maar dat was maar één ding van wat ik leerde over deze zoektocht naar volmaaktheid! Je was er nooit klaar mee. Je kon nooit een deugd afstrepen en zeggen: 'Klaar!' en dan verder gaan naar de volgende op de agenda. Er bleef altijd iets te leren over, je moest altijd nog meer afstand van jezelf doen, net als het afpellen van de schillen van een ui. Ook mijn verbijstering van het moment was gewoon een teken van de geestelijke onvolwassenheid waar moeder Albert ons tijdens ons postulaat voor had gewaarschuwd. Na verloop van tijd zou ik het op de juiste wijze zien en het begrijpen. Wat nu inconsequent en paradoxaal leek moest zich harmonieus voegen in Gods grootse visioen.

Als moeder Walter haar nieuwe pleidooi voor gezond verstand niet had gevoerd, zou ik misschien niet die fout met de pantoffels hebben ge-

maakt. Op een dag stond er een mededeling op het bord: 'Een aantal geprofesten heeft geklaagd dat ze de novicen 's nachts tijdens de Grote Stilte de trappen op en neer horen klepperen. Daarom moet iedere novice
zodra ze na het gewetensonderzoek van kwart over negen het novicenhuis binnenkomt, haar pantoffels aantrekken en ze pas vlak voor de meditatie van de volgende morgen weer uittrekken.'

De volgende dag vroeg moeder Walter tijdens de stichtelijke voorlezing: 'Hoeveel novicen zijn gisteravond met hun pantoffels aan naar bed
gegaan?'

Niemand stond op. Er heerste een verlegen stilte.

'Waarom niet? De mededeling was toch duidelijk?' schreeuwde moeder Walter opeens woedend, alsof er eindelijk iets tot uitbarsting kwam
dat al heel lang was opgekropt.'Jullie maken allemaal veel te veel gebruik
van je kritische vermogen. Jullie denken allemaal dat het belangrijk is je
gezonde verstand te gebruiken. Gehoorzaamheid, zusters, is letterlijk en
totaal! Van de geest *en* van het oordeelsvermogen. Het heeft niets te maken met wereldse wijsheid of "verstandig" gedrag.'

Onvrijwillig wisselden zuster David en ik verbijsterde blikken uit.
Waar lag de waarheid? De slinger zwaaide als een gek heen en weer.

Dan begreep ik het allemaal. Moeder Walter gaf het teken dat de
stichtelijke voorlezing kon beginnen en ik zette me aan mijn naaiwerk.
Wat ik moest doen was helemaal ophouden met denken. Het was werelds te zoeken naar een beweegreden voor mijn gedrag. Sint-Ignatius
had gezegd dat gehoorzaamheid 'blind' moest zijn. Juist. Nu had ik het
door. Ik was blind omdat ik het achterliggende principe niet kon begrijpen. En dat werd ook van me verwacht.

Op een dag die ik me vooral herinner, was ik aan het naaien in de kleine
naaikamer. Ik was omringd met balen kussentijk. De kamer was gevuld
met witte veertjes die zachtjes neerdwarrelden. Af en toe moest ik niezen omdat ze mijn neus irriteerden. Ik stond over een tafel gebogen en
knipte zorgvuldig nog een nieuwe serie kussens uit – aan het eind van
de week moesten er vijftig kussens klaar zijn.

De deur ging open en ik snakte ernaar me om te draaien om te zien
wie er was binnengekomen, maar dat was niet toegestaan – dat was on-
gedisciplineerd. Moeder Walter stond in de deuropening en sloeg me
peinzend een tijdje gade; vervolgens knikte ze tegen zichzelf alsof ze had

besloten in actie te komen en liep de kamer in. Ze droeg een lap witte stof en een schaar.

'O!' zei ze met een ongeduldige en geïrriteerde klank in haar stem. 'Jij bent hier!'

Ik sprong schuldbewust overeind, hoewel moeilijk te zeggen viel waarom. 'Het spijt me, moeder,' zei ik verontschuldigend.

'Ik had de tafel willen gebruiken,' zei ze, duidelijk geïrriteerd. 'Maar *jou*,' – sarcastisch – 'kan ik natuurlijk onmogelijk storen, nietwaar? Niet wanneer je zulk nuttig werk aan het doen bent!'

'Ik kan gemakkelijk ergens anders heengaan.'

'O nee,' antwoordde moeder treurig, 'ik zou er niet over piekeren jou te storen, zuster. Nee,' vervolgde ze met een gepijnigde zucht, 'ik zal het gewoon met de vloer moeten doen.'

Ondanks mijn duidelijke verwarring, liet ze haar grote lichaam op de vloer zakken, spreidde haar stof uit, en begon hem met veel gezucht en gekreun uit te knippen.

'Moeder! Alstublieft!' smeekte ik. 'Neemt u alstublieft de tafel!'

'Nee.' Ze kroop over de stof, met een pijnlijk vertrokken gezicht door het ongemak. Luchtig zei ze: 'Laat je alsjeblieft niet storen door mij.'

We vervolgden ons werk in een ongemakkelijke stilte. Aanvankelijk sprong ik op bij elke zucht die van de vloer klonk, maar naarmate de minuten wegtikten, maakte mijn schuldgevoel steeds meer plaats voor onderdrukte woede. Toen ik me opnieuw over de tijk boog, waren mijn lippen opeengeperst in een harde lijn. Moeder keek naar me op en bleef me een tijdje gadeslaan terwijl ze intussen de situatie opnam. Dan stond ze moeizaam op, liep naar de tafel en begon de kleine stapel kussens die af waren te inspecteren.

'Dit is schandelijk werk, zuster!' bulderde ze, de kamer vullend met haar woede. Er moest een veertje in haar neus terecht zijn gekomen, want ze begon hevig te niezen waardoor haar woede en waardigheid tijdelijk het veld ruimden. Toen de niesbui over was, ging ze verder. 'Kijk eens naar deze zoom! En deze! Ik heb je dit werk laten doen omdat het zo eenvoudig is. Ik dacht dat zelfs jij met je beperkte intelligentie er geen knoeiboel van kon maken. Maar kijk eens wat er gebeurt. Welk nut denk je binnen de orde eigenlijk te hebben, zuster, als je zelfs dit soort werk niet met redelijk succes kunt aanpakken? Je bent onbruikbaar! Een hopeloze, nutteloze persoon, zuster!'

Er leek iets in me te knappen. Ik gooide mijn schaar neer waarbij ik de novicenmeesteres op een haar na miste, vloog de kamer uit, smeet de deur dicht en begon de trap op te rennen met moeder vlak achter me aan. Het was een en al wapperende sluiers, rinkelende rozenkransen en wild heen en weer zwaaiende cruxifixen. Ten slotte haalde ze me in, greep me bij mijn schouders, schudde me heftig heen en weer, en schreeuwde in mijn gezicht: 'Hoe durf je! Hoe durf je! Ga onmiddellijk naar de zolder, haal je koffer naar beneden en ga er voor de rest van de dag op zitten. Waarom ik je dat vraag? Omdat we je naar huis kunnen sturen, zuster, op elk moment. Hoor je me, zuster? Op elk moment!'

De boosheid was allang weer over. De waarschuwing dat ik naar huis gestuurd kon worden had me behoorlijk ontnuchterd. Ik wist dat het een reële mogelijkheid was. Nog maar een paar weken geleden was Joan uit onze gelederen verdwenen omdat de Provinciale Raad tot de conclusie was gekomen dat haar roeping niet sterk genoeg was. En Joan had nog nooit zoiets als dit gedaan. De deur dichtsmijten midden in een reprimande van mijn superieure, de schaar naar haar toe gooien! Ik zuchtte verdrietig en keek rond op de vreugdeloze zolder met zijn stoffige stapels koffers. Ik werd overmand door afkeer van mezelf.

Welk recht had ik om boos te zijn? Ik, wier noviciaat ten einde liep. Ik die zo langzamerhand werd geacht als dat dode lichaam te zijn dat zichzelf 'op welke manier ook laat behandelen'. Net toen ik dacht dat ik bezig was de strijd te winnen, gebeurde er iets als dit om me te laten zien dat ik helemaal geen vooruitgang had geboekt.

In mijn hoofd weerklonk een halfvergeten regel van Shakespeare. 'Wacht me nog meer inspanning?' En ik wist het antwoord. Ik zou deze strijd met mezelf voeren tot op de dag van mijn dood. Wilde ik doorgaan? Daar hoefde ik niet erg lang over na te denken. Ja, natuurlijk wilde ik dat, als de escapade van vandaag me niet aan het pakken zette. Het zelfmedelijden dat ik had gevoeld, was slechts een teken te meer van mijn eigenliefde. Als ik wegging, zou het enige wat ik had dat ik van mij zijn. Als ik bleef en mijn strijd won, zou ik God hebben. Kon daar echt nog twijfel over bestaan? Hij had me uitgedaagd en ik moest doorgaan totdat er geen ik meer over was – alleen God.

8

Begrafenis
1963-1965

Ik lag geknield in de kerk voor mijn ochtendmeditatie. Het was tien over zes. De morgengebeden waren voltooid; we hadden in stilte in de kerk gestaan om te getuigen van de tegenwoordigheid van God en ons in eerbied diep voor Hem gebogen. Vervolgens gingen we zitten om te beginnen en de stilte in de kerk verdiepte zich op het gieren van de novemberwind na die de glas-in-loodramen deed rinkelen. De kerk was gehuld in een gedempt licht en ik gluurde, geflankeerd door de andere novicen achter in de kerk, naar de aantekeningen die ik de vorige avond had gemaakt en opende mijn Nieuwe Testament bij het Evangelie volgens Johannes:

'Als de graankorrel niet in de aarde valt en sterft, blijft hij alleen: maar als hij sterft, brengt hij veel vrucht voort.'

Gisteravond had die tekst zo inspirerend geleken, maar nu, zoals zo vaak gebeurde, kon ik me er helemaal niet op concentreren. Ik was zo moe. Elke avond om tien uur, wanneer de bel drie keer luidde om ons te vertellen dat we het licht moesten uitdoen – één keer voor ieder lid van de Heilige Drie-eenheid – viel ik in een diepe slaap, en het wekken was een schokkende ervaring. Het leek wel alsof ik nooit genoeg slaap kreeg. En gisteravond was ik weer misselijk geweest na twee porties bloemkool met kaas te hebben gegeten. Ik voelde me afschuwelijk, lichtelijk draaierig en hol van binnen.

Opeens werd ik me ervan bewust dat het licht in de kerk was veranderd. Het leek harder en... er leek iets te flikkeren, eerst langzaam maar geleidelijk in een steeds sneller tempo. Ik keek rond. Niemand anders scheen het te hebben opgemerkt. Zuster Jocasta, die naast me zat, sloeg kalm een bladzijde in haar boek om. Ik verborg mijn hoofd in mijn handen om te proberen het licht wat te temperen. Dan rook ik opeens een verschrikkelijk geur – zwavelachtig en verstikkend – die me naar adem deed snakken. Wat gebeurde er?

Ik beefde over mijn hele lichaam, merkte ik vaag op, en om mijn evenwicht te bewaren hield ik me met wit wordende knokkels vast aan de bank voor me.

Dan sloeg het toe. Alles rondom me begon te golven en ik verloor elk besef van wat of waar ik was. Ik keek naar het altaar, het crucifix, de flikkerende rode godslamp in het priesterkoor – ze werden intenser en roder om vervolgens plotseling snel heen en weer te gaan bewegen en hun identiteit te verliezen. Ik had ze zo nog nooit eerder gezien. Lichten flitsten. Het zweet liep over mijn rug. Ik beefde van angst, mijn hersenen bonsden waanzinnig en ik vocht om lucht te krijgen in de steeds sterker wordende stank. En dan duisternis, gezegende duisternis en een lange, stille val in een bodemloze put.

Gedempt, heel ver weg, kon ik stemmen horen. Ze waren zwak maar duidelijk, alsof ze weergalmden in een lange zilverachtige tunnel. Ik kon me niet bewegen, ik kon niet spreken. Ik hoorde alleen de woorden door mijn hoofd gaan zonder er veel wijs uit te kunnen worden. Ik kende de stemmen. Van wie waren ze? Verlamd lag ik daar, gehuld in de roetzwarte duisternis.

'Is ze al bijgekomen?'

'Nee, maar ze is niet meer zo stijf. Wat denkt u dat het was? Het duurt te lang voor een gewone flauwte.'

'Zeker, beste moeder Albert, dat is volkomen duidelijk. Hysterie. Dat is het. Probeer haar eens in haar gezicht te slaan.' Ik voelde dat iets me hard sloeg en probeerde te reageren. Maar ik kon het niet. Zonder angst en zonder iets te voelen lag ik daar en luisterde. Moeder Albert was de volgende die sprak.

'Ze heeft een hoogrode kleur, vindt u niet? En ze ademt vreemd. Denkt u dat we er een dokter bij moeten halen?'

'Als ze niet gauw bijkomt, misschien, maar anders niet. Dit zijn pure zenuwen en aandachttrekkerij. U hebt zelf gezegd hoe nerveus en emotioneel ze is. Ze moet gewoon leren het onder controle te houden. Ze heeft geen echte wilskracht, alleen verwarde onbeheerste emoties.'

Nu herkende ik die stem. Het was de stem van moeder Walter. Opeens leek ik terug te vallen in mijn lichaam. Voorzichtig opende ik mijn ogen. Dwars over mijn ogen voelde ik de druk van een strakke band van pijn die me ineen deed krimpen. Ik staarde naar iets glimmends en roods. Waar was ik? Ik lag op de grond. Het was koud. Zo koud. Mijn tong voelde gekneusd en gezwollen aan alsof ik er hard op had gebeten en terwijl de wereld helderder werd, merkte ik dat ik was vervuld van een gevoel van eenzaamheid dat te sterk was voor tranen. Ongemakkelijk verschoof ik me enigszins in een poging een positie te vinden waarin mijn hoofd geen pijn meer zou doen.

'Ze komt bij.' Wie zei dat? Het klonk als moeder Albert. Handen grepen me vast en duwden me ruw in een zittende stand. Geleidelijk ontwaarden mijn ogen het gezicht van moeder Walter. Het zag rood van woede en trilde van verachting.

'Hoe durf je, zuster! Hoe kon je zo'n vertoning van jezelf maken?' Ik keek verbijsterd naar haar op. Waar had ze het over? Wat was er gebeurd? 'Als je voelt dat je gaat flauwvallen,' zei moeder terwijl ze de woorden bijna in mijn gezicht spuwde, 'dan is het heel simpel. Dan ga je zitten en leg je je hoofd tussen je knieën. En als je je dan niet beter voelt, ga je zo onopvallend mogelijk de kerk uit om wat frisse lucht te krijgen. Je verstoort niet het gebed van je zusters door op de grond te vallen in die walgelijke vertoning van hysterie.'

Ik begreep erg weinig van wat ze tegen me zei.

'Flauwvallen? Ben ik flauwgevallen, moeder?' De woorden leken van heel ver weg te komen.

'Dat ben je inderdaad,' snauwde moeder. 'Kloosterlingen vallen niet flauw, zuster. Dat is puur toegeven aan jezelf.'

Ik keek van moeder Walter naar moeder Albert, stomverbaasd over de kracht van hun afkeuring. Langzaam begon alles weer terug te komen – de schrik, de stank, het identiteitsverlies. Zelfbeheersing? Wat was er met mijn lichaam gebeurd? Ik wist dat ik niet in staat was geweest om wat er met me was gebeurd in de hand te houden. Ik verschoof mijn gezwollen tong ongemakkelijk in mijn mond en voelde het bonzen in mijn hoofd. Wat als er iets verschrikkelijk mis met me was?

'Ik... ik... kon er niets aan doen, moeder,' zei ik. Ik wist dat ik mezelf aan het rechtvaardigen was maar ik vond dat ik moest proberen haar te vertellen wat er was gebeurd. 'Ik raakte helemaal overstuur en werd bang en... het was net of er iets macht over me kreeg.'

'Precies,' zei moeder Walter boos, 'en ik zal je vertellen wat er macht over je kreeg. Je gevoelens, je naakte, onbeheerste emoties.'

Ik voelde de tranen opwellen. Het gevoel van eenzaamheid vermengde zich nu met het vreselijke gevoel te hebben gefaald. Ik voelde me volkomen hulpeloos.

'Zie je wel,' zei moeder Walter, op mijn tranen doelend. 'Kijk eens naar jezelf! Huilen wanneer je superieure je terechtwijst. Je bent hier om je gebreken te leren kennen, zuster, en hoe zou je ze kunnen leren kennen als ik het je niet vertel? En dan geef jij je tot overmaat van ramp over aan zelfmedelijden. Ik ben diep teleurgesteld in je. Ik denk,' vervolgde ze na een pauze om haar woorden te laten bezinken, 'dat je beter naar bed kunt gaan, zuster, totdat je in een betere gemoedstoestand bent.'

Ik strompelde de trap naar de slaapzaal op. Wat voelde ik me ziek. Stel dat ik lichamelijk ziek was en er werd niets aan gedaan? Maar nee, zei ik tegen mezelf. Natuurlijk had moeder gelijk. Ik was een emotioneel wrak. Ik was overgevoelig; dat bleek wel uit de manier waarop ik nu aan het huilen was, met tranen die maar bleven komen. Maar wat was het beangstigend te beseffen dat mijn emoties zo sterk waren dat ze dit konden veroorzaken. Ik wreef met mijn hand over mijn bonzende hoofd. Had moeder gelijk – was er iets mis met me? Ik schudde mijn hoofd. Ook als moeder geen gelijk had, was het mijn taak als een gehoorzame kloosterlinge haar conclusie blind te accepteren, omdat God dat wilde. Maar hoe kon ik deze gevoelens in bedwang houden, met hun plotselinge, heftige effecten?

Moeder Albert duwde de gordijnen van de cel opzij en keek naar het bed.

Ik leunde tegen het hoofdeinde van mijn harde ijzeren bed en staarde recht voor me uit. Mijn ogen waren opgezwollen en rood en ik wist dat ze een schrikwekkende mengeling van angst en wanhoop uitdrukten. Mijn gezicht was zijn hoogrode kleur kwijt en was nu vaalgrijs. Ik had mijn cape, mijn sluier en mijn kap afgedaan, en mijn kortgeschoren haar stond als een tandenborstel aan alle kanten recht op mijn hoofd.

Toen moeder Albert de cel binnenkwam, schoot ik omhoog en keerde me naar haar toe met een uitdrukking op mijn gezicht die om hulp schreeuwde. 'Moeder, het spijt me zo, ik weet dat ik het niet had moeten doen. Ik weet niet...'

Zonder een woord te zeggen liep ze om het bed heen. Dan sloeg ze zwijgend maar krachtig haar armen om mijn trillende lichaam en drukte mijn geschoren hoofd tegen haar borst. Ze voelde een lichte verstijving van verbazing, en dan drukte ik me met een wanhopige schreeuw tegen haar aan.

'Je voelt te veel, zuster,' zei moeder Albert vriendelijk. 'Dat moet je niet doen. Gevoelens tellen niet, weet je, gevoelens tellen niet.'

'Maar moeder,' zei ik wanhopig, 'dat weet ik wel, maar hoe kan ik ophouden dingen te voelen? Ik probeer het en bid er aldoor om.' Daarover had ik die morgen moeten mediteren, herinnerde ik me plotseling.

'Dat kun je best, zuster,' vervolgde moeder Albert. 'Ik weet dat je het kunt. Je bent veel sterker dan je denkt. Het is een geesteshouding. Zeg tegen jezelf dat deze gevoelens niet belangrijk zijn. Het doet er niet toe of je voelt dat je God liefhebt of niet. Gevoelens van liefde hebben geen enkel nut. Waar het wel op aankomt is de wil – dat je je weerloos in geloof overgeeft aan Gods wil.'

Ik knikte. Ik voelde me opeens zo veilig, zo rustig. Ik rook de muffe vochtige serge van het habijt van moeder Albert. De intimiteit met een ander menselijk wezen na al deze jaren van stilte en afstandelijkheid.

'Maar hoe kan ik ophouden me eenzaam te voelen?' Het was warm in de cel, maar zodra ik mijn habijt weer zou hebben aangetrokken... Ik dacht terug aan de maanden sinds ik hier als nieuwe postulante was aangekomen. Ik zag levendig de minzame gezichten van de geprofesten voor me wanneer ik deuren voor hen opende, hoe ze uitdrukkingsloos naar me bogen en hoe hun ogen dwars door me heen keken zodat ik me onzichtbaar voelde. Wanneer ik in de refter thee moest schenken, hielden ze hun kopjes omhoog en staarden me koud aan, zonder me ooit met een glimlach te bedanken. Ik dacht aan de ijskoude sfeer van het kapittel van zonden. Aan de noviciaatsrecreatie waar geen van ons contact had met een ander omdat we onze gedachten en gevoelens niet echt met elkaar mochten delen. De voortdurende stilte die me op mezelf terugwierp. Het verbod op vriendschap. Nooit met z'n tweeën praten, omdat vriendschap gevaarlijk was. De belachelijke zinnen uit de regel: de zusters mogen elkaar niet aanraken, zelfs niet op speelse wijze. Hoe vreemd klonk dat nu ik hier zat en het hart van moeder Albert regelmatig hoorde kloppen, haar zilveren professiekruis tegen mijn wang gedrukt. Ik wist dat dit alleen maar een concessie was aan mijn zwakheid en dat het nooit meer zou worden herhaald. Dat ze het alleen maar deed omdat ik had gefaald.

'Hoe kan ik ophouden te willen dat mensen van me houden?' vroeg ik met zachte, gesmoorde stem.

'Probeer er meer vrede mee te hebben,' zei moeder Albert rustig. 'Je kunt niet plotseling ophouden je eenzaam te voelen, maar je kunt het positief aanvaarden in plaats van er voortdurend tegen te vechten. We moeten eenzaamheid op menselijk niveau aanvaarden. Al onze liefde is voor God. Herinner je je de regel? Hoe we ons moeten "ontdoen van alle liefde voor het geschapene zodat we al onze liefde op de Schepper kunnen richten".'

'Ja,' zei ik, 'dat wil ik echt, moeder. Ik bid de hele tijd dat God mijn gevoelens wegneemt. Dat ik nooit meer van iemand zal houden. Maar wat kun je er aan doen dat je van sommige mensen meer houdt dan van anderen? Volgens de regel moeten we van iedereen evenveel houden – maar *hoe*.'

'Je kunt er niets aan doen dat je sommige mensen in de communiteit aardiger vindt dan anderen,' zei moeder Albert. Ik zuchtte van opluchting. Er waren novicen die ik aardig vond en graag als vriendin zou hebben gehad: zuster Rebecca, zuster Jocasta, zuster Griselda. En nu hield ik, beverig van dankbaarheid, van moeder Albert. Ik had haar altijd aardiger gevonden dan moeder Walter. Ze leek me op een of andere manier betrouwbaarder. Ik voelde me veilig bij haar.

'Hoe kan ik me dan ontdoen van die liefde?'

'Door er helemaal niet aan toe te geven. Nooit. Je kent toch de regel,' – ik hoorde moeder Albert zuchten van... ja, wat was het, wat kon het zijn... ongeduld? – 'die zegt dat je op zaterdagmiddagen en op feestdagen niet mag spreken met een andere novice als er geen derde bij is? Gebruik dat zo positief als je kunt, als een beveiliging tegen het zo laten groeien van één vriendschap dat het andere mensen uitsluit en je liefde voor God wegneemt. Weet je,' zei ze, 'er zijn een paar mensen in de orde die ik heel erg graag mag. Ken je moeder Cyprian?'

Ik knikte verbaasd. Ik had nooit gedacht dat moeder Albert ten prooi kon vallen aan haar gevoelens. Ze leek zo afstandelijk. Ik had moeder Cyprian een paar keer uit de verte gezien toen ze een bezoek bracht aan Tripton.

'Als ze hier komt gaan we nooit samen wandelen of proberen een "speciaal" gesprek te hebben in spreektijd. We hebben elkaar daar nog nooit iets over gezegd. Het gaat erom dat we weten dat we goede vriendinnen zouden kunnen worden en we weten allebei dat dat iets is dat we moeten opofferen. Begrijp je?'

'Ja,' zei ik. Het leven strekte zich voor me uit als een lange, eenzame weg. Deze ogenblikken met moeder Albert waren des te schrijnender, omdat ik ze zag als een onherhaalbare oase in een eenzame woestijn.

'Tenslotte,' zei Moeder, 'kan geen enkel mens ons ooit geheel vervullen. Alleen God kan dat. En hoe leger je hart is van elke andere liefde, des te meer kan Hij het vervullen van deze liefde. En uiteindelijk is het dat waard. Maar je moet bereid zijn eerst te lijden. Ben je daar bereid toe?'

Ik dacht diep na. Het was weer het oude liedje. Ik voelde dat ik niet kon dragen wat er voor me lag, maar dat was slechts een van mijn beperkingen. Zodra ik me daar doorheen had geworsteld, zou ik de volmaakte en oneindige liefde voor God vinden. Natuurlijk was het dat waard.

'Ja, moeder,' zei ik, 'maar denkt u werkelijk dat ik het kan?'

'Ik weet zeker dat je het kunt. Heel zeker. Je moet alleen standvastig blijven. Laten al deze turbulente gevoelens je zielsrust niet verstoren, zuster. Dat zijn ze niet waard. Kijk maar naar wat er vanmorgen is gebeurd.'

Ik dacht opnieuw aan wat er was gebeurd, het beangstigende controleverlies, de bonkende pijn in mijn hoofd, de stuiptrekkingen en de genadige val in de vergetelheid.

'Ik kon er niets aan doen, moeder, ik voelde me zo ziek.' Ze hield me een stukje van zich af en bekeek bezorgd mijn gezicht. Ik probeerde mijn symptomen te beschrijven, maar plotseling, alsof ze zich een eerdere beslissing herinnerde, haar eigen gehoorzaamheid aan moeder Walter waarschijnlijk, snoerde ze me de mond.

'Het was allemaal hysterie, zuster. Je kunt er wel wat aan doen, dat weet je best. Ik vertrouw erop dat je het kunt.' Maar het werd vriendelijk gezegd.

Er viel een stilte. De laatste paar seconden van menselijke warmte.

'Nu,' zei ze streng en ik begreep wat ze bedoelde. Nu moest ik het gevecht met mijn gevoelens hervatten. En het gevecht met mijn lichaam, met zijn heftige afwijzing van de tucht van het klooster door over te geven, door vermoeid te zijn, door te stuiptrekken en door flauw te vallen.

'God zegene je, zuster.' Ze maakte het kruisteken op mijn voorhoofd en weg was ze.

Een paar maanden later ging ik met kloppend hart het ongebruikte slaapzaaltje in de toren van het novicenhuis binnen en deed de deur op slot. Het was iets heel vreemds wat ik ging doen. 'Lichamelijke kastijding,' had moeder Walter gezegd, 'is nuttig. Je hebt geleerd hoe je je lichaam moet onderwerpen door het te dwingen Gods wil te doen als je eet wat je niet lust, onmiddellijk opstaat wanneer je wordt gewekt en de normale lichamelijke ontberingen van het leven verdraagt. Maar nu ben je klaar voor het volgende stadium.'

Ik haalde het etui te voorschijn en keek ernaar. Ik was geschokt geweest toen moeder Walter het me gaf. Ik had de nonnen altijd zo beheerst in hun vroomheid gevonden. Ik had hier nooit de excessen verwacht die ik in verband bracht met het bezetener christelijke geloofsleven van de middeleeuwen. Bij kerkgeschiedenis had ik gelezen over de oude Ierse monniken uit de zevende eeuw die gewoon waren de hele nacht naakt in de ijskoude zee te staan en over de vaders in de woestijn die zichzelf tot bloedens toe geselden. Maar...

Ik trok het geselwerktuig uit het zakje: een kleine zweep van geknoopte koorden. Die vaders in de woestijn leken in hun fanatisme blijk te hebben gegeven van slechte smaak. Maar nu, in het hart van het beschaafde Tripton midden in de twintigste eeuw, werd me gevraagd hen zo mogelijk te evenaren.

Ik knielde neer om te bidden zoals moeder Walter had aanbevolen. Ik herinnerde me de woorden van Sint-Paulus: 'Ik beuk mijn lichaam en houd het in bedwang.' Misschien zou dit echt helpen dit weerspannige lichaam van mij te onderwerpen. Ik had nog twee van die beangstigende toevallen gehad en was er steeds banger voor geworden, niet alleen vanwege het angstaanjagende van de ervaring zelf maar meer om wat ze me over mezelf lieten zien. Wat ik moest doen was mijn lichaam tot slaaf van mijn wil maken. Hoe zou ik anders God kunnen liefhebben? Help me, bad ik nederig. Natuurlijk waren voor een rebels lichaam als het mijne, dat niet meer was dan het voertuig van mijn emoties, gewelddadige maatregelen van wezenlijk belang. Niets anders scheen te werken. Hoe ik het ook probeerde, ik kon deze aanvallen niet tegenhouden.

Ik deed snel mijn sluier en kap af en legde ze zorgvuldig op een van de bedden. Vervolgens pakte ik de gesel en begon mezelf achter op mijn hals te slaan. *Harder, harder*, mompelde ik tegen mezelf met opeengeklemde tanden. De koorden beten zich in mijn vlees, brandend en stekend. Ik voelde het zweet op mijn voorhoofd staan en trilde over mijn hele lichaam. *Het moet echt pijn doen. Echt pijn doen*, dacht ik, *anders werkt het niet; wat zou het dan voor nut hebben?* Tranen vulden mijn ogen, tranen van pijn. *Het moet werken*, dacht ik, *alsjeblieft, alsjeblieft, laat het werken!* Het was niet alleen mijn lichaam dat ik pijn wilde doen, ik wilde mezelf pijn doen. Naarmate ik doorging, voelde ik de pijn niet langer. Alleen een duister en woest gevoel van opwinding dat gestaag toenam en alles uitwiste behalve zichzelf. En dan was er een enorm gevoel van bevrijding. Ik knielde neer, leunde tegen het bed en verborg mijn gezicht in mijn handen. Ik trilde over mijn hele lichaam en mijn adem kwam met horten en stoten. Beverig probeerde ik het kruisteken te maken, maar die daad leek te inspannend en te positief voor de dromerige lethargie waarin ik was verzonken. Uitgeput en op een vreemde manier bevredigd wachtte ik tot mijn hart weer tot bedaren was gekomen en het kloppende gevoel diep binnen in me was opgehouden.

Terwijl mijn verdoofde nek pijnlijk stekend weer tot leven begon te komen, keek ik op naar het crucifix aan de muur, in de war over het gevoel van opwinding dat bezit van me had genomen. Waar was het vandaan gekomen? In plaats van mijn lichaam tot onderwerping te slaan leek de geseling het tot nieuw leven te hebben gewekt en iets in me te hebben geraakt dat me vrees inboezemde, opgewonden maakte en alarmeerde. Mijn geest was het zwijgen opgelegd, maar mijn lichaam kende een intensiteit die ik me eerder niet had kunnen voorstellen.

Langzaam stond ik op en deed mijn sluier en kap op. Ik huiverde toen het stijve linnen tegen het pijnlijke vlees schuurde. Vervolgens ging ik op het bed zitten om na te denken. Een last of druk waarvan ik me innerlijk niet bewust was geweest, was van me afgevallen. Ik voelde me helemaal veranderd. Schoon en uitgehold. Diep opgelucht ook. En wat voor soort bevrediging had de penitentie me gegeven? Een penitentie werd niet geacht bevredigend en opwindend te zijn. Zij was bedoeld om te doden, niet om te prikkelen. Misschien was er een destructieve kracht uit me geslagen. Voor een tijdje. En dan zou de duivel in me opnieuw groeien en zou ik hier naar deze kamer moeten terugkomen om hem er opnieuw uit te slaan.

Ik keek opnieuw naar het crucifix aan de muur. De zilveren figuur glinsterde in het zonlicht. 'Wat heeft dit voor zin?' vroeg ik aan God. Gewoonlijk was een penitentie een heel ernstige zaak en op Christus gericht. Wanneer we in de refter als penitentie voor zonden tegen de naastenliefde of de nederigheid de grond kusten, baden we: 'O God, wees mij zondaar genadig.' Wanneer ik, kruipend onder de tafels, de voeten van de communiteit in de refter kuste en mijn mond op de zwarte schoenen aan de eeltige voeten van de geprofesten drukte, doordrong de treurige, prozaïsche nederigheid van mijn positie mij van een besef van mijn eigen onbeduidendheid in het goddelijke schema der dingen. Maar deze penitentie had God geheel uitgewist, had alles uitgewist behalve dat vreemde overstelpende gevoel. Dat eigenaardige genotsgevoel.

Ik had het waarschijnlijk niet goed gedaan. Er moest iets mis zijn gegaan. Ik voelde me plotseling dor en leeg. De bevrediging had plaatsgemaakt voor een knagende rusteloosheid en een vreemde hunkering. Een hunkering naar wat?

Dit, dacht ik, *is iets dat ik niet begrijp.* Ik wilde het ook niet begrijpen; het duidde op te veel fundamentele problemen.

Maar ik wist dat ik moest proberen ze onder ogen te zien. Ik moest met alles wat me zo in verwarring bracht naar mijn superieure gaan.

'Kom binnen!'

Moeder Walter zat aan haar bureau en vertoonde haar ingetogen, ascetische glimlach. Ik ging de kamer binnen en knielde neer aan haar voeten. 'Ja, zuster.'

'Moeder,' zei ik dringend, 'alstublieft, ik wil met u praten... u iets vragen over de geseling.' Ik hoorde hoe gejaagd de woorden uit mijn mond kwamen.

Moeder glimlachte opnieuw en gebaarde naar de stoel. Het was een klein, hard stoeltje van het soort dat wordt gebruikt op de kleuterschool. Ik voelde me altijd als een klein kind wanneer ik erop zat, zo dicht bij de grond. En vandaag leek dat om een of andere reden geruststellend.

'Je klinkt bezorgd, zuster.'

'Ja, moeder. Wat voor uitwerking moet de geseling op je hebben?' Ze keek me stomverbaasd aan.

'Ik dacht dat ik dat allemaal al had uitgelegd, zuster.'

'Ja, ik weet wat de uitwerking ervan moet zijn. De bedoeling ervan is het lichaam tot onderwerping te slaan. Maar...' Ik brak plotseling af omdat ik me verward en gegeneerd voelde. De kalme, lichte ogen van moeder Walter bekeken me nieuwsgierig. Zou zij ooit zoiets gevoeld hebben als ik net had ervaren?

'Ga door, zuster.'

'Ik had het gevoel dat zij op een bepaalde manier mijn lichaam tot leven wekte,' zei ik langzaam, haar blik ontwijkend. 'Het leek of ik God helemaal was vergeten, of ik alles was vergeten... Ik vond het... opwindend.' Ik hield op en keek naar mijn handen.

Er viel een stilte. 'Zuster!' Ik keek op. Een donkere blos had zich over het gezicht van moeder Walter verspreid, en rond haar mond lag een misprijzende uitdrukking die ze, zo zag ik, vlug probeerde te onderdrukken. 'Ik ben blij dat je bij me bent gekomen om hierover te praten. Dit is een probleem dat sommige nonnen hebben − sommigen meer dan anderen,' zei ze ontwijkend. 'Maar onderschat de geseling niet; zij kan je helpen. Weet je...' vervolgde ze onhandig − *Waarom kan ze het niet voor eens en altijd uit haar mond krijgen,* dacht ik ongeduldig, *in plaats van er steeds maar weer omheen te draaien?* Dan hield ik mezelf vlug in − '...je hebt sterke hartstochten, zuster. Dat hebben we al eerder gezien. Je bent erg emotioneel − denk aan al dat afschuwelijke flauwvallen. Je hebt de neiging te sterk op dingen te reageren. Dat maakt allemaal deel uit van je ongedisciplineerde lichaam en geest en moet met kracht worden onderdrukt.'

Ik begreep het. 'Maar hoe kan ik al die dingen leren beheersen?' smeekte ik. Het flauwvallen, de vlagen van gevoel en die woeste opwinding van daarnet − het kwam allemaal ongevraagd op. Ik zocht het nooit uit.

'Lichamelijke kastijding helpt,' antwoordde moeder streng. 'Deze hartstocht − opwinding was geloof ik het woord dat je gebruikte − is iets dat je moet opgeven en uit je gestel moet bannen. Je zult er je hele leven hard tegen moeten vechten. Omdat je een gelofte van kuisheid gaat afleggen.'

'Betekent dat dat ik voor die gelofte niet geschikt ben,' vroeg ik verontrust, 'vanwege mijn hartstochten?' Ik wilde dieper op die hartstochten ingaan. Maar dat wilde moeder Walter niet, merkte ik.

'Nee, helemaal niet. Het betekent alleen maar dat je hard moet werken om deze lichamelijke... instincten te onderdrukken. De regel zegt dat we moeten leven als engelen. Engelen hebben zoals je weet geen hartstochten; ze zijn pure geest, puur intellect en pure wil, en geheel op God gericht. Je moet jezelf veranderen in een engel, zuster. Geen cherubijn op een kerstkaart, maar een geestelijk en niet een lichamelijk persoon.'

'Maar als de geseling deze hartstochten oproept, moeder, zal dat me dan juist niet minder geestelijk maken?'

'Nee, niet als je volhoudt. Sla jezelf nog harder. Maak het onaangenaam en pijnlijk. Weet je, ik geloof dat psychiaters tegenwoordig vaak gebruik maken van iets dat "aversietherapie" wordt genoemd. Als iemand bijvoorbeeld alcoholist is, geven ze hem een medicijn met alcohol waarvan hij ziek wordt.'

'Zodat hij de pijn in verband brengt met zijn verslaving?' vroeg ik nadenkend. 'Dus als ik mezelf harder sla, zal dat de geseling effectiever maken.'

Moeder knikte. 'Zo is het. En niet alleen de geseling. Vasten helpt ook. Van nu af aan zul je eens per maand moeten vasten, zodat de eetlust beperkt blijft. En al onze regels van religieuze zedigheid, vooral de bewaring van de ogen, en dingen eten waar je niet van houdt – al die dingen zullen de lichamelijke behoeften beperkt houden, verzwakken en onder jouw beheersing brengen.'

Ik haalde diep adem. Het leek me een enorme klus.

'Daar heb je al je tijd voor nodig, moeder.'

'Ja, maar het dient allemaal maar één doel. Dat God je helemaal overneemt. Dat Hij bezit van je neemt.'

Ik dacht aan het crucifix in het slaapzaaltje en hoe diep alleen de gekruisigde daar had geleken. 'Het is zo moeilijk God te voelen. Als ik bid heb ik zo vaak het gevoel alsof Hij me in de steek heeft gelaten. Ik *weet* dat Hij dat niet heeft gedaan, maar het is soms heel moeilijk het vol te houden als je je zo leeg voelt.'

Moeder nam het kleine crucifix op dat op haar bureau lag. 'Hij heeft dat ook ervaren. Weet je dat nog? Hij riep uit: "Mijn God! Mijn God! Waarom hebt Gij Mij verlaten?" '

'En toen stierf Hij.'

'Ja, toen stierf Hij.' Ze keek me een moment lang taxerend aan en knikte dan alsof ze tevreden was. 'Je begint te sterven. Het is een langzaam proces; je zult er je hele leven mee bezig zijn. Maar je bent ermee begonnen.'

Op een avond zat ik in de tuin van het novicenhuis en keek uit over het vredige landschap. Ik naaide aan mijn professiehabijt. Ik kon bijna niet geloven dat ik aan het eind van mijn noviciaat was gekomen. Binnen zes weken zou ik neerknielen voor het altaar en de geloften van armoede, kuisheid en gehoorzaamheid afleggen. Als ik eraan dacht, bibberde ik inwendig soms van angst. Niet dat ik bang was voor de verplichting die ik op me nam of bezorgd was dat ik een verkeerde keuze maakte, verre van dat: ik was vol dankbaarheid dat ik tot de professie was toegelaten. Waar ik me zorgen over maakte, was of ik er wel echt klaar voor was. Want hoe vaak was ons niet verteld dat onze reactie op de intensieve opleiding van het noviciaat heel ons religieuze leven zou bepalen. En ik wist hoe ver ik nog van het ideaal verwijderd was.

Ik zat op een bank vlak bij het postulantenhuis. Binnen hoorde ik de geluiden van energiek huishoudelijk werk: het geklepper van stoelen en het ritmische gezoem van de zware vloerwrijver. Moeder Albert en de eerstejaars waren het postulantenhuis aan het voorbereiden op de komst van de nieuwe postulanten die in september zouden arriveren. Ik moest denken aan mijn eigen postulaat. Wat had alles toen nog eenvoudig geleken. Ik glimlachte zuur. Als ik de regels in acht nam, dacht ik in die tijd, kon ik niet falen – het zou een gestage voortgang op de weg naar God zijn. Nu wist ik wel beter. De regels in acht nemen was niet alleen een zaak van uiterlijke gehoorzaamheid, het betekende ook een eindeloze strijd met mezelf om niets voor God achter te houden. Novicen brachten de laatste acht weken van hun noviciaat door in speciale afzondering. Het was net alsof je terugging naar het eerste jaar, want we werden opnieuw opgesloten in het novicenhuis; we studeerden niet maar brachten de tijd door met ons voor te bereiden op de grote stap. Na de professie zouden we meteen naar Londen gaan om onze opleiding te vervolgen in het scholasticaat. Wat zou het vreemd zijn Tripton te verlaten na deze laatste drie jaar.

Opeens hoorde ik het geluid van voetstappen op het gras achter me. Ik draaide me vlug om en zag moeder Walter op me afkomen. Ze beduidde me dat ik niet hoefde op te staan en kwam naast me zitten. Wat zou ze willen? Haar gezicht vertoonde een afwezige en ernstige uitdrukking.

'Zuster, je ouders zijn hier vanmiddag geweest. Ze hadden een bezoek gebracht aan vrienden in Bedfordshire en moesten door Tripton. Dus zijn ze even langsgekomen.' Ze glimlachte alsof ik blij zou zijn dit nieuws te horen. De moed zonk me in de schoenen. Ik wist precies wat er zou komen. 'Ze vroegen toestemming je te zien, maar dat kon ik natuurlijk niet toestaan. Niet tijdens jullie laatste acht weken wanneer jullie allemaal in strikte afzondering leven.'

'Natuurlijk niet, moeder,' zei ik zo sereen als ik maar kon opbrengen. Ik begreep die laatste acht weken wel. Maar konden zij dat? Ik kon me maar al te goed voorstellen hoe het gesprek was verlopen. Ze zouden zenuwachtig in de ontvangkamer hebben gestaan.

'Denk je dat ze ons toestaan haar te zien?'

'Ik zou niet weten waarom niet.' Mijn vader zou eerst in dubio hebben gestaan maar vervolgens al snel hebben gevonden dat hij in zijn recht stond. 'Verdomme, we reden vrijwel vlak langs de poort. Het zou vervloekt onmenselijk zijn als ze dat niet zouden doen.'

Mijn moeder zou op dezelfde toon zijn doorgegaan en uitdagend hebben gezegd: 'Het lijkt me redelijk genoeg. Tenslotte zijn we haar ouders! We hebben haar keurig laten gaan zonder problemen te maken. Ze is nu bij hen, permanent. Het minste wat ze voor ons kunnen doen is dat wij haar een halfuur mogen zien!'

Maar dan zou moeder Walter zijn binnengekomen en met een stralende glimlach hun handen hebben gegrepen: 'Wat fijn om u te zien! Wat een heerlijke verrassing!' Ze zou hebben geïnformeerd naar hun reis en naar Lindsey, alsof ze waren gekomen voor een praatje met haar, terwijl ze heel goed wist wat ze echt wilden. Ten slotte zouden ze hebben gevraagd of ze me een halfuur of desnoods vijftien minuten mochten zien. Dan zou er een stilte zijn gevallen en vervolgens zou moeder Walter hebben gezegd: 'Het spijt me.' Een beleefde maar vastberaden weigering.

Ik keek moeder Walter aan en zocht op haar gezicht naar een aanwijzing over hoe zij zich daaronder hadden gevoeld. Ze lachte me vrolijk toe.

'Ze hadden er gelukkig alle begrip voor. Ik heb hun uitgelegd dat je op dit moment door niets mocht worden afgeleid of gestoord. Tenslotte hebben ze je vijf maanden geleden nog gezien,' zei ze met een schelms lachje in een poging het wat gemakkelijker voor me te maken. 'Nee, ze begrepen dat het geen goed idee was.'

Was dat zo? Ik kende hen te goed om dat te kunnen geloven. 'Regels zijn regels,' zou moeder Walter glimlachend hebben gezegd. En mijn moeder zou bitter hebben overwogen dat moeder Walter een wandelend boek met regels was, dood voor ieder menselijk gevoel. En waarom zou het me 'storen' mijn eigen familie te zien, zou ze boos hebben gevraagd. Was mijn roeping dan zoiets teers dat zij in gevaar kon worden gebracht door een gesprek van een paar minuten met mijn ouders? En mijn vader zou niet in staat zijn geweest zijn teleurstelling te verbergen en ernstig naar het tapijt hebben gestaard omdat hij het verdriet in de ogen van mijn moeder niet wilde zien.

Ik knikte. 'Ja, moeder. Ik weet zeker dat ze het begrijpen,' zei ik kalm. Moeder Walter zuchtte blij. 'Je hebt geweldige ouders, zuster. God zal hen zegenen voor hun opoffering.'

Dat hoopte ik dan maar. Ja natuurlijk zou Hij dat. Maar dat maakte de gedachte aan het verdriet dat ze op dit moment voelden nog niet gemakkelijker te verdragen.

Moeder stond op om te gaan. 'Ze laten je weten dat ze van je houden, zuster.'

'Dank u, moeder.' Ik zette me weer aan mijn naaiwerk, met mijn gedachten bij mijn ouders die nu verdrietig naar huis reden. Zonder mij.

Het was 25 juni 1965. De morgen van de professie. Die morgen zouden er vier novicen worden geprofest. Slechts vier van de tien postulanten die op die septemberdag van drie jaar geleden thee hadden gedronken in de grote gastenkamer. De zes anderen waren geleidelijk afgedropen en stilletjes verdwenen in een wereld die nu onwerkelijk leek. Ik voelde me blij een van de overblijvers te zijn die alles hadden doorstaan. Maar het maakte me ook nederig als ik eraan dacht dat God mij had gekozen met al mijn gebreken, en niet de anderen.

Ieder van ons novicen had het noviciaat op een geheel eigen manier ervaren. Ik zag de verandering bij zuster Griselda. Haar eerlijke, eenvoudige Ierse gezicht was nu serener dan het was geweest toen ze nog zuster Edna was tijdens haar postulaat. Ze bewoog zich rustiger, en haar voortdurende concentratie gaf haar gezicht een onzekere, vragende uitdrukking. Soms kwam haar oude humor weer even boven, maar ze was meer bezonnen geworden en had haar excentrieke kanten het zwijgen opgelegd in het nonnengedrag dat nu een essentieel deel van haar leek uit te maken. Het hoofd van zuster Carmel boog enigszins over naar één kant. Ze was dikker geworden tijdens haar drie jaar in Engeland maar liep nog steeds met haar oude Nigeriaanse wiegende gang; zelfs de regels van zedigheid hadden daar niets aan kunnen veranderen. Ook zij was rustiger geworden en ze ging geheel op in een spiritualiteit die soms de indruk wekte alsof ze onder invloed van drugs verkeerde, alsof de gewone wereld nauwelijks bestond. Ze liep in de processie voort als een slaapwandelaarster, met rond haar lippen die vreemde, heimelijke glimlach die haar eruit deed zien alsof ze een verborgen pleziertje koesterde, een stil grapje dat ze nooit met iemand anders zou delen. Zuster Jeremy, de jongste novice, leek onveranderd. De vredige, dromerige ogen in haar roze en wit getinte knappe gezicht keken rustig de wereld in, net als toen ze nog Margaret de postulante was. Misschien zou ze altijd door het leven gaan zonder te lijden en zonder drama, misschien zouden problemen en reprimandes van haar afglijden zonder haar te deren. Maar dat was waarschijnlijk een aanmatigende gedachte. Niemand anders dan God en onze superieuren wisten van de beproevingen en verzoekingen die ieder van ons ter voorbereiding op deze dag tijdens het noviciaat had doorgemaakt.

De ceremonie was voor een groot deel hetzelfde als bij de kleding; de lange processie van nonnen voorafgegaan door het crucifix, het vreugdevolle 'Magnificat', de plechtige ondervragingen aan de voet van het altaar. Maar er waren ook belangrijke verschillen. Er waren geen ouders in de kapel aanwezig. Zij hadden al afstand gedaan van hun dochters en hen aan God gegeven. Vandaag waren ze niet uitgenodigd. De professie was een privé-ceremonie voor de orde alleen. En ditmaal waren er geen bruiden, alleen vier novicen die een voor een over het middenpad naar voren liepen om hun leven op het altaar te leggen. Daarom vond de ceremonie plaats in de ochtend, tijdens een plechtige gezongen mis. Zoals tijdens de mis sacramenteel het offer van Christus werd herhaald, zo legden de novicen hun geloften af en voegden aldus hun offer bij dat van Hem.

Het afleggen der geloften vond plaats tijdens de communie. De priester stond voor iedere novice en hield de kleine witte hostie omhoog terwijl zij de gelofteformule uitsprak.

'Ik beloof Uwe Goddelijke Majesteit plechtig armoede, kuisheid en gehoorzaamheid,' het drievoudige offer van lichaam en geest. 'Daarom smeek ik U nederig,' voltooide ieder de gelofte, 'dat zoals het U heeft behaagd dit offer in de geur van zoetheid te aanvaarden, en zoals het U heeft behaagd mij de genade en de begeerte te schenken het te brengen, U mij ook in staat zult stellen het offer geheel te volbrengen.' En als een teken van goddelijke bijstand legde de priester ten slotte de hostie op haar tong en gaf hij daarmee God aan haar, zoals zij zichzelf naar lichaam en ziel aan Hem had gegeven.

Dan volgde de plechtige verloving. Iedere novice knielde in het priesterkoor neer aan de voeten van de priester waarna haar witte novicensluier werd verwisseld voor de lange zwarte sluier van de geprofeste non. Vervolgens sprak ze: 'Hij heeft een zegel op mijn voorhoofd gedrukt opdat ik geen andere geliefde zal toelaten dan Hemzelf.'

Het was een verloochening van alle aardse liefde, alle gewone bevrediging en vervulling. En vervolgens werd de smalle gouden ring met het crucifix, die de laatste maand naast het tabernakel had gelegen, dicht bij God zoals de jonge non haar hele leven zal zijn, aan de ringvinger van haar rechterhand geschoven, en ditmaal sprak iedere novice niet over alles wat ze opgaf maar verheugd over wat ze ontving.

'Ik ben de bruid van Hem die door de engelen wordt gediend en over wiens schoonheid de zon en de maan zich verbazen. Mijn Heer Jezus Christus heeft me de bruidskamer binnengeleid. Als een bruid heeft Hij me getooid met een kroon.' Daarvoor was geen offer te groot.

Ten slotte zette het koor de Litanie van Alle Heiligen in, het grote gewijde gebed van de jezuïeten dat alle heiligen in de hemel opriep tot hulp bij deze immense onderneming. Twee novicen liepen van achter uit de kerk over het middenpad naar voren terwijl ze een zwaar lijkkleed tussen zich in droegen, hetzelfde dat over de kist van een gestorven non werd gelegd. Voor in de kerk aangekomen bogen ze diep voor het altaar en begonnen vervolgens langzaam de zware zwarte stof uit te vouwen, waarbij ze haar zo omhoog hielden dat er geleidelijk een enorm zwart scherm verscheen dat de vier net geprofeste nonnen afschermde van de rest van de gemeente.

Vervolgens wierpen de net geprofesten zich, achter de schaduw van het lijkkleed, met een snelle beweging ter aarde en gingen ze met hun gezicht naar beneden gekeerd en hun armen zijwaarts uitgestrekt in de vorm van een kruis op de vloer liggen. Zo nagelden ze zichzelf net als Christus aan het offer van hun leven.

Langzaam werd dan het lijkkleed over de liggende lichamen gelegd zodat het hen helemaal bedekte en beschutte in de dood die zij vrijwillig hadden omarmd. Ze waren geheel begraven, dood voor de wereld, net als zij zouden zijn als hun doodkist in het graf op de begraafplaats was neergelaten en was bedekt met een dikke laag zwarte aarde. 'Gij zijt gestorven,' had Sint-Paulus geschreven, 'en uw leven is nu met Christus verborgen in God.' De jonge nonnen waren geheel verdwenen, hun individualiteit uitgewist door de zware zwarte stof, de een niet meer te onderscheiden van de ander.

Nu liep moeder Walter over het middenpad naar voren. Ze knielde neer naast het lijkkleed en bood haar novicen aan God aan. Haar werk was gedaan. Ze had ieder van hen opgeleid in de persoonlijke wijze van sterven die God voor haar had bestemd. Ieder van hen was er nu zelf verantwoordelijk voor de symboliek van de ceremonie van vandaag te voltooien en van haar leven een dagelijks sterven te maken dat door de dood van haar lichaam zou worden afgesloten.

Terwijl de jonge nonnen begraven lagen, ging de litanie nog ruim twintig minuten door.

Liggend onder het lijkkleed, met mijn vuisten gebald en mijn ogen gesloten tegen de hete, muffe duisternis, bad ik het moeilijkste gebed van mijn leven. Het voelde inderdaad als een begrafenis. Ik hoorde het koor zingen maar van heel ver, alsof de geluiden uit een andere wereld kwamen. Ik wist dat de dood niet werd bereikt in één snelle ceremonie. *Help me te sterven*, bad ik. Vanaf vandaag zou ik dood zijn voor de wereld. Omkijken kon nu niet meer. Ik moest sterven, zodat God me kon opwekken.

Alsof mijn gebed werd verhoord, werd het lijkkleed plotseling opgetild en sloeg het daglicht me in mijn gezicht, verblindend in zijn helderheid. Ik knipperde hevig met mijn verblinde ogen toen ik opstond. Ik voelde me als herboren. Blijdschap vervulde me toen ik opnieuw naar de wereld keek, en met diepe dankbaarheid voegde ik me bij het koor in het 'Te Deum'.

9

Het scholasticaat
1965-1967

Slechts een dag later bevond ik me in een andere wereld. Verdoofd door het kabaal dwaalde ik door het doolhof van de Londense metro. Overal leken mensen elkaar opzij te duwen. Agressief baanden ze zich een weg naar de kaartjesautomaten om vervolgens in chaotisch dringende menigten uit te zwermen. Niemand liet anderen voorgaan met de zelfopoffering waar ik zo aan gewend was geraakt. Mensen vloekten ongeduldig wanneer ze zich door de tourniquetten worstelden. Op de roltrappen kon ik mijn ogen bijna niet geloven bij het zien van de reclameposters – vrijwel naakte lichamen met vertoon van borsten en benen, en afbeeldingen van gekoelde longdrinks waarvan ik de merknamen bijna was vergeten, spraken van plezier en vrijmoedige sensualiteit. En overal om me heen waren de gezichten van de mensen harde, gespannen maskers. Ze staarden me onbehaaglijk aan als mijn sluier hun in het gezicht sloeg en ik trok mijn lange rokken op rond mijn enkels om ze niet tussen de roltrappen te laten komen. Nee, dacht ik, dit is niet mijn wereld, hier hoor ik niet meer thuis. En vervolgens hoorde ik in de lange weergalmende gang ergens mysterieus muziek opklinken. Ik keek naar de gezichten van de passanten die helemaal niet nieuwsgierig of verbaasd schenen. Dan zag ik hem, de haveloze gitarist met zijn baard en lange haren – tot op zijn schouders! – en zijn gescheurde spijkerbroek. Met zijn hoofd achterover en geheel opgaand in zijn muziek negeerde hij de munten die achteloos in zijn lege gitaarkoffer werden gegooid. Hij was de eerste man naar wie ik na drie jaar weer echt keek. Wat een rare snuiter! Terwijl ik me langs hem heen haastte, hoorde ik de woorden van het vreemde lied dat hij zong: 'We shall overcome.' We zullen overwinnen.

Na dit leek het scholasticaat een oase van vrede. En wat deed het vertrouwd aan. Het huis met zijn vier verdiepingen en dertig kamers leek wel een poppenhuis na het enorme Tripton; de kleine slaapzalen, met slechts drie of vier bedden per zaaltje, de kleine refter waar de vijftien scholastieken maar net in pasten en die uitzag op een kleine Kensingtonse tuin met een moerbeiboom aan het eind. En wat was het vreemd naaste buren te hebben! In identieke huizen. Aan de ene kant woonde een prinses, was me verteld, en aan de andere kant bevond zich een ambassade. Ik vroeg me af wat ze van ons vonden.

Ik klopte op de deur van moeder Bianca. We gingen een voor een naar binnen om kennis te maken met de meesteres van de scholastieken. Ik probeerde me te herinneren wat ze me over haar hadden verteld. Ik wist dat ze erg ziek was en net uit het ziekenhuis was gekomen. Ze was ook doof. Dertig jaar geleden toen ze achter in de twintig was, was ze haar gehoor kwijtgeraakt en had ze moeten stoppen met lesgeven. Drie jaar geleden was ze benoemd tot meesteres van de scholastieken, maar het grootste deel van de tijd daartussenin had ze doorgebracht als kledingmeesteres op Tripton, waar ze lakens verstelde en handdoeken stopte. Wat een verschrikkelijk leven, dacht ik. Zou God van mij ook zo'n opoffering vragen? Toen zuster Carmel de kamer verliet, klopte ik op de deur voor mijn gesprek.

'Kom binnen!' sprak een oude, krakende stem; zij klonk alsof zij uit het niets kwam en al lange tijd niet meer bij de spreekster hoorde. Ik ging de kamer binnen en keek zenuwachtig naar het bureau.

Moeder Bianca keek op en glimlachte naar me, en ik glimlachte met oprecht plezier terug. Ik keek naar een van de meest serene gezichten die ik in mijn leven ooit had gezien. Het was een smal gezicht; de wangen waren ingevallen of, liever gezegd, naar binnen gezogen alsof ze door pijn in een voortdurende staat van spanning verkeerden. Er was ook pijn in de lijntjes rond de ogen en de mond. Maar de ogen zelf waren helemaal vrij van spanning – ze straalden vriendelijkheid en warmte uit, wat vreemd was omdat ze zo'n koude, lichtblauwe kleur hadden. En de glimlach was ook vriendelijk. Die vriendelijkheid overviel me na de jaren zonder enige vriendelijkheid in Tripton.

Ik knielde neer aan haar voeten zonder mijn ogen van haar af te kunnen houden. 'Zuster Martha,' zei ze. Het was geen vraag. Het betekende dat ze mij accepteerde. Alles wat ik was.

'Ja, eerwaarde moeder,' antwoordde ik, de woorden duidelijk uitsprekend, zodat ze mijn lippen kon lezen.

'Ga zitten, zuster.' Terwijl ik dat deed, zag ik een rilling van pijn door haar lichaam gaan. Moeilijk ademend verschoof ze zich een beetje in haar stoel en probeerde zo gemakkelijk mogelijk te gaan zitten. Ik keek haar ongerust aan, maar ze bleef glimlachen. Het was geen gespannen glimlach. Ik voelde me niet verontrust door het lijden dat de kamer vulde, omdat het door haar totaal was geaccepteerd. Er was geen strijd, geen woede. Ik leunde achterover in mijn stoel en ontspande me.

'En, zuster,' begon ze, 'je weet waar het scholasticaat toe dient?'

'Ja, eerwaarde moeder. Ik blijf hier twee jaar om mijn geestelijke opleiding te vervolgen en professioneel geschoold te worden voor mijn werk in de orde.'

'Goed,' zei ze terwijl ze me goedkeurend aankeek. 'Dat is een duidelijk antwoord en ik kan ook je lippen volgen. Je hoeft niet tegen me te schreeuwen, want dat vervormt het geluid van mijn gehoorapparaat alleen maar.' Ze deed haar gehoorapparaat uit dat alarmerend kraakte en sputterde. 'Gebruik gewoon je lippen zo goed mogelijk. Ik hoop dat je goede ogen hebt, zuster?'

'Ja,' zei ik verbijsterd.

'Goed, want als je ooit doof wordt, heb je ze nodig om te kunnen liplezen.' Ik bloosde om de besliste toon waarop ze over deze mogelijke rampspoed sprak. 'En ik hoop dat je je haar kurkdroog wrijft nadat je het hebt gewassen.'

'Nou nee, eerwaarde moeder. Daar heb ik meestal geen tijd voor. U weet dat we ons elke week om kwart over negen baden en dat de lichten om tien uur uitgaan.'

'Natuurlijk, maar je moet *niet* met natte haren naar bed gaan. Daardoor ben ik doof geworden. Dan kun je beter rechtop in bed gaan zitten en ze droog blijven wrijven.'

Ik keek haar met half toegeknepen ogen aan. De eigenaardige toon van het gesprek met zijn ongedwongen en gemakkelijke wendingen verrukte me maar verbaasde me ook. Ze praatte met mij over zichzelf. Ze betrok zichzelf in het gesprek, dat niet de gewone lijnen van weloverwogen vermaningen en onpersoonlijke berispingen volgde die ik gewend was van mijn superieuren. Maar wat was het afschuwelijk te bedenken dat ze zo nodeloos doof was geworden! Ik nam me ter plekke

vast voor mijn haar kurkdroog te wrijven in de duisternis van de slaapzaal voordat ik ging liggen om te slapen, hoe moe ik ook was.

Ze glimlachte opnieuw, met die vreemde, verheerlijkte glimlach die
maakte dat ik me gelukkig en veilig voelde. 'En, zuster,' zei ze, 'ik denk zo
dat je wel wilt weten wat de orde met je voorheeft?'

Ik knikte en durfde nauwelijks adem te halen. Nu stond ik op het
punt levenslang te krijgen. De dag tevoren, toen ik mijn geloften had afgelegd, had ik absolute gehoorzaamheid beloofd. De orde kon me elke
taak opdragen die ze wilde, hoe onaangenaam ook, en dat zou Gods wil
voor me zijn, die ik moest verdragen tot op mijn sterfdag. Ik keek naar
moeder Bianca. Dertig jaar sorteren van wasgoed ondanks haar universi-
taire graad hadden haar duidelijk niet verbitterd en gek gemaakt. Ze leek
opgewekt te accepteren dat het zo was gegaan. Zou ik zo loyaal blijven?

'Ja, eerwaarde moeder,' zei ik uiteindelijk.

'Je gaat naar Carter's, zuster. Dat is de school waar zuster Jocasta op dit
moment op zit. Daar ga je Engels studeren.' Ik slaakte een zucht van verlichting en blijdschap. Opnieuw literatuur! Wat was God goed voor me!
'En we hopen je naar Oxford te krijgen.'

Ik snakte naar adem. Oxford! Drie volle jaren had ik niet één boek of
gedicht gelezen. Hoe zou ik kunnen voldoen aan de intellectuele eisen
van Oxford? Het leek me een onmogelijke droom. Het zou me nooit
lukken maar ik wist dat ik het moest proberen. En ditmaal zou mijn succes of falen niet alleen mij aangaan. Ook de orde had er een groot belang
bij. De verantwoordelijkheid om het goed te doen drukte zwaar op me.
Ik dwong mezelf te luisteren naar wat moeder zei.

'Dan, nadat je je graad hebt behaald, ben je bevoegd op een van onze
scholen les te geven. Naast Engels moet je natuurlijk ook een graad in de
theologie, bijbelkennis en kerkgeschiedenis behalen. Je examenresultaten waren afgelopen zomer heel goed, zuster. Nog maar twee jaar en dan
ben je daar klaar mee. En dan zul je moeten leren koken.'

Ik gaapte haar aan. 'Koken, eerwaarde moeder?'

'Ja. De orde heeft besloten dat alle koornonnen moeten leren koken.
We krijgen niet meer zoveel lekenzusters als we gewend waren en het
kan nodig blijken in de toekomst. Je zult dus elke woensdag onze huishoudster zijn waarbij je de hele dag in de keuken doorbrengt en alle
maaltijden voor de communiteit kookt.'

Ik kromp ineen. Ik wist nauwelijks hoe je een ei moest koken, laat staan hoe ik complete maaltijden voor vijfentwintig mensen moest klaarmaken.

'En dan denk ik je les te gaan geven in logica. Jou alleen, na het kapittel van zonden op de vrijdagavonden. Volgens mij heb je daar wat aan bij je studie. Vorig jaar probeerde ik zuster Jocasta er ook les in te geven maar ze kon het niet volgen. Ik denk zo...' vervolgde ze terwijl haar ogen me scherp taxeerden, 'ik denk zo dat jij het heel leuk zult vinden.'

Ik zag hoe plotseling alle kleur uit haar gezicht wegtrok. Haar lippen werden een beetje blauw en ze boog haar nek naar achteren terwijl haar mond zich enigszins opende en er een vreemd klakkend geluid uit haar keel kwam.

'Gaat het, eerwaarde moeder?' vroeg ik geschrokken.

Ze slikte en ik zag haar adamsappel krampachtig op en neer gaan in haar keel; dan glimlachte ze weer naar me.

'Het is mijn rug, zuster,' zei ze simpel. 'Kun je dat kussen even pakken en het achter me leggen?' Dat deed ik en ik zag hoe ze er voorzichtig tegenaan leunde en zich met elke beweging verweerde tegen de pijn.

'Kan ik nog iets voor u doen?'

'Nee, zuster,' zei ze terwijl ze haar hoofd schudde. 'Ik heb er pillen voor maar daar word ik slaperig van. Ik voel me vandaag gewoon beroerd.'

'Het spijt me zo voor u.' Ik voelde me hulpeloos, maar haar dapperheid gaf me niet het gevoel dat ik daarbij vergeleken niets voorstelde. Ze gedroeg zich niet als een martelares, maar gaf alleen blijk van serene berusting. Wat een moed, dacht ik. En nog iets anders ook, dat ik pas na een paar momenten begreep. Ja, mijn superieure gaf toe aan pijn en zwakheid. Ze klaagde niet, maar maakte me er gewoon deelgenoot van. We spraken op een directe manier met elkaar zonder ons te verschuilen achter onpersoonlijke opmerkingen.

'Zuster.' Ze rommelde in haar papieren en gaf me een lijstje.

'Dit is de boekenlijst die Carter's je heeft gestuurd.' Ik nam haar snel door en het duizelde me van blijdschap: Jane Austen, Keats, Wordsworth, George Eliot. Ik voelde me als iemand die is uitgehongerd en op het punt staat een feestmaal te verorberen. Ik deed mijn uiterste best niet te laten merken hoe blij ik was. Want ik mocht hier niet blij om zijn. Ik dacht terug aan de kritische opmerkingen van moeder Walter over intellectuele hoogmoed. Wanhopig zocht ik naar een manier om me daar niets meer van aan te hoeven trekken.

'Dank u, eerwaarde moeder,' zei ik zo kalm mogelijk toen ik neerknielde om haar zegen te ontvangen.

'Geniet ervan,' zei ze. Wat? Ik keek stomverbaasd naar haar op.

Haar ogen schitterden. 'Je kunt maar beter direct beginnen. God zegene je, zuster,' en ik werd vervuld van een diepe vrede toen ik voelde hoe ze het kruisteken op mijn voorhoofd maakte. Wie kon zichzelf grondiger hebben losgelaten dan moeder Bianca? Toch leek ze me te willen zeggen dat ondanks dat in het kloosterleven menselijkheid en warmte mogelijk waren.

'Ik hoop dat u zich beter voelt, eerwaarde moeder.'

Ze lachte alsof ze echt vrolijk was en gebaarde dat ik de kamer moest verlaten. 'Ga in vrede, zuster.'

Dat deed ik. De kamer had op een of andere manier een beetje heilig geleken. Maar er was meer dan vrede. Er was ook hoop in mijn hart.

Naast studeren en koken, werd het ook raadzaam geacht dat wij een heel enkele keer naar het nieuws op de televisie keken. Dat zou ons een indicatie geven van wat er gebeurde in de wereld waar we weldra in zouden werken. Nieuwe namen vielen me op. Vietnam bijvoorbeeld. Ik keek geschrokken naar het bloedbad dat daar de laatste jaren aan de gang was en waar ik niets van had afgeweten. Er waren nog andere dingen. Jeugd scheen plotseling erg belangrijk geworden te zijn. Toen ik de wereld in 1962 verliet, waren we miniatuurvolwassenen geweest die werden genegeerd en onder de ouderlijke duim gehouden. Kijkend naar massabijeenkomsten op de televisie herkende ik het lied dat de jongen in de metro had gezongen: 'We shall overcome.' Waren jonge mensen van plan de wereld over te nemen? Feitelijk was ik zelf ook nog jong. Ik was nog geen eenentwintig, maar als jonge non was ik binnen de orde absoluut onbelangrijk. Ik staarde naar de langharige jongens en de meisjes in heel korte minirokjes. Ze waren van mijn generatie, maar ik had het gevoel alsof ik naar wezens van een andere planeet keek.

Op een avond was er een programma over kanker. Toen ik de onverbiddelijke statistieken hoorde en de grafieken zag, en luisterde naar de vraaggesprekken met de uitgeteerde patiënten, kreeg ik een brok in mijn keel. Het was heel stil in de kamer. Geen van ons durfde de anderen aan te kijken. Het woord was nooit uitgesproken in verband met moeder

Bianca, maar op een of andere manier wisten we het. *Ze zou hier niet moeten zijn en samen met ons hiernaar kijken*, schreeuwde ik inwendig. *Hoe kan ze het verdragen?* Ik durfde nauwelijks adem te halen en staarde gehypnotiseerd naar het scherm. Ik zag hoe ieders ogen zich eraan hechtten, als door een magneet aangetrokken. *Verschuil je achter de onpersoonlijke feiten. Wissel geen blikken uit. Want dat zou erg zijn voor moeder.*

Ten slotte kon ik het niet langer verdragen. Ik wierp een verstolen blik op haar. De kloosterkat Tess was op haar knie gesprongen en snorde luid. Moeder keek glimlachend op haar neer, aaide haar liefdevol, en richtte dan haar ogen weer op het scherm. De gespannen intensiteit die ik waarnam in de blikken van alle anderen was op haar gezicht niet te zien. Kalm, haar scherpe ogen een en al intelligentie, zat ze te kijken, de ontvanger van het gehoorapparaat in haar hand op het televisietoestel gericht om elk woord op te vangen. Met de andere hand aaide ze Tess. Over haar gelaat speelde een glimlach van interesse en kalme onthechtheid.

De moed van moeder Bianca onderstreepte alleen maar mijn gevoel van onmacht tegenover mijn eigen onbeduidende ziekten. Voedsel begon me steeds meer tegen te staan en ik moest nu bijna elke avond overgeven, kaas of geen kaas. Het werken in de keuken maakte het er niet beter op. Ik zag steeds meer tegen de woensdagen op. De dag begon om half-zeven in de morgen wanneer ik mijn vredig mediterende zusters in de kleine kapel achterliet om de aardappelen te gaan schillen. Bergen aardappelen. De hele ochtend was ik bezig met het klaarmaken van het middageten – heel vaak worstjes met waterige kool, gevolgd door rijstpudding gemaakt met melkpoeder en au bain marie gekookt. De middag bracht ik hardwerkend op handen en knieën door op de keukenvloer van witte vinyltegels die met schuursponzen schoongeboend moest worden – zo'n zeventien vierkante meter – om al het vuil van die morgen en de overal aanwezige zwarte vegen van mijn rubberzolen weg te werken. Vervolgens begon ik, nadat ik de overgebleven thee van het ontbijt – die intussen lichtpaars getint was – had opgewarmd, aan het avondeten. Op een middag probeerde ik twee uur lang een stuk warme, rode lever fijn te hakken om op toast te serveren. Het slijmerige spul bleef maar bloeden en liet zich ondanks mijn uitvallen met een bot mes niet klein krijgen. Misselijk, met roodgekleurde en naar lever ruikende handen zette ik mijn pogingen voort.

Ik verrichtte mijn meestal desastreuze inspanningen onder toezicht van moeder Constantia, een sproetige Ierse non met een groot hoofd en een nogal nietszeggend gezicht. Zij schreef de menu's en instructies op en verscheen nu en dan in de keuken om somber naar de klonterige custard of de waterige stamppot te staren. 'Eerwaarde moeder zal die marmeladepudding onmogelijk kunnen eten, zuster. Ze zal hem waarschijnlijk niet eens aanraken!' Ook de communiteit begon de woensdagen te vrezen. Het was nog vernederender als moeder Constantia mijn fouten probeerde te verdoezelen door me aan te moedigen. 'Zuster,' zei ze op een dag lijzig tegen me, 'je hoofdkazen waren geweldig; ik vond het fantastisch zoals je die hardgekookte eieren er bovenop had gezet. Alleen één ding' – ik keek haar cynisch aan – 'een kleinigheidje maar natuurlijk, volkomen onbelangrijk. Ze smaakten erg vreemd.'

Soms sloeg ik haar intelligentie niet al te hoog aan. Lezen scherpte opnieuw mijn verstand. Maar meestal reduceerden misselijkheid en lichamelijke uitputting me tot een geesteloze en gehoorzame robot. Daar gaat het om, zei ik tegen mezelf. Met mijn studie ging het goed, maar de woensdagen drukten me met mijn neus altijd weer op mijn fundamentele onbruikbaarheid. Ze boden geen enkele gelegenheid me ongehinderd over te geven aan intellectuele hoogmoed. Want wat stelde de geest voor als ik mijn zusters welwillend en met een geduldige en toegeeflijke glimlach op het verbrande eten zag kauwen dat ik hun te bieden had?

Op een avond na een bijzonder desastreus middagmaal verscheen moeder Constantia als een sproeterige, verwijtende geest in de keuken.

'Zuster! Na het verschrikkelijke middagmaal zullen we het menu voor het avondeten intrekken.'

Ze glimlachte terwijl haar dikke lippen vergeving en wanhoop over mijn inspanningen schreeuwden. 'We eten gewoon soep met kaas. En zuster, ik wil je één ding vragen. Maar één ding. Het is niet te veel gevraagd – God weet het – na wat je de communiteit bij het middagmaal hebt aangedaan.' Vol wroeging en met een hoofd dat barstte na twee uur bukken boven de vloer met mijn schuurspons, wachtte ik gespannen af. 'Ik wil dat de soepkommen heet zijn, zuster. Kokend heet. Alsjeblieft,' smeekte ze, 'dat kun je toch wel doen voor de communiteit, zuster?'

Goed, dacht ik, terwijl ik de in het groot ingekochte poedersoep in een steelpan smolt. Ik zette de oven op zijn hoogste stand en smeet de soepkommen erin. Dit was het wat God me vanavond zou vragen.

Trouw in kleine dingen. Ik sneed de zachte kaas in keurige blokjes en voor het dessert hakte ik, zoals me was opgedragen, de keiharde dadels stuk en pelde er plakkerige stukjes stevig gedroogd vruchtvlees uit, terwijl ik me afvroeg hoe lang geleden ze een palmboom hadden gezien.

Met een rood hoofd vanwege het gevoel geslaagd te zijn in mijn opdracht, hoorde ik de gong slaan voor het avondeten van halfacht. Voor één keer was ik klaar. Er waren dagen geweest dat de communiteit stil in de refter had zitten wachten terwijl ik als een gek de groenten in de schalen kwakte. Zuster Jocasta stormde naar binnen in haar witte dienschort. Pogend mijn zelfvoldane glimlach uit te wissen wuifde ik naar de soepterrines, terwijl ik uit het verstikkende witte jasschort kroop.

'Waar zijn de soepkommen?' siste ze.

'In de oven,' zei ik terwijl ik mijn handen boende in een poging het vuil van de aardappels van die ochtend eraf te krijgen. Ik slaakte een zucht van verlichting. Ze zouden nu echt wel heet zijn. Dat had ik vandaag tenminste voor God gedaan.

Zuster Jocasta stond met open mond bij de oven. 'Zuster!' fluisterde ze. 'Wat is dit?'

Ik sloeg een blik in de oven. Daar stond een stapel van tien porseleinen soepkommen. Maar er bovenop vloeide een vreemd schuimig brouwsel, monsterlijk vervormd. Zuster graaide in de oven en haalde het eruit. Ontzet staarden we elkaar aan. Dan stortte zuster Jocasta in. Huilend van het lachen hield ze zich vast aan de keukentafel. 'God sta je bij, zuster,' hijgde ze. 'Je wordt afgeslacht!'

De helft van de soepkommen was van plastic.

Een paar avonden later ging ik naar de kamer van moeder Bianca voor mijn les in logica. Ik genoot van deze lessen en was verrukt over de scherpte van haar geest, die onberoerd leek door pijn en ziekte. Hoe had ze het al die jaren verdragen wasgoed te moeten sorteren? Ze moest zich vast en zeker soms danig gefrustreerd hebben gevoeld. Hoe was het mogelijk dat haar geest nooit was opgeslokt door die zachte stapels ondergoed? Maar één blik op haar gelaat gaf me de antwoorden. Ze had vreugdevol Gods wil aanvaard. En doordat ze bereid was zichzelf geheel te verliezen had ze zichzelf gevonden. Ze was de meest individuele van de nonnen die ik ooit in de orde was tegengekomen. Ze was een inspirerend voorbeeld.

Toen ik die avond echter mijn stoel zo verschoof dat ik naast haar aan het bureau kon zitten, hield moeder Bianca me tegen. 'Zuster,' zei ze en haar vreemde krakende stem klonk bezorgd, 'je wordt erg mager.'

Opgelaten blozend stond ik voor haar. 'Til je cape eens op,' zei ze, 'en laat me eens kijken. Je habijt zit je veel te ruim. Kun je de taillebanden wat strakker aantrekken?'

Ik trok de lange stijve cape omhoog om het habijt te laten zien dat los rond mijn middel hing. Ze trok eraan en keek naar me op. Haar vriendelijke ogen stonden diep bezorgd.

'Nee, eerwaarde moeder,' zei ik kortaf, 'de banden zijn al zo strak mogelijk aangetrokken.'

'Maar dat habijt is maar vier maanden geleden gemaakt! Ben je al dat gewicht zo snel kwijtgeraakt?'

Ik knikte stom. Ik had mijn dramatische gewichtsverlies zelf ook opgemerkt en begreep er niets van. Tenslotte at ik alles wat ik moest eten: twee porties bij elke maaltijd en ook bij de thee en het elfuurtje. Het probleem was dat ik het niet binnen kon houden. Alleen al de aanblik van eten maakte me soms misselijk. Vandaag was het vrijdag – twee dagen na mijn kookdag – maar ik rook nog steeds de uien aan mijn handen en in mijn kleren, en ook die geur maakte me misselijk.

'Ga zitten.' Moeder Bianca tikte op de stoel naast haar. 'Je ziet ook erg bleek, zuster. Ben je wel eens misselijk?'

'Ja, eerwaarde moeder.'

'Hoe vaak?' Ze klonk boos maar op een of andere manier wist ik dat ze niet boos was als moeder Walter. Alleen maar bezorgd.

'Ongeveer vier keer per week.'

'Waarom heb je me dat nooit verteld?' Ze sloeg met haar vuist hard op de tafel. Haar stem klonk gekweld. Ik keek naar de lijntjes van pijn op haar gezicht en naar haar gespannen rug. Ik keek naar het bureau en naar de vloer, die beide waren bedekt met zachte witte schilfertjes van haar huid die dagelijks van haar afvielen, zodat haar kamer twee maal per dag moest worden geveegd. Ze stierf stukje bij beetje. Hoe had ik haar kunnen lastigvallen met mijn dwaze kleine darmstoornissen? Bovendien wist ik wat er met me aan de hand was.

'Ik denk dat het gewoon wilszwakte is, eerwaarde moeder,' zei ik. 'Moeder Walter zei tenminste altijd dat het dat was.'

Ze keek me peinzend aan. 'Je bent overbezorgd,' antwoordde ze langzaam. 'Neem nou al dat flauwvallen. Je moet proberen je zenuwen en zorgen te overwinnen.'

Wie kon dat beter tegen me zeggen? Maar er klonk geen veroordeling in haar stem. Het was alleen een vriendelijke, krachtige vermaning.

'Ja, ik weet het, eerwaarde moeder. Ik zal het proberen.'

Plotseling glimlachte ze naar me, met die vreemde glimlach die je eventjes deed vergeten hoe ze leed. *Maakt u zich over mij maar geen zorgen,* zei ik stilzwijgend tegen haar. *Zorgt u er maar voor zelf gezond te blijven.*

'Maar deze misselijkheid is iets heel anders,' vervolgde ze. 'Misschien heb je wel een maagzweer, zuster, en dat is heel vervelend.'

Ik keek haar verbaasd aan. Niemand had ooit eerder de gedachte geopperd dat ik weleens echt ziek kon zijn. Bovendien was ik dat niet, althans niet zoals zij.

'Maar daar ben je nog veel te jong voor. Je bent pas eenentwintig. Ik wil dat je naar de dokter gaat. Als het zenuwen zijn, weten we waar we aan toe zijn. Is er iets waarvan je weet dat je er steeds weer misselijk van wordt?'

'Kaas,' zei ik prompt, 'en veel andere melkproducten.'

'Dan moet je ze niet eten!' zei ze verbijsterd. 'Waarom doe je het dan?'

'Moeder Walter...' begon ik.

'Ja,' zei ze kortaf waarop ze zuchtte en haar hoofd schudde. 'Het noviciaat is nu voorbij, zuster. Ik zal met moeder Constantia praten en als we kaas krijgen, moet jij maar een gekookt ei nemen. Denk erom dat een andere superieure je weer kan opdragen alles te eten. Maar zolang ik je superieure ben, eet jij geen kaas meer.'

Ik was stomverbaasd. Niet langer die verschrikkelijke inspanning om het voedsel door mijn keel te proppen. Ik kon het nauwelijks geloven. Moeder Bianca opende zakelijk het logicaboek. 'Waar waren we ook alweer gebleven?' zei ze.

Toen ik me met haar over de oefening boog, keek ze weer even naar me. 'Er is een stukje van je boord af,' zei ze kritisch.

'Ik weet het.' Die stijve plastic boorden braken en scheurden steeds weer als ik ze droeg. 'Ik moet een vreemd gevormde keel hebben.'

'Heb je moeder Constantia om een nieuwe gevraagd?'

'Ja, maar ze zei dat ik te veel boorden brak en dat ik het maar met deze moest doen.' Ik was niet tegen die beslissing in gegaan. Het was een kwestie van heilige armoede. Als ik zorgeloos was geweest, moest ik maar lijden. Een arme non had geen enkel recht op automatisch herstel van bezit.

Moeder Bianca zuchtte opnieuw, ditmaal van ergernis.

'Moeder Constantia maakt zich veel te druk over deze dingen,' zei ze. 'Wacht even.' Ze stond op en rommelde in haar la. 'Hier,' zei ze, 'neem deze maar.'

Ze hield me vijf of zes boorden voor. Ik staarde naar deze ongekende weelde. 'Eerwaarde moeder, ik kan niet al uw boorden nemen,' protesteerde ik. 'Dan hebt u zelf niets meer over!'

Ze tikte zachtjes met haar pen op mijn hand en glimlachte opnieuw tegen me. Het was een glimlach van puur plezier. 'Zuster,' zei ze rustig, nog steeds glimlachend. 'Ik heb toch geen boorden meer nodig, of wel soms?'

Ze hield mijn blik vast met haar rustige, vriendelijke ogen. *Ga niet dood*, wilde ik zeggen. *Ik heb u nog zo nodig.* Maar dat was onwaardig.

Er viel een lange stilte en ik merkte dat ik naar haar glimlachte.

'Nee, eerwaarde moeder.'

Het was raar om onder een dun laken op het onderzoeksbed van het ziekenhuis te liggen. Toen de dokter het laken optilde, bloosde ik verlegen en keerde van schaamte mijn gezicht naar de muur.

'Doet het hier pijn? Of hier?' zei hij. 'Probeer je te ontspannen. Ik kan je niet onderzoeken als je zo gespannen bent.' Ik ademde diep in en probeerde mijn spieren te ontspannen tegen de porrende, opdringerige vingers, maar ik voelde hoe mijn adem stokte in mijn keel. Het was de schok – de schok dat tedere handen mijn kwetsbare vlees aftastten. Vlees dat in geen jaren was aangeraakt.

De dokter had vriendelijke ogen. Om mijn gedachten af te leiden van mijn naaktheid deed ik mijn uiterste best naar die ogen te kijken terwijl hij me ondervroeg over mijn ingewanden, mijn eetgewoonten en mijn misselijkheid. Hij keek me scherp aan toen ik antwoordde en knikte licht.

Opeens sprong hij op. 'Ben je gelukkig, zuster, in deze... eh... omgeving?' vroeg hij, op zijn beurt verlegen en niet wetend hoe zijn vraag onder woorden te brengen.

'O, jazeker, dokter,' zei ik.

'Weet je dat heel zeker?'

'Natuurlijk.' Hij zuchtte en trok het laken weer over me heen.

'Omdat ik niet denk dat er iets lichamelijks met je aan de hand is. Er is geen spoor van een maagzweer. Ik heb proeven laten doen maar ik denk niet we iets verkeerds vinden.'

De moed zonk me in de schoenen. Ik had eigenlijk blij moeten zijn, maar een lichamelijke ziekte zou alles zo eenvoudig hebben gemaakt. Het waren dus weer die ellendige emoties van me. En hoe ik het ook probeerde, ik kon ze niet in bedwang houden. Hoe kon ik mezelf van mijn misselijkheid afhelpen?

'Zijn het dan zenuwen?' vroeg ik met doffe, vermoeide stem.

'Ja, waarschijnlijk wel. Je zegt dat je regelmatig eet en dat je in feite elke dag een bepaalde hoeveelheid moet eten.' Hij pauzeerde even. 'Vind je dat moeilijk?'

Ik vertelde hem over de kaas en het overgeven van de laatste drie jaar en zag hem zijn lippen ongeduldig op elkaar persen. *Arme man, hij kan niet echt begrijpen waarom ik dat moest doen*, dacht ik.

'Maar nu hoef je geen melkproducten meer te eten. Klopt dat?'

'Niet onder mijn huidige superieure. Maar een andere kan daar weer verandering in brengen.'

'Vind je voedsel erg vies op dit moment, wat het ook is?'

'Een beetje wel,' zei ik opgewekt, in een poging dapper en positief te klinken.

Hij schudde zijn hoofd. 'Daarom vroeg ik je of je gelukkig bent. Het zou kunnen zijn dat dit soort leven niets voor je is.' Hij keek ongelukkig. Een beetje uit zijn doen.

'Nee, dokter, het is niet het leven. Ik ben het zelf.'

Terwijl ik me aankleedde, ving ik door de dunne wand van hardboard ongewild het gesprek tussen moeder Constantia en dokter Saunders op. Ik hoorde hoe hij aan zijn bureau ging zitten en zuchtte. Hij klonk moe en ontmoedigd. Dan schraapte hij verlegen zijn keel.

'Bent u... eh... de superieure van zuster Armstrong?' vroeg hij.

'O nee, dokter. Nee. Eerwaarde moeder voelde zich niet goed genoeg om te komen. Is er iets mis met zuster Martha?'

'Niets lichamelijks, voorzover ik kan beoordelen.'

'God zij dank,' zuchtte moeder Constantia devoot. Ik kon me precies voorstellen hoe haar rollende ogen vroom hemelwaarts keken. Er volgde een pauze en dan vervolgde ze op stekelige toon: 'Waarom is ze dan steeds zo misselijk?'

'Waarschijnlijk zenuwen.' Opnieuw voelde ik de depressie als een loden last op me neerdrukken en nu was zij vermengd met verachting. Wat verachtte ik mezelf! Zenuwen! Het klonk alsof ik een Victoriaanse dame met opvliegers was. Maar wat kon ik eraan doen?

Ik pakte mijn sluier en realiseerde me dat dokter Saunders nog steeds aan het woord was.

'Maar ik denk,' zei hij streng, 'dat u heel goed op haar moet letten. Ze is onder haar normale gewicht. Nu nog niet ernstig, maar ik geloof dat ze snel en opvallend gewicht verliest.' Hij pauzeerde met een vragende blik in zijn ogen. Uit de mond van moeder Constantia klonk een vrijblijvend geluid van instemming.

'Ik vermoed,' vervolgde de dokter, 'dat haar eetgewoonten van de laatste paar jaar haar een neurotische afkeer van voedsel hebben bezorgd. Ik denk dat u goed op haar moet letten; u zou wel eens te maken kunnen hebben met een beginnend geval van anorexia.'

Wat was dat nou weer? Ik keek abrupt op van het aankleden.

Moeder Constantia klonk net zo verbijsterd als ik was.

'Anorexia?'

'*Anorexia nervosa*.' Dokter Saunders klonk ongeduldig. 'Een onvermogen om te eten dat drastisch gewichtsverlies tot gevolg heeft.'

'O, nee, dokter.' De stem van moeder Constantia klonk op een superieure manier geamuseerd. 'Dat is onmogelijk. Zuster eet erg goed. Dat moet ze wel onder de heilige gehoorzaamheid. En,' voegde ze er verdedigend aan toe, 'ze krijgt bij ons een goed en gezond dieet.'

'Dat geloof ik graag, zuster,' zei dokter Saunders beleefd, hoewel hij zijn ergernis nauwelijks kon verbergen. 'Maar anorexia wordt niet alleen veroorzaakt door niet te eten. Ze heeft er al moeite mee haar eten binnen te houden. Ik begrijp dat sommige van de regels in haar geval zijn opgeschort? Goed. Wel, dat zou kunnen helpen. Omdat ik denk dat als ze doorgaat met dat overgeven, u haar nog eens moet laten onderzoeken.'

'U bedoelt,' zei moeder Constantia na een verbaasde pauze, 'dat het gewoon haar zenuwen zijn.'

Ik zuchtte terwijl ik mijn kousen aandeed. Daar kwam het dus eigenlijk op neer. Zenuwen. En al dat gepraat over anor... anor – wat was het ook alweer? – kon dat feit niet verdoezelen. Er was maar een remedie, voorzover ik kon zien. Ik moest mijn wil stalen. Al dit gedoe kwam doordat ik een zwakke wil had, dacht ik met afschuw. Van de dokter mocht niet worden verwacht dat hij de zelfdiscipline begreep die voor iedere kloosterling essentieel was. Woedend op mezelf stak ik mijn voeten in mijn schoenen.

'Is ze zenuwachtig?' vroeg dokter Saunders. 'Zijn er nog andere neurotische symptomen?' Ik bloosde, beschaamd over het feit dat ik mijn zwakheid zo hoorde bespreken.

'Ze valt nogal vaak flauw, dokter.'

'Werkelijk? Vertelt u daar eens iets meer over.'

O nee! dacht ik. *Kunnen we allemaal niet gewoon naar huis gaan en het vergeten?* Deze dokter was hier om mensen te helpen die echt ziek waren, niet om zijn tijd te verdoen met een hypochonder als ik.

'Er valt niet veel over te zeggen. Het is gewoon hysterie. Ze valt plat op de vloer. Nadien heeft ze er erg veel spijt van.'

'Is ze al eens bij een neuroloog geweest?'

Dit was belachelijk. Ik trok de veters van mijn schoenen aan, knoopte ze stevig vast met een dubbele knoop en stond met een gloeiend gezicht van schaamte op. De dokter was erg aardig maar hij begreep er niets van. Ik kon aan zijn stem horen dat hij het kloosterleven onnatuurlijk en ongezond vond. Maar dat was een werelds standpunt. Ik was zelf de oorzaak.

'Ik weet zeker dat dat niet nodig is,' zei moeder Constantia minzaam toen ik terugging naar de spreekkamer. 'Het zijn gewoon haar zenuwen.'

Dokter Saunders keek me aan. Zijn ogen stonden bezorgd en hij streek met zijn hand over zijn voorhoofd alsof hij iets weg wilde vegen. Dan haalde hij diep adem alsof hij iets wilde zeggen en richtte zijn blik weer op moeder Constantia. Zuchtend keek hij op de klok en schudde zijn hoofd.

'Wel. Ja. Ja. Ik begrijp het.' Zijn stem klonk terneergeslagen. 'Dat is dan alles. Ik zal je eigen arts schrijven.' Hij trok een vel papier uit de stapel voor zich en keek ons niet meer aan toen we de kamer verlieten.

Dankzij het gelukkige feit dat ik geen kaas meer hoefde te eten, ging ik minder overgeven en begon ik weer wat aan te komen. Maar nog steeds voelde ik die knagende afkeer van mijn opstandige lichaam.

Van andere aspecten van het scholasticaat genoot ik. Mijn studie aan de school die me klaarstoomde voor de universiteit verliep naar wens en ik kreeg goede rapporten. Ze dachten dat ik een goede kans maakte om naar Oxford te gaan. Het was een puur genoegen weer te lezen en ik begon me zorgen te maken over het plezier dat ik erin had. Maar gelukkig had ik met al mijn theologische studies voor het diploma weinig tijd om toe te geven aan mijn liefde voor de literatuur. Mijn geest, zo merkte ik op, begon op twee verschillende manieren te werken. Bij literatuur gaf ik me geheel over aan mijn gedachten en ik volgde ze waarheen ze me ook voerden. Dat was opwindend, ook al was ik me droevig bewust van de verstoftheid van mijn geest. Toch was dat gewoon een deel van het offer dat ik had moeten brengen. Wat deed het ertoe als mijn verstand niet zo helder was als het had kunnen zijn? Het behoorde God toe en bovendien was dat soort intellectuele vrijheid gevaarlijk.

Ik werd me daar steeds meer van bewust bij mijn theologische studie. Daarbij had je niet hetzelfde soort vrijheid. Wanneer ik een opstel begon te schrijven wist ik tot welke conclusie ik moest komen om orthodox te blijven. Hier was het mijn taak met feiten en kennis te goochelen om tot die juiste conclusie te komen. Ik wist nog hoe moeilijk moeder Greta dat had gevonden. Maar ik hield mezelf streng voor dat dit de manier was waarop het moest gebeuren. Als ik mijn geest liet gaan, zou hij met me op de loop gaan en me wegvoeren van God en de ware gehoorzaamheid.

Deze houding werd op de proef gesteld toen ik mijn eerste ervaringen met lesgeven had. Elke zondagmorgen gingen zuster Jocasta en ik samen met moeder Bianca naar het East End van Londen om daar les te geven op een zondagsschool. Daarbij waren we voorzien van een zielige collectie visuele hulpmiddelen om de aandacht van de kinderen vast te houden. Hoe konden we ze tot God brengen? Het was een ongelijke strijd. Toen Pasen naderde besloten we een paasmaaltijd met de kinderen te houden om ze vertrouwd te maken met de realiteit van het Laatste Avondmaal. Al weken van tevoren legden we hun de ceremonie uit en maakten zij tekeningen van de plagen van Egypte en van paaslammeren. Toen we hen ten slotte rond de tafel hadden gezet met magere stukjes geroosterd lamsvlees, onze bundeltjes waterkers en zout water, druivensap voor de wijn, en onze eigengemaakte keiharde stukken ongezuurd brood, was de mislukking maar al te duidelijk. De kinderen zagen er niet méér in dan een lolletje en een kans op een picknick.

Het was een leuk stel kinderen, en ik begon steeds meer respect voor hen te krijgen in hun strijd om onder afschuwelijke omstandigheden te overleven.

Ruwe, onvervalste Cockneys leefden samen met Indiërs en West-Indiërs, hele gezinnen woonden opeengepakt in een huurkamer, maar de kinderen gingen onberispelijk gekleed.

'Hallo, juf,' schreeuwden ze altijd wanneer we het zaaltje binnenkwamen.

'Jullie moeten me zuster noemen,' moest ik elke week weer zeggen, 'niet juf.'

'Sorry juf... ik bedoel zuster!' gilden ze dan vrolijk terwijl ze wegstoven om rond te gaan rennen. Ze werden echter direct stil zodra moeder Bianca de gebeden begon te lezen. Ze stond op het kleine podium in het stoffige zaaltje, uitgemergeld en wankelend van de pijn, en met een hese en lage stem. En de gebeden die ze sprak waren de ouderwetse die zij zelf als kind had geleerd, gericht tot 'Kleine Jezus, lief en goed' en tot beschermengelen. Ik wist uit mijn studie dat engelen theologisch uit de mode waren. Maar modieuze theologie en modieuze gebeden leken hier niet te tellen. Niets leek minder belangrijk voor het leven van de kinderen, maar moeder Bianca wist ze ervoor te winnen.

Ik probeerde een klas van zevenjarigen voor te bereiden op de biecht en had daar moeite mee. Die moeite bereikte op een zondag een climax toen Veronica, een vlasblond engelachtig kind zich door een 'oefen'-biecht worstelde met mij als de 'zogenaamde' priester.

'Ik ben stout geweest, juf... ik bedoel zuster... ik bedoel meneer pastoor.' Ze hield verbijsterd op. Ik kon het haar niet kwalijk nemen.

'Op wat voor manier, Veronica?'

'Ik heb mijn kleine zusje gepest, juf, en mijn tong tegen mijn vader uitgestoken toen hij laat thuis kwam van de slijter.'

Ik geloof je graag, dacht ik vermoeid. Ik zag het voor me. De dronken vader, de afgematte moeder, de kinderen angstig wakker geworden in de kleine warme kamer.

'Maar Veronica,' probeerde ik uit te leggen, 'dat zijn niet echt *zonden*.' *Helemaal geen zonden*, dacht ik vastberaden bij mezelf. 'Als je gaat biechten moet je tenminste één echte zonde opbiechten. Heb je bijvoorbeeld een leugen verteld, of geld gestolen, of wat anders...?' Mijn stem stokte toen ik haar duidelijke verbijstering zag. Zelfs als ze een van die dingen had gedaan, vroeg ik me af, zou God daarboven ze dan echt als zonden beschouwen als ze zo moest leven? Het was een verontrustende gedachte.

'Wat is een leugen, juf?'

Wat vroeg de kerk me te doen? Ik was hier bezig deze kinderen katholieke schuldmechanismen in het hoofd te stampen die hen waarschijnlijk hun hele leven zouden achtervolgen! Ging de liefde van God daarover? Ik was verbaasd over de kracht van mijn boosheid. Waar kwam die kritiek vandaan? Een jaar geleden had ik dergelijke ideeën nog onmogelijk kunnen koesteren. Betekende dat dat ik leed aan intellectuele hoogmoed? Of – en dat was een ontstellende gedachte – *had ik gelijk?*

Er was maar één manier om daar achter te komen. Aan het eind van de les ging ik op zoek naar de pastoor van de parochie. 'Meneer pastoor,' vroeg ik, 'moeten we ze nu al laten biechten? Ze zijn er nog niet klaar voor. Ze hebben geen idee wat het betekent!'

Pastoor Flannigan keek me aan met een halsstarrige uitdrukking in zijn waterige, roodomrande ogen. De voorkant van zijn kazuifel zag er glimmend en vlekkerig uit. En hij rook onmiskenbaar naar whisky. De hal van de pastorie waarin we stonden was donkergroen geschilderd en er hing een zure geur van verwaarlozing.

'Zuster,' zei hij bars, 'het kan me niet schelen wat voor modieuze onzin je tegenwoordig in je theologische studie leert. Ik wil dat deze kinderen er *klaar* voor zijn. Klaar, zuster! De sacramenten werken automatisch. Dat weten we door het geloof! Ik wil dat ze er nu klaar voor zijn, zodat dat is afgehandeld!'

Ik staarde hem geschokt aan. De stem van de kerk. Dan kreeg ik mezelf weer in de hand. Nee, dit was niet de stem van de kerk. Hier was een slechte priester aan het woord. Mijn theologie en de documenten die het resultaat waren van het Vaticaans Concilie, stonden achter me. Ik moest deze priester gehoorzamen; dat wist ik, maar toen ik naar boven liep voor de mis voelde ik me behoorlijk overstuur. Ik had over iets nagedacht; ik was voor mijn standpunt opgekomen en had het gehandhaafd. Ik had gelijk. Maar ik moest goed op mezelf letten. Op een dag kon ik het ook weleens bij het verkeerde eind hebben. *Laat me niet hoogmoedig zijn,* bad ik terwijl ik neerknielde naast de kinderen op de galerij.

Toen ik van boven keek naar wat er beneden in de kerk gebeurde, zag ik waarom pastoor Flannigan vasthield aan zijn geloof in de automatische werking van de sacramenten. Als ze niet automatisch werkten was er voor deze galerij geen hoop meer. De kerk was een verbouwd variété-theater. We zaten op de eerste rij van het ronde balkon dat direct boven het altaar hing. Ik zag hoe aan het verste eind van de cirkel Kim en Simon elkaar op het hoofd sloegen met gezangbundels en hoe zuster Jocasta zich langs tien kinderen worstelde om te proberen hen uit elkaar te halen. Julie en Peter hadden papieren pijltjes in elkaar geknutseld, die ze naar de hoofden van de gelovigen beneden schoten. Veronica en Nigel waren bezig aan een worstelwedstrijd. Toen ik de enorme cirkel met mijn ogen was langsgegaan en bij hen was aangekomen, was het de beurt van Danny en Steve – die tot dan toe, suf van verveling, rustig naast me lagen neergeknield – een of andere streek uit te halen.

Onder ons dreunde de mis door. Mechanisch, zielloos afgeraffeld Latijn. Wat een verschil met de devote rust van de kloosterkerk.

'*Pax vobiscum*,' zei pastoor Flannigan chagrijnig terwijl hij zich met uitgestrekte armen naar de gelovigen wendde. Dan stak hij, zonder te pauzeren om adem te halen, een van zijn handen omhoog, wees dreigend naar de galerij en schreeuwde: 'Als jullie kinderen niet onmiddellijk ophouden, kom ik persoonlijk naar boven om jullie een pak slaag te geven!'

Vervolgens draaide hij zich vermoeid om, om met de puistige acoliet de vredeskus uit te wisselen.

Op weg naar huis sloot moeder Bianca haar ogen en leunde uitgeput achterover in de stoel van de bus. *Ze moet niet met ons meegaan*, dacht ik, *het is veel te veel voor haar.* Ik zag hoe haar uitgemergelde lichaam heen en weer schudde en schokte terwijl we ons een weg door Londen baanden. Toen we het klooster naderden, wisselden zuster Jocasta en ik een blik van verstandhouding. We waren dicht bij de gevarenzone. Als we nog twee haltes meegingen, zou de bus ons aan het eind van onze straat afzetten. Maar dat zou vier pence per persoon extra kosten en moeder Bianca was altijd onvermurwbaar. 'We kunnen best lopen!' zei ze nadrukkelijk. 'Dat is goed voor ons. Heilige armoede! We kunnen niet zomaar een extra shilling weggooien.' Voor ons was het misschien wel goed, maar voor haar was het te veel. Ik keek naar buiten. Tijd voor actie.

'Eerwaarde Moeder,' begon ik. Ze opende haar ogen en glimlachte naar me, haar pijn negerend en nieuwsgierig naar wat ik wilde zeggen. Ik begon met haar te vertellen over mijn dilemma met de eerste groep biechtelingen. Zuster Jocasta sloot zich aan en moeder ging helemaal op in het gesprek.

'Ja, je had gelijk het naar voren te brengen, zuster. Deze kinderen zijn er waarschijnlijk nog niet klaar voor. Maar je had ook gelijk dat je pastoor Flannigan direct gehoorzaamde.' Zuster Jocasta en ik durfden elkaar niet aan te kijken. Vandaag lukte het; soms niet. 'Hij is onze meerdere, en iets wat je doet in gehoorzaamheid aan een priester is nooit verkeerd, nooit vergeefs... o hemel! We hebben onze halte gemist!'

'O, neem me niet kwalijk, eerwaarde moeder.' Moeizaam gingen we staan en baanden ons een weg naar de conducteur. Zuster Jocasta knipoogde naar me en ik glimlachte terug.

'Hier!' Moeder Bianca zwaaide met een shilling naar de conducteur. 'We zijn onze halte voorbijgereden. Het spijt ons zeer – het was een vergissing. Wij moeten u nog betalen!'

'Dat is in orde, zuster,' zei de Ierse conducteur. 'Ik ben zelf katholiek. Het was me een genoegen u in de bus te hebben.'

We stapten aan het eind van de straat uit en ik probeerde de door pijn gekwelde uitdrukking op het gezicht van moeder niet te zien toen ze uitstapte.

Een paar maanden later bracht onze huisarts een specialist mee om moeder Bianca te onderzocken. Ze bleven een uur lang in haar kamer. Ik was die dag de huishoudster en toen ik de bel hoorde rinkelen, rende ik de trappen op, klopte aan en ging de kamer binnen. Moeder zat rustig achter haar bureau en de beide artsen wachtten om afscheid van haar te nemen. Ze glimlachte hen vredig toe.

'Zuster,' zei ze met ogen die glansden van de pijn maar toch heel vriendelijk stonden, 'zou je zo goed willen zijn deze brieven te posten? En laat deze heren even uit.'

Ze volgden me zwijgend naar beneden. Ik liep de hal door en opende beleefd en discreet de deur voor hen.

'Mijn God,' zei de dokter toen hij de deur uit stapte. In zijn stem klonk ontzag en ontreddering. 'Wat moet die vrouw wel niet verduren.'

De specialist kwam bij hem staan op de bovenste tree van de trap die naar de straat voerde. Hij keek uit over de zonnige Kensington Street die vol zomers gebladerte en vrolijkheid was en draaide zich vervolgens om om naar de stilte van het huis te luisteren.

'Als jij of ik,' zei hij uiteindelijk, 'zo'n pijn zouden hebben, zou je ons de hele straat door horen gillen.'

'Het is verschrikkelijk, ik kan het niet verdragen eraan te denken,' zei ik een paar dagen later tegen zuster Jocasta. We liepen door Kensington High Street op weg naar de biecht in de Onze Lieve Vrouw van de Overwinningen. Het was zaterdagmiddag en recreatietijd. De laatste drie dagen had dat vluchtige gesprekje dat ik had gehoord me niet losgelaten. Ik zag hoe moeder in de refter onze niet te verteren maaltijden naar binnen werkte, elke morgen om halfzes opstond, ons instructie en lesgaf en recreatie hield. Natuurlijk was ik mij bewust van haar pijn. Maar dat twee artsen die al honderden kankerpatiënten moesten hebben gezien, zo overstuur waren geweest van haar lijden had me bang gemaakt.

Zuster Jocasta fronste haar wenkbrouwen. 'Ik weet het,' zei ze kalm nadat ik haar had verteld wat de dokters hadden gezegd. 'Zo was het vorig jaar ook. Wist je dat ze de vorige zomer, nu bijna een jaar geleden, in het ziekenhuis heeft gelegen?' Ik knikte. In Tripton hadden we gebeden voor haar herstel. 'Ja, ik mocht het eigenlijk niet weten, maar toen ze eruit kwam, had het ziekenhuis haar nog drie weken gegeven. Uiterlijk.'

'Dus toen we in het scholasticaat arriveerden had ze eigenlijk dood moeten zijn.'

Zuster knikte. 'En dan gaat ze gewoon nog een heel jaar door. Blijkbaar – ik hoorde dat allemaal toen ik van de zomer voor mijn rust en ter afwisseling in Blackpool was – hebben ze haar medicijnen gegeven om de pijn een beetje te verlichten. Maar ze wil ze niet innemen.'

'Waarom niet?'

'Omdat ze zegt dat ze verantwoordelijk is voor de opleiding van jonge nonnen en dat ze slaperig wordt van die medicijnen en ze daarom niet kan innemen.'

We liepen zwijgend door. Ik dacht na over het begrip heroïek. Het was iets bovenmenselijks. En toch was dat begrip niet op haar van toepassing. Moeder Bianca was erg menselijk.

'Het is monsterlijk,' zei zuster plotseling en haar gezicht stond vol boosheid, 'zoals ze haar hebben behandeld! Zoals ze haar dertig jaar in die kledingkamer hebben gehouden waar ze helemaal wegkwijnde en het gevoel kreeg mislukt te zijn. Om vervolgens, toen ze voor het eerst over pijn begon te klagen, tegen haar te zeggen dat ze het zich maar inbeeldde en er niet zo'n drukte over moest maken! En nu! Waarom hebben ze haar in hemelsnaam in dienst gehouden?'

'Voor ons,' zei ik onmiddellijk. 'Ik zal dit jaar nooit vergeten. Nooit.'

'Oké, het is heerlijk voor ons. Een inspirerend voorbeeld voor de rest van ons leven. Maar hoe is het voor *haar*?'

We vervolgden onze weg. Het was de eerste veroordeling van de manier waarop het in het klooster toeging die ik in mijn religieuze leven had gehoord. En het ergste was dat een deel van mij, dat gevaarlijke deel dat pastoor Flannigan had aangevallen, haar gelijk wilde geven. Maar ik vocht er hard tegen: het was een wereldse opvatting.

'Maar zuster, het kan haar niet schelen; ze denkt nooit aan zichzelf. Dat maakt haar juist zo fantastisch. *Zij* heeft zichzelf helemaal losgelaten, zich helemaal leeggemaakt van zichzelf – al die dingen die ze ons jarenlang als ideaal heeft voorgehouden.'

'Ja, maar zij is een heilige,' antwoordde zuster kortaf. 'Ik bedoel dat letterlijk. En er zijn nu eenmaal niet veel heiligen. Luister, laten we het onder ogen zien – hoe zouden jij of ik het vinden als wij op die manier werden behandeld? Wij zijn geen heiligen en we zouden allebei een wrak zijn geworden!'

'Maar zuster, dat is een tekortkoming in ons; we zijn hier niet om onze eigen zelfvervulling te zoeken.'

Maar ondanks mijn vurige ontkenningen woelden de gedachten nog steeds door mijn hoofd toen we neerknielden in de rij in de Onze Lieve Vrouw van de Overwinningen. Was de heiligheid van moeder Bianca echt een excuus voor haar superieuren voor de onmenselijke wijze waarop ze haar hadden behandeld? En mij zouden kunnen behandelen? Rechtvaardigde het doel echt de middelen? Maar dan moest ik me daartegen verzetten. Nu ik mijn hersens weer gebruikte, moest ik ervoor zorgen ze in bedwang te houden anders, zouden ze met me op de loop gaan, weg van mijn roeping.

Maar achter dat alles bedrukte me nog iets anders. Moeder Bianca zou spoedig sterven en ik vond die gedachte onverdraaglijk. Ik hield van haar. Ik knielde neer in de grote weergalmende kerk en zag het feit onder ogen. Ik hield niet van haar 'in Christus' of met de vage, algemene liefde die je voor iedereen wel kunt voelen. Ik hield van haar in het bijzonder. En waar liet dat mijn onthechting? Als ik van moeder Bianca hield op de manier waarop ik dat zou moeten doen, zou ik blij moeten zijn dat ze naar God ging. De dood was in de orde een reden tot vreugde. Dat had me aanvankelijk verbaasd. Op de dag dat iemand in de ziekenafdeling van Tripton stierf, kregen we altijd cake bij de thee en mochten we praten tijdens de maaltijden. Niet om ons op te vrolijken, maar alsof het feest was. Eigenlijk was het logisch. Een non bereidde zich haar hele leven voor op haar vereniging met God. Natuurlijk moesten we dan blij zijn als het zover was.

Op een avond hadden we in de refter in stilte de avondmaaltijd gebruikt. Zuster Jocasta had hardop een aantal van iemands stichtelijke brieven voorgelezen. We wisten dat moeder Maria de hele dag al op sterven lag. De stilte betekende dat ze nog niet dood was. Via moeder Albert hadden we een paar verschrikkelijke verhalen vernomen. Blijkbaar verliep het heengaan van moeder Maria niet vredig; vechtend en om zich heen slaand probeerde ze uit bed te komen om te ontkomen aan haar dood en aan de 'abdis' die ze naast zich zag staan. Dat had me geschokt. Dat een non die zich haar hele leven had voorbereid op de dood, zich er tot het laatste moment zo wanhopig tegen verzette, vervulde me met afschuw. Had ze het gevoel gehad dat ze vreselijk had gefaald of had ze vermoed dat voorbij het graf een nog vreselijker leegte wachtte? Moeder Albert had nonchalant haar schouders opgehaald en gezegd: 'Soms gaat het op die manier. Het is gewoon een laatste beproeving die God stuurt.' En nu ik mijn sardientjes op toast at en luisterde naar de heldere stem van zuster Jocasta boven het gerammel van het bestek uit, vroeg ik me af of moeder Maria nog steeds vocht tegen het onvermijdelijke.

Bang! We sprongen allemaal op en keerden ons onwillekeurig naar de deur. De superieure was tijdens de maaltijd binnengekomen en had de deur zo hard opengeduwd dat de zware koperen deurknop tegen de muur was geslagen. Ze lachte van oor tot oor. '*Deo gratias!*' riep ze uit. Gode zij dank – het teken dat we mochten praten. 'Moeder Maria is naar God gegaan!' De communiteit barstte in lachen uit en de maaltijd werd hervat, ditmaal in een opgewekte stemming. Maar onder het vrolijke gepraat vroeg ik me bezorgd af of, na zo'n dood, blijdschap wel gepast was.

Er was altijd dood in Tripton geweest. In één zomer stierf er elke week wel iemand en we begonnen de maandag 'begrafenisdag' te noemen, gewend als we raakten aan de lange processie door de kloosterhof naar de begraafplaats, naar het open graf. We knielden neer naast het dode lichaam om afscheid te nemen en keken naar de wasachtige huid, naar het gezicht dat vaak onherkenbaar was geworden zodra de ziel het lichaam had verlaten. Het was moeilijk je voor te stellen dat de non in de hemel was en het was even moeilijk de woorden van Job 'Ik zal God zien vanuit dit lijf' te begrijpen uit het klaaglied dat we elke avond rondom de kist zongen, wanneer je terugdacht aan dat afgelegde omhulsel.

En nu ik geknield lag in de Onze Lieve Vrouw van de Overwinningen trof de dood me op een nieuwe manier. Hoe kon ik cake eten bij de thee en vrolijk lachen in de refter als moeder Bianca gestorven zou zijn? Haar dood zou een enorme leegte in mijn leven achterlaten. Het zou me niets moeten uitmaken. Maar dat deed het wel, en ik werd vervuld van een overstelpend gevoel van eenzaamheid.

Een paar weken later in de herfst van mijn tweede jaar in het scholasticaat, bleef moeder in bed liggen. Dit was het einde. Dat wisten we en we slopen door het huis en luisterden naar de stilte die uit haar kamer kwam. Ze zouden haar naar Tripton brengen om te sterven. *Waarom kunnen ze haar niet hier laten?* dacht ik ongelukkig. *Wij kunnen voor haar zorgen.* Ik haatte de gedachte dat zij die reis nog moest maken – een ambulance, een trein, weer een ambulance. Al dat geschud en geschok. Zou ze die reis wel overleven?

Op haar laatste avond bij ons riep ze ons allemaal bij zich in haar kamer om afscheid te nemen. We zaten rond haar bed op de grond terwijl moeder rechtop in de kussens zat, nog magerder en gerimpelder dan tevoren. Haar gezicht zag grauw. Maar haar krakende stem klonk nog steeds krachtig, hoewel ze zo nu en dan even pauzeerde om op adem te komen.

'Zoals jullie weten ga ik morgen naar Tripton. Ik verwacht niet dat ik nog lang te leven heb.' Hoe kon ze zo zakelijk zijn?

'Maar moeder Frances komt het hier overnemen. Zij is precies wat jullie nodig hebben – jonger dan ik. Het zal jullie goed doen iemand te hebben die jong en gezond is. Verwacht wordt dat ze het de vijftiende van de volgende maand van me overneemt en het is de bedoeling dat ik het tot zolang volhoud.' Opeens moest ze lachen – dat krakende lachje van puur plezier – en ze spreidde haar handen uit als een welsprekende uitnodiging aan ons om met haar mee te lachen. 'Tegen die tijd zal ik wel dood zijn!' We probeerden te glimlachen, maar in plaats daarvan voelde ik tranen opwellen. *Ik mag niet huilen*, dacht ik, *niet bij zo'n moed. Ik mag niet zwak zijn en aan mezelf toegeven. Omdat ik dan medelijden met mezelf heb.* 'Maar,' vervolgde moeder, terwijl ze nu bitter in zichzelf glimlachte, 'superieuren houden nu eenmaal nooit rekening met dergelijke dingen,' en ze grinnikte weer naar ons.

Ik vraag me af hoe vaak ze u in het verleden hebben gevraagd onmogelijke dingen te doen, dacht ik, nog steeds tegen mijn tranen vechtend. *En als u ze deze keer niet gehoorzaamt en toegeeft aan de fundamentele menselijke zwakheid, dan zou dat de eerste keer zijn.* Ik wist dat ze een voortreffelijke non was en ik wist ook dat ik nooit zo goed zou kunnen zijn als zij.

'Wel', besloot ze, 'ik zal jullie allen vanuit de hemel gadeslaan en jullie loopbaan met liefde en gebed volgen.' Vervolgens draaide ze haar hoofd opzij. 'Natuurlijk,' zei ze peinzend, 'weten we theologisch gesproken niet of zielen in de hemel de wereld kunnen zien in hun zalige aanschouwing. Maar *als* ik jullie kan zien, dan zal ik met belangstelling naar jullie kijken. In elk geval zullen we allemaal samen in God zijn – jullie in het geloof en ik in werkelijkheid. Het is dus allemaal hetzelfde.'

Ze gebaarde ons de kamer te verlaten. Worstelend met mijn gevoelens stond ik op.

'Zuster Martha,' zei ze opeens, 'wil je nog even blijven?'

Ik hoorde de anderen de kamer verlaten toen ik neerknielde bij haar bed. Ik keek naar de grijze deken die voor mijn ogen zwom. Dan pinkte ik mijn tranen weg en probeerde dit geschenk van die laatste paar woorden dat ze me had gegeven me waardig te betonen. Voor de laatste keer keek ik op naar haar uitgeputte gelaat. Ze wenste me eerst geluk met mijn toelatingsexamens voor Oxford die nog maar een paar weken weg waren. Zelfs op haar sterfbed was ze zo vertrouwd met God dat ze grapjes maakte, nadacht over theologische problemen en aan mijn examens dacht. Geen enkel spoortje van zelfmedelijden. Ik wist dat ze de dood zo rustig onder ogen kon zien omdat ze haar hele leven al aan het sterven was geweest, precies zoals een non betaamde.

'Dank u, eerwaarde moeder, voor alles wat u voor me hebt gedaan.'

Er was zoveel dat ik had willen zeggen en deze lege kleine formule klonk zo afgezaagd. 'U hebt me meer gegeven dan u ooit zult weten.'

Ze strekte haar hand uit en legde hem op mijn hoofd. We keken elkaar strak aan en zij glimlachte.

'Toen je hier kwam, zuster, was me verteld dat je moeilijk zou zijn. Ik wil dat je weet,' vervolgde ze met nadruk, 'dat ik nooit moeite met je heb gehad. Je bent een goede scholastiek... je bent een goed meisje, zuster. Vergeet niet dat ik dat heb gezegd.'

De komst van moeder Frances deed me nog duidelijker beseffen wat ik allemaal had verloren. Het was een lange vrouw van middelbare leeftijd, met een vriendelijk gezicht en een kalme glimlach. Maar ze had kleine ogen die een beetje loensden, zodat ze je nooit leek aan te kijken.

Dat was het probleem, besloot ik. Moeder Bianca had zich altijd direct met me bemoeid, maar moeder Frances wierp me abrupt terug op de gewone onpersoonlijke behandeling van de orde, hoewel ze nooit onvriendelijk was en we het samen prima konden vinden. Die herfst ging ik naar Oxford, en dat vond ze leuk omdat ik naar haar oude college ging om Engels te studeren, zoals ook zij had gedaan voordat ze intrad. Het was gewoon zo dat er een dimensie ontbrak. Ik moet niet oneerlijk zijn, zei ik tegen mezelf. Ik kan niet verwachten dat iedereen is zoals moeder Bianca.

Ze had ons over de dood van moeder Bianca verteld op een warme septemberavond voor de les van die avond. Wekenlang hadden we het onvermijdelijke nieuws uit Tripton verwacht, maar op een of andere manier kwam het toch nog als een schok. Moeder Frances gaf ons de feiten. Zelfs nu klonk ze koel en ironisch terwijl haar heldere ogen van ons en van het verdriet dat de kamer vulde, afdwaalden. Het was stil geweest toen ieder van ons naar het tafelblad keek, verloren in gedachten die we nooit zouden delen. Ik vocht tegen het brok in mijn keel dat ik onmiddellijk voelde opkomen en pinkte de opstandige tranen weg die me lieten zien hoe ver ik nog af was van religieuze onthechting. Ik wist dat ik blij moest zijn dat moeder Bianca naar God was gegaan, maar alles wat ik voelde was een diep verlies. Die avond sprak niemand over het onderwerp dat onze gedachten vervulde. We babbelden opgewekt en vrolijk over onbenullige dingen, maar ondanks dat heerste er een zekere spanning tijdens die recreatie. We glimlachten allemaal gelukkig naar moeder Frances, in het besef dat God haar had gezonden om onze superieure te zijn. Maar wat was het vreemd en verdrietig haar te zien zitten in de stoel die nog maar zo kort geleden de stoel van moeder Bianca was geweest.

Kort na mijn examens kwam ik op een ochtend naar beneden voor het ontbijt terwijl ik me verschrikkelijk beroerd voelde. Ik was die nacht weer misselijk geweest en had die morgen tijdens de mis moeten blijven zitten. Ik voelde me nog steeds niet goed en kon onmogelijk eten. Ik wist dat ik moest eten maar kreeg het voedsel niet naar binnen en voelde hoe de welbekende golven van misselijkheid me alweer overspoelden. Halfhartig nipte ik aan een kopje thee en zodra ik kon verliet ik de refter.

Ik was de voorhal aan het vegen toen moeder Frances langs me heen liep en me op de schouder tikte. 'Kom boven, zuster,' zei ze koel. Ik volgde haar terwijl de moed me in de schoenen zonk. Ik wist wat er zou komen.

'Zuster,' zei ze toen we haar kamer bereikten – de kamer die van moeder Bianca was geweest – 'waarom heb je vanmorgen bij het ontbijt niets gegeten?'

'Ik was misselijk, eerwaarde moeder. Ik was afgelopen nacht al misselijk en ik denk dat ik niets binnen kan houden.'

'Ik begrijp het.' Ze keek uit het raam en ik knielde naast haar neer en keek naar de vloer. 'Het is absoluut niet nodig dat je misselijk bent, zuster. Ik hoorde van moeder Constantia dat je vorig jaar bij de dokter bent geweest en dat dit overgeven gewoon een kwestie van zenuwen is.'

'Ja, eerwaarde moeder.'

'Dus alsjeblieft geen misselijkheid meer. Als je zo zwak bent dat jezelf toestaat misselijk te zijn, moet je de volgende dag bij de maaltijden meer eten dan je gewend bent. Ik wil niet dat je aandacht en medelijden zoekt zoals je vanmorgen bij het ontbijt hebt gedaan.'

'Het spijt me, eerwaarde moeder.'

'En ik heb begrepen dat moeder Bianca je toestemming heeft gegeven geen kaas meer te eten. Ik denk zo dat je dit privilege hebt gebruikt om aan je zenuwen toe te geven. Dus moet je vanaf vandaag weer kaas eten.'

'Dank u, eerwaarde moeder.'

Ik was niet verrast. De toon, de boodschap – het was me maar al te vertrouwd. Maar iets was anders. Wat? Ik begreep plotseling dat het verschil in mezelf zat. Moeder Bianca had me zowel geïnspireerd door haar menselijkheid als door haar opoffering. En nu was ik terug in mijn oude isolement. Was dat echt nodig? Was het echt zo verkeerd dat ik liefde had gevoeld voor zo'n fantastische persoon? Naarmate het jaar vorderde, begon de dimensie die ik in de orde en in mijn leven miste, me steeds meer te benauwen. Ik werd weer vaak misselijk en opnieuw merkte ik op dat mijn habijt los om mijn middel hing.

Tegen het einde van mijn scholasticaat nam de spanning aanzienlijk toe. Het was een warme zomer. Terwijl ik me voortsleepte door de straten van Londen, droop het zweet van me af. Ik dacht dat ik eraan gewend was geraakt voortdurend plakkerig en vies te zijn, maar de afkeer van mijn lichaam werd steeds sterker. Het echte probleem was mijn onderbroek. De lange rokken van mijn habijt zwaaiden rond en zogen het vuil en het stof van de metro op in een soort vacuüm. Elke avond stond ik in mijn cel verbaasd naar mijn benen te kijken. Ze waren zwart! Dat was niet overdreven: ze waren bedekt met een zwarte laag die ik er alleen af kreeg als ik ze boende met een nagelborsteltje. Maar ik kon het vuil er tenminste nog afkrijgen. Mijn onderbroek bleef zwart en het duurde nog dagen voordat ik een schone mocht aantrekken. Hij was in een slechte staat; de lange pijpen waren versteld en gestopt en zelfs de wasserij kon niet al het vuil eruit krijgen dat in groezelige veegjes aan het verstelde katoen kleefde.

Op een zaterdagmiddag zaten we na de thee bijeen voor de middagvoorlezing. Dit was een wekelijkse recreatieperiode waarin de superiore ons als traktatie voorlas uit een seculier boek, terwijl wij ons verstelwerk deden. Omdat om voor de hand liggende redenen een groot aantal boeken ongeschikt was, werd er meestal voor reisverhalen gekozen. De laatste vijf jaar had ik geluisterd naar verhalen over Tibet en Antarctica en me in het binnenland gewaagd en de Everest beklommen. Ik begon de geur van versteld katoen te associëren met haverzakken en tenten. Die middag trokken we door de Gobi-woestijn. Ik hoorde niets meer van het verhaal. Het was even saai als al die andere reisverhalen waar we ons doorheen hadden geworsteld. Slaperig nam ik mijn verstelwerk op. De broeders leken mijn opinie te delen. De verveling in de kamer was bijna tastbaar.

'Vinden jullie het boek leuk?' vroeg moeder Frances. 'Ik vind het hoogst interessant.'

Automatisch keken we allemaal op terwijl we gehoorzaam een zwak glimlachje produceerden. Zuster Griselda knikte ernstig. 'O, ja, moeder,' zei ze voor ons allen als de oudste scholastiek. 'Het is heel fascinerend. Al die jakken.'

Jakken? Wat waren dat nou weer voor dingen? Ik had niet geluisterd toen deze schepselen werden beschreven maar de Gobi scheen er vol mee te zitten. Wist zuster Griselda het eigenlijk zelf wel? Ik keek haar sarcastisch aan toen moeder weer begon voor te lezen, en zij grinnikte plotseling naar me terug en haalde licht haar schouders op.

Ik zette me weer aan mijn verstelwerk. Ik verveelde me en voelde me vies en opeens wanhopig. De dorre woestijnen die op de koele toon van moeder Frances werden beschreven leken wel te slaan op mijn leven van dat moment.

Nauwelijks wetend waar ik mee bezig was, pakte ik een schaar. Op een of andere manier wilde ik iemand laten zien hoe ik me voelde.

Ik hoorde zuster Griselda licht hijgen toen ik, met een enorm gevoel van opluchting, de pijpen van mijn lange onderbroek afknipte.

Natuurlijk werd mijn daad opgemerkt, zoals ik ook had bedoeld, maar tegen de tijd dat mijn afgeknipte onderbroek terugkwam van de wasserij voelde ik me rustiger en nogal geschokt door mijn eigen gedrag. Wat had me bezield?

Ik wachtte ongerust op de uitbarsting. Die kwam tijdens de stichtelijke voorlezing van de volgende woensdag.

'Ik heb de indruk,' zei moeder Frances met een stem waarin haar verbijstering doorklonk, 'dat iemand de pijpen van haar onderbroek heeft afgeknipt.'

Op die manier begon een publieke berisping altijd. In onpersoonlijke bewoordingen. Van de schuldige werd verwacht dat ze onmiddellijk opstond om haar overtreding toe te geven. Ik stond op en voelde me behoorlijk kalm. *Het enige wat je moet doen is eerlijk zijn*, dacht ik. *Als ze ernaar vraagt, leg dan uit waarom je het hebt gedaan, dan kan zij je misschien helpen die opstandige neiging te overwinnen.*

'Maar zuster,' zei moeder. Ze was niet echt boos. Alleen maar verbaasd. 'Wat wil je nu eigenlijk? Een *slipje*?' Uit haar mond klonk het als een obsceniteit.

'Ja, eerwaarde moeder!' hoorde ik mezelf zeggen. 'Een slipje zou geweldig zijn!' Dat zou het ook zijn. Geen saai gestop meer, elke dag schone kleren. Wat zou dat zalig zijn. Maar wat gebeurde er dat ik zei wat *ik* wilde en de praktijken van de orde kritiseerde? Verbaasd over deze uiting van mijn kritische vermogen hoorde ik mezelf zeggen: 'Mijn lange onderbroeken worden zo vies, eerwaarde moeder, en in de wereld was ik gewend elke dag een schone aan te trekken.'

'Lieve hemel,' zei ze stomverbaasd. 'In mijn tijd zou dat beschouwd zijn als het toppunt van veeleisendheid. Vindt de rest van jullie dat ook?' Ik keek dreigend naar de anderen, en wonderbaarlijk genoeg lieten ze me niet vallen. Daarvoor ging het onderwerp hen te na aan het hart. Ze knikten tegen moeder Frances over de generatiekloof heen.

Moeder probeerde echt redelijk te zijn, dacht ik met een plotseling gevoel van liefde en respect. Ook zij zag het probleem en op een of andere manier wilde ze ons daarbij helpen. Uiteindelijk moest ik mijn 'slipjes' houden zoals ze waren en in de refter penitentie doen voor een zonde tegen de armoede omdat ik iets had vernield dat niet van mij was. Maar hoewel het ons nog steeds niet werd toegestaan meer dan twee onderbroeken per week te hebben, mochten we ze bij warm weer uitwassen en buiten de ramen hangen om ze 's nachts te laten drogen.

Die avond hield de prinses die naast ons woonde een feest. Champagnekurken knalden en zacht, beschaafd gelach vulde de lucht.

'Alles rustig in uw nonnenhuis vanavond, zie ik,' zei een van de gasten misschien wel, toen hij opkeek naar het hoge stille huis. 'Goeie God! Ziet u wat ik zie?'

Het gelach zal ongetwijfeld heel wat vrolijker en minder beschaafd hebben geklonken toen de voorname gasten een voor een de gezondheidsonderbroeken uit de ramen van het klooster zagen wapperen.

Voordat ik me bij de communiteit in Oxford zou voegen, werd ik voor mijn rust en ter afwisseling naar Tripton gestuurd. Nonnen werden niet geacht vakantie te houden; dat werd te werelds gevonden. Dus kenden we in plaats daarvan een periode van rust en afwisseling, kortweg R en A genoemd. In de orde circuleerde een grapje dat jonge nonnen nooit rust hadden; alleen maar afwisseling. Ik zag de waarheid hiervan in toen ik in de enorme kostschool aan het werk werd gezet om meubilair te verplaatsen. Het leek wel of zuster Jocasta en ik voortdurend bekneld raakten in lastige hoekjes van een wenteltrap met een tafel of een kast tussen ons in geklemd.

Het was vreemd weer terug te zijn in Tripton en in de kerk en in de refter de lange rij novicen te zien zonder nog deel uit te maken van die wereld. Moeder Walter en moeder Albert glimlachten beleefd naar me in de refter, als naar een vage kennis, met een kille afstandelijkheid die me, in mijn huidige geestesgesteldheid, danig in verwarring bracht. De communiteit ging gewoon door met haar bezigheden. Niemand sprak met me. Tussen de verhuizingen van het meubilair door zat ik me in de schoolbibliotheek door de boekenlijst heen te werken die me uit Oxford was toegestuurd. Maar niemand sprak tegen me tijdens de recreatie na de lunch. Het was niet zo dat ze onvriendelijk wilden zijn; vriendelijkheid speelde gewoon geen rol. Jonge nonnen moesten worden gezien maar niet gehoord. Hoe verschillend van moeder Bianca waren ze allemaal! En welk voorbeeld moest ik nu volgen? Ik voelde me eenzaam en buitengesloten en ook nog schuldig over mijn zwakheid. Ik had geen boodschap aan dit melodramatische zelfmedelijden. Dat was iets dat ik had beloofd achter me te laten toen ik het noviciaat verliet.

Hoe weinig had ik deze twee laatste jaren bereikt. Maar ik wist toch dat ik niet moest verwachten enige vooruitgang in mijn geestelijke ontwikkeling te zien. Dat kon alleen maar leiden tot hoogmoed en zelfvoldaanheid.

Op een middag, toen de communiteit zich verspreidde voor de informele recreatie na de lunch, stootte moeder Katherine me aan.

'Laten we even praten, zuster.'

Ik was blij. Het leek wel eeuwen geleden dat ik met iemand had gepraat. Ik volgde haar de tuin in waar we in de schaduw van een hoge ceder gingen zitten.

'En, hoe gaat het met je?' vroeg ze. Haar ogen gleden ongerust over mijn gezicht. Ik zag dat het niet slechts een lege begroeting was. Wat kon ik haar vertellen? Ik stond met mijn mond vol tanden en voelde me verlegen. Het leek wel een andere wereld, die gesprekken die we op school hadden gehad; toen hadden we samen gebabbeld en gelachen en had ik me zeker gevoeld over wat ik wilde. Maar nu voelde ik me helemaal leeg van binnen. De hele tijd dacht ik na over wat ik moest zeggen en over wat er van me werd verwacht. Ik wist niet meer wie ik was.

'Ik... ik ben...' stotterde ik blozend terwijl ik naar mijn handen keek.

Moeder Katherine moest wel denken dat ik een brabbelende idioot was geworden. Ik zag de verwarring in haar ogen, alsof ze probeerde in deze nerveuze jonge non het gelukkige, leergierige schoolmeisje terug te zien dat ze had gekend.

Plotseling kreeg ik mijn spraakvermogen terug. Ik wist dat ze niet geschokt zou zijn door wat ik had te zeggen. 'Ik vind het hier niet prettig,' zei ik botweg. 'Ik weet dat ik dat niet mag zeggen, maar het was verschrikkelijk in Tripton terug te komen.'

'Ik weet het,' knikte ze. 'Ik heb dat gevoel ook altijd wanneer ik hier kom. Het is een erg kille communiteit.'

'Moeder,' – dingen die ik zolang had opgekropt stortten zich naar buiten – 'is het nu echt nodig om ons zo kil tegenover elkaar te gedragen? Ik weet dat ik bereid moet zijn offers te brengen, en dat ben ik ook, echt waar! En ik weet ook dat ik geen menselijke warmte en vriendschap kan verwachten, maar ik voel me vaak zo leeg.'

Ze zuchtte en wendde haar blik een moment lang van me af naar de grijze steen van de gebouwen. Haar gezicht zag er verdrietig en vermoeid uit. Ik voelde me berouwvol. Ik had haar in een moeilijke positie gebracht. Ze was net benoemd tot superieure in Skipton in het noorden van Engeland. Ze kon de politiek van de orde nauwelijks bepraten met een jonge non, laat staan er kritiek op uitoefenen. Ik probeerde haar te helpen.

'U bent niet allemaal zo kil en afstandelijk. U bent het niet. Moeder Albert is het niet altijd. En moeder Bianca was het ook niet. Niemand was heiliger of had een sterkere wil dan zij.'

'Dat weet ik; het was een fantastische persoon.'

'Dat is het probleem. Zij was het soort non dat ik graag zou willen zijn, maar ik weet dat het hopeloos is.'

Moeder Katherine keek me vlug aan, met een ongeruste blik in haar ogen. 'Hopeloos? Je denkt toch niet...?'

Ik zweeg, geschrokken van mezelf. Lieve hemel, dacht ik, als ik dit soort gedachten toelaat, verlies ik mijn roeping.

'Nee, moeder,' zei ik langzaam, wakker geschud uit mijn gepeins. 'O, nee, ik kan het niet opgeven.' Natuurlijk kon ik het niet opgeven. De hele zaak opgeven, alleen maar omdat het zo moeilijk was? Ik dacht terug aan ons gesprek op school van al die jaren geleden, toen ik zo vurig bereid was mezelf op te offeren. 'Ik weet niet waar al die gedachten vandaan zijn gekomen,' zei ik langzaam. Ik ging de stappen na in mijn hoofd. Er was het gevaar dat mijn studie me tot intellectuele hoogmoed zou brengen; en dan waren er het conflict met pastoor Flannigan en het gesprek met zuster Jocasta geweest. En was ik echt wel streng genoeg voor mezelf geweest, toen ik in gedachten opstandig moeder Bianca en moeder Frances met elkaar had vergeleken? En de lange onderbroek. Het ene had tot het andere geleid. Ik moest voorzichtig zijn. 'Ik hoop dat Oxford me niet te kritisch maakt. Ik hoop dat ik er nederig en gehoorzaam blijf.'

De ogen van moeder stonden bezorgd. 'Dat hoop ik ook,' zei ze rustig, maar op een of andere manier voelde ik dat we het niet over hetzelfde hadden. 'Zuster, soms vraagt God ons te volharden,' zei ze dringend. 'Houd vol in je duisternis, hoe moeilijk de dingen ook zijn. Beloof me dat je het in het komende jaar blijft volhouden.'

Opnieuw wendde ze haar blik van me af, in gedachten verzonken, alsof ze een manier probeerde te vinden om iets heel moeilijks te zeggen. 'Oxford,' zei ze, en ik zag haar ongeduldig zuchten. Ze keerde zich plotseling weer naar me toe en de twijfel was van haar gezicht geweken. Haar ogen keken me dringend aan. 'Luister goed, zuster. Gebruik je hersens.' Ik was verbaasd over de felheid in haar stem. 'God heeft ze je gegeven. Het is een groot geschenk. Gebruik ze.'

Ik staarde haar aan. 'Maar moeder...' Wat kon ze bedoelen?

'Ja, ik weet alles van gehoorzaamheid af!' Ze wuifde ongeduldig met haar hand. 'Natuurlijk moet je gehoorzaam zijn. Altijd! Maar dat betekent nog niet dat je al je eigen talenten de kop moet indrukken. En nu stuurt de orde je juist naar Oxford om je geest te ontwikkelen. Grijp die kans dan ook.'

Ik leunde achterover, stomverbaasd over wat ze allemaal had gezegd. En dat juist nu ik mezelf had berispt omdat ik mijn eigen gedachten uit de hand had laten lopen. Ik keek vluchtig naar moeder Katherine, die opnieuw in gedachten leek verzonken. Waar was ze zo bezorgd over? Er was een korte stilte. Wat ze zal bedoelen, dacht ik langzaam, is dat ik me in Oxford academisch moet ontwikkelen. Ik moet mijn onderwerp beheersen als ik er goed les in wil geven. Uiteindelijk had ze het belang van gehoorzaamheid nog aangescherpt. Nadenken over literatuur was één ding, maar ik moest nooit mijn gedachten opzetten tegen mijn superieuren.

'Begrijp je het, zuster,' zei moeder Katherine voorzichtig. 'Je zult het misschien moeilijk vinden.' Ze onderbrak zichzelf. 'In Oxford.'

We keken elkaar aan en ik wist dat ik haar niets meer moest vragen. Waarvoor probeerde ze me te waarschuwen?

'Bid,' vervolgde ze kalm terwijl haar ogen mijn blik vasthielden. 'Blijf dicht bij God, dan hoef je je nergens zorgen over te maken. Beloof je me vol te houden?'

Ik hoefde er niet over na te denken. 'Ja, moeder, natuurlijk beloof ik dat!'

10

Oxford

Oxford. Stad van dromende torens. Brede, lommerrijke straten en huisjes van zachte steen. Klokken die de studenten opriepen tot intellectuele inspanning, ontwikkeling en groei.

Onze dag was een en al gejakker. We waren met ons beiden, twee studerende nonnen. Mijn medestudente was zuster Rebecca, die nu in het laatste jaar van haar studie Frans en Italiaans was. Het was goed haar weer te zien, nog steeds sereen en kalm. Maar net als ik magerder. Veel magerder.

Onze dag begon natuurlijk om halfzes. Dan volgden de gebeden, de mis, het ontbijt, wat huishoudelijk werk, en om negen uur gingen we aan het werk. De hele morgen studeerden we of bezochten we colleges of werkcolleges. Na de lunch zeiden we anderhalf uur lang al onze gebeden – de ene geestelijke plicht na de andere. Vervolgens werden we beiden om drie uur uit wandelen gestuurd. Een stevige, medische vorm van recreatie. Na de thee weer aan het werk tot het avondeten. Een eenzaam leven, afgezonderd van de andere leden van de communiteit in het belang van onze studie.

Ik was een maand in Oxford, halverwege mijn eerste semester, en nam deel aan een werkcollege. Het onderwerp was literaire vormen, een inleidend werkcollege voor eerstejaars. Buiten zag ik studentes zich in hun korte rokjes en met lange haren luidruchtig en gelukkig tussen de studentenhuizen heen en weer haasten. Voor mij zat de studieleidster, een slanke, elegante vrouw met een scherpe tong en een even scherpe geest.

We bespraken de roman, of liever gezegd, de anderen deden dat.

Ik zat aan de rand van de kamer met ontzag naar deze meisjes te luisteren, die allemaal jaren jonger dan ik waren. Ze speelden met ideeën en wierpen in de discussie elkaar voortdurend de bal toe. Er werden veel auteurs genoemd van wie ik nog nooit had gehoord. Hoe kon ik mijn achterstand op hen ooit wegwerken? Ik keek naar Elizabeth, de beursstudente, in haar zwarte toga die steeds weer van haar schouders afgleed wanneer ze, geheel opgaand in haar betoog, naar voren leunde. Bij de vergelijkende toelatingsexamens had Elizabeth zulke hoge cijfers behaald dat haar een collegebeurs was toegekend. Deze beurs leverde haar vijftig pond per jaar op plus het prestige een fraaiere toga te dragen dan de rest van ons, wier lagere status als studentes zonder beurs ons de titel *commoners* opleverde. Was ik maar in staat geweest me goed op Oxford voor te bereiden tijdens het scholasticaat. Op de voorbereidende opleiding had ik een paar schrijvers moeten lezen om door de toelatingsexamens te komen, maar nu zag ik angstig duidelijk in dat dat niet genoeg was geweest. Deze meisjes brachten een schat aan cultuur mee. Het leek hopeloos.

En de andere studentes leken ook al zo zelfverzekerd. Het was niet zo dat ik de redeneringen niet begreep. De brede algemene lijnen van de discussie kon ik goed volgen en ik wist dat ik later in de kloosterbibliotheek over alles nog eens rustig zou kunnen nadenken. Het was het snelle en kritische woordenspel in dit werkcollege dat me verlamde en me bewust maakte van een gapende leegte waar eigen ideeën zouden moeten zijn geweest. Ik voelde de lethargie van mijn geest die was afgestompt door verkeerd gebruik. Wat verlangde ik naar die geestelijke lenigheid die ik, naar ik wist, eens had gehad. Maar natuurlijk had ik haar moeten opgeven. Dat trok ik niet in twijfel.

Eén uur. De bel ging voor de collegelunch en de meisjes verzamelden hun aantekeningen en verlieten, vrolijk met elkaar kletsend, de kamer. Ik probeerde naar een paar van hen te glimlachen; ik wist dat ik me vriendelijk moest gedragen. Niet om een vriendschap of iets dergelijks te beginnen, maar om door mijn in het zwart geklede aanwezigheid tegenover hen te getuigen van de liefde van God. Ze leken zich niet bewust te zijn van dat alles. Enkelen schonken me een vlug, verrast glimlachje terug en liepen dan snel door terwijl de anderen me onbewogen aanstaarden of me met afgewende ogen passeerden. Ik kon het hun niet kwalijk nemen. Wat had ik gemeen met hen of hun pasverworven vrijheid, vriendschappen, liefdes en intellectueel zelfvertrouwen?

Ik liep alleen naar de deur. 'Zuster!' Ik draaide me om. De studieleidster wenkte me. Ik ging ongerust naar haar toe. Haar elegantie en distinctie intimideerden me net zoals haar verstand dat deed. Ze zou me wel een sukkel vinden. Misschien betreurde ze het al me tot het college te hebben toegelaten.

'Zuster,' zei ze achterovergeleund in haar stoel, haar benen gekruist, haar lichte tarwekleurige pakje krijsend van wereldsheid, en haar ogen scherp en taxerend. 'Je zegt niet erg veel in deze werkcolleges.'

Dat was zwak uitgedrukt. 'Nee, het spijt me.'

Ze wachtte, om haar mond een flauwe glimlach. Het was geen onvriendelijke glimlach.

'Ik vind het moeilijk iets te zeggen. Mijn hersenen werken traag op het ogenblik. Ik weet zeker dat het beter zal gaan,' voegde ik er haastig aan toe, 'maar ik ben er gewoon niet aan gewend over dingen te discussiëren.'

'Nee, dat begrijp ik wel. Maar je moet het wel proberen. Je weet dat wat je schrijft goed is. Het is heel veelbelovend.' Ik hield ongelovig mijn adem in en voelde me warm worden van vreugde.

'Op papier is het gemakkelijker,' legde ik uit, terwijl ik probeerde koel te blijven onder deze onverwachte lof. 'Als ik tijd heb om na te denken. Ik heb het alleen hier. De anderen zijn *zo* knap en ze weten zo veel, ik... ik voel me gewoon verlamd door hen.'

'Daar zal ik een een stokje voor steken.' Ze glimlachte alsof ze plezier had.

'Luister, forceer niets maar probeer in een werkcollege tenminste één ding te zeggen. Doe het rustig aan. Het komt heus wel. Ik denk niet,' vervolgde ze, ironisch nu, 'dat je veel kans hebt de anderen sociaal te ontmoeten.'

Ik schudde mijn hoofd. Ik wist dat ze katholiek was, gewend aan nonnen en dit zou begrijpen. 'Zoals ik al zei, doe het rustig aan, maar probeer er gewoon weer gewend aan te raken over dingen te discussiëren.' Ze pakte haar boeken op en ging met wapperende toga weg. Dan zei ze achterom kijkend: 'Weet wel dat je heel wat hebt bij te dragen.'

Bijna duizelig van geluk vloog ik naar mijn fiets. Zo'n grote sukkel was ik dus niet! Met opgetrokken rokken sprong ik op de fiets en reed op een gevaarlijke manier Banbury Road op. We hadden nog maar net toestemming gekregen, zuster Rebecca en ik, om te fietsen, en het was dan ook een erg raar gevoel met wild in de wind wapperende sluier op het zadel te zitten. Ik trapte sneller. Nog sneller. Ik moest me haasten. Het eerste-tafel-middageten had ik natuurlijk al gemist. Zuster Rebecca en ik misten dat meestal en ook al konden we na het college van twaalf uur om drie of vier minuten over een terug zijn, we mochten nog steeds niet te laat binnenkomen. Dat betekende dat ik me verschrikkelijk moest haasten om voor drie uur klaar te zijn met mijn geestelijke plichten – een kwartier gewetensonderzoek, een halfuur stichtelijke voorlezing, een halfuur stil gebed, en dan nog het rozenkransgebed. Soms, als ik om vijf over een binnenkwam, kon ik mijn gewetensonderzoek nog net doen voor de tweede tafel om twintig over een, maar dat gebeurde maar zelden en vandaag was daar helemaal geen sprake van. Na mijn fiets op slot te hebben gezet holde ik het klooster binnen en ging naar de communiteitskamer in het souterrain. Daar zat zuster Rebecca met neergeslagen ogen en gevouwen handen. Wat zag ze er bleek en gespannen uit. Ik maakte me ongerust. Ik wist dat ze langzaam werkte en met haar laatste examen in zicht maakte ze zich grote zorgen over haar werk. Ik brandde van verlangen haar te vertellen over mijn gesprek met mevrouw Jameson, maar natuurlijk was het stiltetijd. Ik wist dat zij het zou begrijpen. Zij voelde zich in discussies ook dom en leeg, zelfs na al die tijd. Toen ik naar haar keek, zonk de moed me in de schoenen. Zou ik in staat zijn mijn geest te openen en te slagen waar zij had gefaald? Het kleine beetje zelfvertrouwen dat ik voelde begon alweer weg te ebben.

Ik keek naar de klok. Tweeëntwintig minuten over een. Ik was uitgehongerd. Waren ze nog niet klaar? *Schiet op!* dacht ik opgewonden terwijl ik door de donkere gang naar de refter keek. Om klokslag half twee moesten we in de kerk zijn, neerknielen en met onze gebeden beginnen. Dat liet ons acht minuten, nee, zevenenhalve minuut nu, om te lunchen en af te wassen. Ik zuchtte ongeduldig. Als we nu maar een kwartier later mochten weggaan voor onze wandeling. Dan konden we nog steeds om vier uur terug zijn om te werken en hadden we toch gewandeld. Maar nee, aan de verordening viel niet te tornen. Ik mag *geen* kritiek hebben, dacht ik knarsetandend bij mezelf.

Goddank! Ik hoorde ze het dankgebed zeggen. Weldra zouden ze met het 'De Profundis' beginnen om vervolgens in processie naar de kapel te gaan. Zuster Rebecca en ik liepen de gang in, klaar om de refter in te hollen zodra de laatste non weg was. De maaltijden verlopen de laatste tijd altijd jachtig, dacht ik terwijl ik in de gang stond te wachten, mijn ogen niet op de grond gericht zoals zou moeten, maar op de klok. Bij het avondeten was het al niet veel beter. Bij die maaltijd moest zuster Rebecca de communiteit bedienen – de schotels ronddelen, ze weer afruimen, de pudding en de afwaskommen op tafel zetten – terwijl ze zelf ook de maaltijd gebruikte. En ik moest hen twintig minuten lang voorlezen en dan gaan zitten om in precies tien minuten mijn eigen avondeten naar binnen te werken zodat ik de completen niet zou missen.

'*Requiem aeternam dona eis, Domine*,' zei moeder Praeterita, die de rij opende, halverwege de trap.

'*Et lux perpetua luceat eis*,' antwoordde de communiteit.

De laatste non verliet de refter. Wij stoven naar binnen.

'*Requiescant in pace!*' klonk het gedempt van de trap. Mogen ze rusten in vrede.

Zes minuten.

Ik smeet het eten op mijn bord en pakte mijn vork. Dan keek ik er eens goed naar. De jus was in de keuken koud geworden en was bedekt met een dik, kleverig vel. De aardappels hadden ze voor ons in de warmer gezet en hadden een harde, gele korst. Het vlees zag eruit als pees met vet. Ik legde mijn vork neer en haalde diep adem in een poging de opkomende misselijkheid te onderdrukken. Mijn honger was verdwenen. Op dat moment kon ik me niets ergers voorstellen dan te eten – dan dat spul zo snel mogelijk door mijn keel te proppen, het te voelen opspelen terwijl ik, ineenkrimpend van de indigestie, neerknielde in de kapel, en het uiteindelijk allemaal weer uit te braken. Wat had het dan voor zin te eten? Bijna elke avond was ik misselijk in Oxford.

Ik keek naar zuster Rebecca en zag dat ze maar een heel klein beetje van het eten op haar bord had geschept. Het kostte haar moeite het door te slikken en na elke hap nam ze een slok water. Toen ze zag dat ik naar haar keek, glimlachte ze flauwtjes naar me.

'Ik neem maar een klein beetje,' fluisterde ze. Ik keek haar verbaasd aan. Het was streng verboden in de refter te spreken en het paste helemaal niet bij zuster de regel te overtreden. 'Het is uiteindelijk beter niet meer dan een kleine portie van elke gang te eten. Anders krijg je het gewoon niet naar binnen. Niet binnen de tijd.' Het was een goed advies. Ik zou me er in de toekomst aan houden.

Zaterdagavond om zes uur. Les van moeder Praeterita. Een avond in '*drear-nighted December*' – een sombere decemberavond. Keats wist waar hij het over had: '*The feel of not to feel it*' – het gevoel niets te voelen. Verdoving en leegte.

Zuster Rebecca en ik zaten voor het bureau van moeder Praeterita. Elke week moesten jonge nonnen naar hun superieure voor een les over het kloosterleven. Die lessen dienden om ervoor te zorgen dat zij het zicht op hun oorspronkelijke idealen niet zouden verliezen. Ik zat rechtop in mijn stoel, gespannen en met strak samengevouwen handen. Deze gelegenheden werden steeds meer een bezoeking. Aanvankelijk had ik ontspannen achterover geleund en het allemaal in me opgenomen zoals ik dat de afgelopen zes jaar had gedaan. Passief. Wachtend tot ik eindelijk geestelijk voldoende volwassen zou zijn om over alle problemen duidelijkheid te krijgen. Maar nu...

Het lange, oude gezicht van moeder Praeterita had een ivoorkleurige tint in het lamplicht. De grote zakken onder haar ogen waren diepe schaduwen en het vlees hing neer in gerimpelde plooien, terwijl ze opzettelijk over onze hoofden naar een punt op het plafond tuurde, enigszins links van haar. Ze keek ons nooit aan. En ze mompelde. Soms, als ze aan iets ingewikkelds dacht, liet ze haar hoofd zakken en fluisterde ze stotterend in haar linkerschouder. Arme eerwaarde moeder, hield ik mezelf streng voor. Ze kan het ook niet helpen dat ze stottert. Iemand had me verteld dat ze linkshandig was geboren en door haar ouders was gedwongen haar rechterhand te gebruiken. Daardoor kwam het. Maar sprak ze nu maar tegen ons in plaats van tegen het plafond!

Ik perste mijn lippen op elkaar. Vanavond zou het anders gaan. Ik was niet van plan me daardoor van mijn stuk te laten brengen. Daar had ik geen zin in. Dit was mijn religieuze superieure. Zij vertegenwoordigde God voor mij. Maar wat was het moeilijk. Het advies van mevrouw Jameson over de werkcolleges werkte. Wanneer ik nu een college op de universiteit bijwoonde, kon ik nadenken terwijl de anderen praatten. Vaak gebeurde het dat ik iets zei, iets dat uit me werd gedreven door de kracht van mijn reacties op wat er werd gezegd. Maar dat is de universiteit, zei ik grimmig tegen mezelf. Dat is Oxford. Dit is mijn thuis. Ik drukte mijn voeten stevig tegen elkaar. Ik haalde diep adem en terwijl ik mijn blik weer op moeder Praeterita richtte, dwong ik mezelf haar kalm aan te kijken.

'Alweer een semester voorbij.' Zoals gewoonlijk klonk de mompelende stem alsof zij uit het niets kwam. Zij doolde als een geest door de kamer, zonder enig gevoel of enige betrokkenheid. 'Voor jou, zuster Martha, het einde van je eerste semester hier.'

Een gevoel van diepe somberheid overviel me. Geen universiteit meer. *Ook goed*, antwoordde mijn nonnen-ik bitter. *Nu kun je hier geheel geïntegreerd worden, zoals het behoort.*

'Laten we dus de zegeningen die het meebrengt een studerende non te zijn eens nader bezien.' Ze pauzeerde, bladerde in haar aantekeningen en richtte dan haar blik weer op het plafond. 'In de eerste plaats is er de grote zegen van de eenzaamheid. Het is eenzaam een studerende non te zijn. Vanwege je studie zie je erg weinig van de communiteit. En natuurlijk zie je ook niet veel van je medestudentes. En dat is een grote zegen. Omdat, zusters,' vervolgde ze terwijl ze een bladzijde omsloeg, 'het je de kans biedt je afhankelijkheid van God te beseffen en alleen op Hem te vertrouwen.'

Ik had dit al zo vaak gehoord, maar nu ontplofte er toch iets in me, uit protest. Het was mijn Oxfordse ik – dat deel van mezelf dat me probeerde weg te trekken van de zware weg van het kloosterleven.

'Laten we daarom, zusters,' zei moeder, aan het eind gekomen van haar eerste punt, 'God danken dat jullie zo eenzaam zijn.'

Verbijsterd hoorde ik mezelf zeggen, niet boos maar kalm en logisch: 'Eerwaarde Moeder, ik denk dat het niet goed voor ons is zo eenzaam te zijn als we zijn. Ik denk niet dat God dat wil.'

De stilte in de kamer werd dieper. Moeder Praeterita kromp ineen alsof ze was neergeschoten – jonge nonnen spraken niet tijdens de les.

Maar dat deel van mezelf dat leerde te argumenteren was ingeschakeld en ik kon het knopje niet vinden om het uit te schakelen.

'Het is slecht voor ons,' zei ik. 'We hebben niemand om ons werk mee te bespreken en dat geeft ons een achterstand bij onze studie – dat moet wel! Zuster Rebecca en ik zien niemand anders dan elkaar. U zegt dat bijzondere vriendschappen verkeerd zijn. Maar u dwingt ons ertoe vriendinnen te zijn. Elke dag maken we samen een wandeling; niemand anders heeft er enige notie van wat we samen zo de hele dag doen; niemand is er in geïnteresseerd. Dus zijn we nu vriendinnen. En ik denk dat dat goed is!'

Een deel van mij was ontzet over deze woorden. Wat een wereldse ongeestelijke standpunten! Maar de persoon die sprak geloofde erin. Ik besefte dat ik er ergens, in een begraven deel van mij, al jarenlang in deze standpunten had geloofd, maar ze zelfs voor mezelf verborgen had gehouden.

Het gezicht van moeder drukte tegen haar linkerschouder. Haar handen trilden. 'Zuster, zuster! Wat zeg je daar toch allemaal? Wij *kennen* de waarde van de eenzaamheid en het gevaar van vriendschappen.'

Laat haar met rust, dacht ik. *Denk wat je wilt denken, maar maak er haar niet mee overstuur. Dat is niet eerlijk. Ik heb een vlugge geest; ik moet haar niet onder druk zetten. Ze moet deze instructies zelfs voorlezen.* Maar ik kon het niet. Iets in mij dwong me door te gaan:

'Wij zeggen dat God een God van liefde is. Sint-Johannes zegt dat als wij onze broeders die we om ons heen zien, niet liefhebben, wij ook God, die we niet zien, niet liefhebben. Waarom moeten we ons in onszelf keren en onze gedachten en gevoelens laten opdrogen en in ons laten gisten?'

Er klonk een ongearticuleerd gekreun van achter het bureau: 'God zal ons niet laten opdrogen als we ons echt tot Hem wenden.'

Ik keek wanhopig naar zuster Rebecca die er met grote, ongelukkige ogen bij zat, verscheurd tussen ons beiden. Ze schonk me een snelle glimlach van steun. Daardoor voelde ik me beter, minder alleen. *En daar gaat het nu juist om, alles wat ik probeer te zeggen!* dacht ik. *Dat we gewoon een moeilijk leven hebben en dat we de dingen soms best wat gemakkelijker voor elkaar kunnen maken — in liefde.*

'Zuster, je moet zulke gedachten niet koesteren. Ze zijn gevaarlijk.' Moeder leunde over de tafel, niet langer een breekbare oude vrouw, haar ogen waren hard en boos. 'Deze houding komt voort uit het feit dat je te veel nadenkt over literatuur.'

'Maar eerwaarde moeder, hoe kan literatuur me nu wegvoeren van God?' Zes maanden eerder zou ik er niet over hebben gepiekerd deze vraag te stellen, maar nu kon ik haar niet voor me houden.

'Omdat zij te veel appelleert aan de zinnen. Zij biedt geen houvast.'

Ik keek haar sprakeloos aan: 'Wat kan ik dan doen? Hoe kan ik ophouden er zoveel van te houden?'

Haar gezicht klaarde op omdat ze zich nu op vertrouwder terrein voelde. 'Och, dat is een kwestie van voortdurende zelfdiscipline, zuster. Je moet jezelf niet de hele tijd in verrukking laten brengen door woorden. Ik zelf hield ook altijd erg veel van lezen, weet je,' vervolgde ze met een glimlach alsof het om een voorbije dwaasheid ging. 'Maar dat is voorbij. Als ik nu een boek lees, is het omdat het moet. En ik heb geleidelijk aan geleerd de kern uit een boek te halen en de niet-essentiële dingen te laten voor wat ze zijn. Probeer dat ook eens. Bij het volgende boek dat je moet lezen, moet je niet te lang stilstaan bij details. Haal alleen de kern eruit. Anders zou je door zo op te gaan in literatuur je roeping kunnen verspelen, en hoe zou je dan nog bij ons kunnen blijven?'

Nee! dacht ik geschokt. Nee, dat wil ik niet. Alle hoop op een nauwe eenheid met God opgeven. En teruggaan naar de wereld! De wereld van die zelfverzekerde, knappe meisjes op de universiteit. In die wereld zou ik me nooit meer echt de hele tijd op mijn gemak voelen. Ik wilde doorgaan. Ik drukte mijn lippen stevig op elkaar. Maar mijn geest werkte door: Jezus had de geliefde discipel, Hij had vrienden, Hij weende toen Lazarus stierf. Hij had hartstochtelijke gevoelens voor anderen en was bij hen betrokken. Hij zou dit niet hebben gewild; Hij kon het gewoon niet hebben gewild.

Hoe kon ik mijn geest nu stoppen? Oxford en de literatuur hadden hem weer tot leven gewekt en hij werd elke dag sterker. Hij leidde een eigen leven en werd groter dan de rest van mij.

Zou hij mij wegvoeren van God?

Het was kerstavond. De kerk was in duister gehuld. En we lagen geknield te mediteren. Over een halfuur zou de nachtmis beginnen.

Het leek zo veel gemakkelijker hier in het duister. De silhouetten van de nonnen, de stilte – het sprak allemaal van gebed en overgave. Ik mediteerde over het mysterie van Kerstmis: God die zijn macht en kracht aflegde en een hulpeloze baby werd. Kon ik mijn eigen kracht afleggen en hetzelfde doen voor Hem? Opeens die oude sensatie: de lichten, de stank, de flikkerende beelden. *O nee!* dacht ik. De laatste keer dat het gebeurde was alweer vier maanden geleden. Ik had gehoopt dat het over was. Stuiptrekkend en bevend probeerde ik te gaan staan, maar voelde dan dat ik viel, dieper en dieper...

Een vinger porde in mijn schouder. Mijn barstende hoofd werd opgetild van de kapelvloer. De verpleegster fluisterde iets. Ik moest naar bed. Ik miste de mis. Tot misnoegen van eerwaarde moeder. Zwakheid.

Ik stond wankelend op en zwaaide als een dronkeman naar de slaapzaal. Uitgeworpen en in ongenade gevallen.

Het was een koude natte Kerstmis. De communiteit mocht niet met me praten. Zuster Rebecca deed het wel, kort, op de trap, met bezorgde maar meelevende ogen.

'Ik kon er niets aan doen,' fluisterde ik.

'Dat weet ik.' Een blik van wederzijds begrip. En dan ging ze weer verder.

'Vrede op aarde voor mensen van goede wil.' Maar mijn wil was niet goed. Hij was zwak. Hij liet toe dat ik hysterisch op de grond viel; hij liet toe dat mijn emoties me in hun macht kregen. Mijn hoofd barstte van de pijn. Ik verdiende het. Mijn tong was kapot en opgezwollen – een straf voor mijn kritische opmerkingen.

Ik verdiende het buiten het leven van de communiteit gesloten te zijn. Dat zou me helpen te aanvaarden dat ik alleen was, niet alleen als straf maar ook als middel om dichter tot God te komen.

Het was februari. Weldra zou ik mijn voorexamens moeten afleggen. Daar maakte ik me geen zorgen over, maar hoe verging het me als non?

We hadden repetitiewerkcolleges. En ik hield een voordracht. Ik was zenuwachtig geweest, maar naarmate ik vorderde overwon ik mijn schroom en begon het leuk te vinden mijn betoog uiteen te zetten. Ik maakte een grapje: de studentes lachten. Ik voelde de verrukking van contact, van geest die geest onderricht. Ze stelden vragen, en ik gaf hun antwoord, besefte ik met een blos van opwinding. Het uur vloog om: ik voelde me een ander mens, een blij mens.

'Dank je, zuster, dat was een uitstekende voordracht.'

Ik voelde mijn wangen, die toch al gloeiden van de opwinding van het afgelopen uur, blozen van vreugde over de woorden van mevrouw Jameson. Een loftuiting die mijn geest terugverwelkomde in de wereld. Dan begonnen de studentes de kamer te verlaten om te gaan eten. Ik pakte mijn boeken op. Het was voorbij. Opeens zag de leeglopende kamer er treurig uit. Ik maakte mijn sjaal vast met een speld, klaar om naar huis te fietsen. Naar huis. Opnieuw voelde ik een loden last op me drukken, zoals dat de laatste tijd al een of twee keer eerder was gebeurd. Met wie kon ik deze onverwachte opwinding delen? Ik hoorde weer de koude woorden van moeder Praeterita: 'Haal de kern eruit!'

Een paar weken later stond ik in de hal. Het was tien voor zeven in de morgen. Als jongste lid van de communiteit moest ik de kapel om kwart voor zeven verlaten, naar beneden gaan om op de priester te wachten die soms de mis kwam lezen, en mijn meditatie op een van de stoelen in de hal besluiten. 'Ringg.' Er werd kort en discreet aangebeld. Ik stond op en opende zwijgend de deur.

Meneer pastoor stapte binnen. Het was een grote, dikke man van achter in de zestig. Hij had een kaal, glimmend hoofd met een paar zwarte slierten haar die hij zorgvuldig over zijn schedel had gedrapeerd en bruine sproeten op zijn hoofd. Normaal gesproken knikte hij me vriendelijk toe en ging de trap op naar de sacristie, omdat hij natuurlijk de regels over de Grote Stilte kende.

Maar deze morgen bleef hij halverwege de hal staan. 'Zuster?' fluisterde hij me toe.

'Ja, meneer pastoor.'

'Ga je al naar de sacristie?'

'Ja.' Dat hoorde tot mijn taak. Eerst moest ik de bel luiden om de paar studentes die in het hospitium woonden en de au pairs op te roepen voor de mis en vervolgens naar de sacristie gaan om de kaarsen op het altaar aan te steken. 'Wanneer ik de bel heb geluid.'

'Goed,' zei hij. Waarom zegt hij dat? vroeg ik me af.

Kalm betrad ik de sacristie. In de kapel installeerden de nonnen zich voor de mis. Ze knielden neer en openden hun missaal. Ik liep door om de waspit aan te steken. De pater rustte uit in de hoek.

'Zuster.' Ik keerde me naar hem toe. Hij was vanmorgen kennelijk in een praatgrage stemming. Wat was er met hem aan de hand? 'Ik geloof niet dat ik dit misgewaad goed heb aangetrokken. Ik krijg het niet naar beneden. Zou jij het even over mijn schouders willen trekken?'

'Natuurlijk, meneer pastoor.' Ik stapte op hem af. Het misgewaad zat een beetje scheef. Het was gemaakt voor een slanke man. Ik trok eraan en keek of het goed zat.

Plotseling sloot hij mijn handen in de zijne en drukte ze tegen zijn schouders. Geschrokken keek ik hem scherp aan. Hij had zijn ogen gesloten en het leek wel alsof hij moeite had met ademhalen. Was hij soms ziek?

'Is alles goed met u, meneer pastoor? Zal ik iemand halen?'

Hij zuchtte. Een huiverende zucht. Dan opende hij zijn ogen en lachte nerveus. 'Ja, ja, prima, ik was alleen even wat duizelig.'

'Wilt u niet even gaan zitten, meneer pastoor? Zal ik eerwaarde moeder halen?'

'Nee, nee! God zegene je. Nee, er is niets met me aan de hand.'

Hij hield mijn handen nog steeds tegen zijn schouders aangedrukt. Ik probeerde ze weg te trekken. Plotseling greep hij ze stevig vast, kneep er even hard in en drukte er een snelle kus op voordat hij ze ten slotte losliet.

Ik staarde hem verbaasd aan. 'Dank je dat je voor me hebt gezorgd. Het gaat weer prima met me. Ga maar gauw.'

Lichtelijk in de war liep ik door de deur van de sacristie het priesterkoor in en stak de kaarsen aan.

De katten waren aan het vechten geslagen.

We hadden twee katten, een Siamees die Ming heette en een gestreepte die Sebastian werd genoemd. De afgelopen negen maanden had ik met verbazing gezien hoe de communiteit met deze twee glanzende, dikke beesten omging. De nonnen dweepten met ze en kropen voor ze. Er was een Ming-partij en een Sebastian-partij. Elke avond ontbrandden er tijdens de recreatie felle discussies over de verdiensten van elke kat, waarbij de rivaliserende partijen de dieren oppakten, dicht tegen zich aan drukten en zachtjes en liefdevol tegen hen spraken op een manier waarop ze nooit tegen hun zusters in Christus spraken. Op een keer zat Sebastian opgesloten in de schuilkelder. Niemand wist waar hij was en drie dagen lang was het klooster in diepe rouw gedompeld. Toen zuster John hem op een avond ontdekte en hem in triomf naar de recreatie droeg, wisselden zuster Rebecca en ik in het algemene tumult ironische blikken uit.

Het was dan ook niet verrassend dat de katten ook zelf een zekere rivaliteit begonnen te voelen. Toen ik op een avond na de completen naar de keuken ging om de afwas te doen, zag ik daar de plukken kattenhaar in het rond vliegen en kattenklauwtjes wild rondmaaien. Beide katten krijsten in doodsangst. De communiteit dromde achter me aan en de lucht was vervuld van geween en gejammer. Ik holde naar het aanrecht, vulde een emmer met water en smeet hem leeg over de twee katten die met een misnoegd gekrijs elk een andere kant uit stoven, gevolgd door hun angstige aanhang. Ming werd met een bloedend oor teruggevonden onder het aanrecht.

Plotseling hoorde ik te midden van de sussende klokgeluiden om me heen een vreselijk gesnik opklinken. Moeder Imelda, een vroegere superieure en oud-lid van de Provinciale Raad, nu verpleegster in Oxford en leidster van de Ming-partij, leunde met een doodsbleek gezicht tegen de muur terwijl de tranen over haar dikke wangen rolden. Ze snikte zo hevig dat haar lichaam ervan schokte.

'Moeder, wat is er?' Ik rende naar haar toe en probeerde haar arm te pakken. Ze duwde me ruw opzij. 'Voelt u zich niet goed?'

'Arm kereltje!' hikte ze tussen twee snikken door. Dan, met een gezicht rood van woede: 'Ik zou Sebastian wel kunnen vermoorden. Maak hem dood! Ming, mijn Ming! Laat me bij hem.'

Vervolgens begon ze een beetje te wankelen. Handen vingen haar op en ze werd weggeleid, nog steeds snikkend. 'Maak je om mij geen zorgen!' schreeuwde ze. 'Zorg ervoor dat er naar het oor van mijn lieve kereltje wordt gekeken.' Ik begon onaangedaan aan de afwas. Wat een gedoe! dacht ik. Als een van hun zusters sterft vieren ze feest, maar als er iets met een kat gebeurt lopen ze over van emotie! Hier was iets mis. Iets wat ik niet wilde begrijpen.

De keuken was leeg nu en zuster Rebecca verscheen in de deuropening.

'Heb je moeder Imelda gezien?' vroeg ik.

Ze knikte en we staarden elkaar zwijgend aan.

'Word ik nu gek of zijn de anderen dat?' schreeuwde ik. 'Bewijst dit nu niet wat ik tegen eerwaarde moeder zei!' Boos zwiepte ik met mijn dweilstok het water rond. 'Als er genoeg ruimte voor vriendschap in de orde was, zouden dergelijke dingen niet nodig zijn.'

Zuster Rebecca keek me aan, met een blik van diepe bezorgdheid.

'Ja, zuster, je hebt gelijk.'

Moeder Imelda moest drie dagen het bed houden. De dokter werd erbij gehaald. *Waarom laten ze daarvoor wel een dokter komen en niet voor mij?* dacht ik boos. *Is dit dan niet net zo'n zwakheid als mijn flauwvallen?*

Ming werd haar cel binnen gebracht. Zolang ze ziek was lag hij bij haar op bed, snorrend en zelfvoldaan.

Wat was er aan de hand dat moeder Imelda verliefd was op een kat?

Op een dag zat ik na de thee in de bibliotheek te studeren toen er een lange schaduw over mijn boeken viel. Een dwingend kuchje. Ik keek op en zag moeder Praeterita, haar gewoonlijk bleke gezicht rood van opwinding.

'Ja, eerwaarde moeder?'

'Zuster, er is... eh... iemand in de gastenkamer die je wil spreken.'

'Iemand die mij wil spreken?' zei ik verbaasd. 'Wie is het, eerwaarde moeder?'

'Een van de studentes.' De lippen van moeder Praeterita trilden van afkeer. 'Ze kwam een paar minuten geleden, baande zich een weg langs de portierster en stond er op jou te spreken, zelfs nadat haar was uitgelegd dat je aan het werk was.'

Een studente? Om mij te spreken? 'Het spijt me, eerwaarde moeder. Ik zou niet weten wie het is.'

'Laat het alsjeblieft niet weer gebeuren. Een kloosterlinge moet haar tijd niet verklungelen met nutteloze gesprekken in de gastenkamer. Denk aan wat Sint-Teresa heeft gezegd. Dat het voor een non een van de zwaarste verzoekingen is steeds weer naar de gastenkamer te moeten en zichzelf te bemoeien met leken. Je moet je niet met je medestudentes bemoeien, zuster. Probeer zo snel mogelijk van haar af te komen.'

Ik haastte me naar de gastenkamer en duwde de deur open. Daar, op en neer lopend in het donkere kamertje, was Julie, een vrolijk, extravert meisje dat het afgelopen semester in de werkbesprekingen mijn partner was geweest. We hadden een paar doodlopende gesprekken gevoerd en ik kon me niet voorstellen waarom ze me wilde spreken. Toen ze me zag, draaide ze zich boos om.

'Zuster!' barstte ze uit. 'Ik heb nog nooit zoiets gezien als dit!'

'Als wat?' vroeg ik, verbijsterd over haar verontwaardiging. Wat had ik gedaan om haar zo woedend te maken? Ongerust zocht ik in mijn geheugen of ik haar per ongeluk wel eens onheus had bejegend maar ik kon niets bedenken. Bovendien had ik haar de laatste tijd helemaal niet meer gezien. Ze begon opnieuw boos door de kamer te ijsberen.

'Nou,' zei ze uitdagend, 'ik kwam alleen maar even langs om je te spreken. Dat is toch niet zo erg? Ik bedoel, dat doen de mensen hier in Oxford toch altijd?'

Was dat zo? Ik wist niet wat de mensen in Oxford deden. Ik glimlachte onzeker. Maar Julie wachtte niet op een antwoord. 'Ik wilde met je praten. Over het christendom. Daar zijn kloosters toch zeker voor? Weet je, ik ben geen christen, maar de laatste tijd ben ik er in geïnteresseerd geraakt. Ik *bedoel*,' vervolgde ze terwijl ze ongeduldig haar schouders ophaalde, 'ik weet niet of ik al geloof, maar het is een goed systeem. Je naaste liefhebben en zo. Ik wilde er meer over te weten komen en jij leek me daar het best voor geschikt. Daarom kwam ik even langs.' Ze begon steeds bozer te klinken. 'Nou, ik belde dus aan. Een gerimpelde oude non deed me open – nou ja, zij kan het, denk ik, ook niet helpen hoe ze eruitziet, maar jeetje, ze had toch wel een beetje vriendelijker kunnen zijn. Je weet wel, klopt en u zal opengedaan worden. Zeg ik dat goed? Iets dergelijks, in elk geval. Nou, dat oude *wijf!*' – ik sloot mijn ogen, bang voor wat ik wist dat er zou komen – 'keek me heel vreemd aan en zei: "Wie bent u?" Nou vraag ik je! Verdomd grof! In elk geval, ik ging naar binnen en legde uit dat ik je graag wilde spreken en ze bekeek me nog steeds alsof ik iets was dat de kat had binnengebracht, mompelde iets van dat ze het de eerwaarde moeder moest vragen en duwde me hier naar binnen. Echt waar! Wat een verschrikkelijke kamer is dit. Donker en het ruikt hier om een of andere reden naar ontbijt. Kennelijk bestemd voor derderangs bezoekers. Vervolgens hoorde ik ze buiten over me fluisteren, hoe betreurenswaardig het allemaal was en dat het niet weer mocht gebeuren. En toen kwam jij binnen en je zag er zo angstig uit!' Plotseling hield Julie op met ijsberen en kwam tegenover me staan. We staarden elkaar hulpeloos aan. Ik weet niet wat Julie in mijn gezicht zag, maar haar boosheid verdween.

'Zuster,' vroeg ze, geschokt maar vriendelijk, 'is dit een christelijke plek?'

Huishoudelijk werk. Een dag in het begin van mei. Zonlicht viel door het raam van de wasruimte waardoor de rode tegels glommen toen ik de was eraf wreef. Een tikje op mijn schouder. Ik sprong op en keek in het gezicht van moeder Praeterita.

'Zuster, meneer pastoor wil je spreken in de gastenkamer.'

'*Mij*, eerwaarde moeder?'

Een verkapte blik die betekende: een religieuze superieure moet zich nooit bemoeien met het persoonlijke geweten van een van haar ondergeschikten als zij bij een priester wil biechten. Ik zag wat ze dacht, maar ik had meneer pastoor niets te zeggen. Ik had zorgen, problemen zelfs. Het leek of ik voortdurend opstandig was en me moest forceren in het gareel te blijven – dat moest ik! Maar *hem* had ik niets te zeggen!

Vermoeid betrad ik de gastenkamer, de kleine met het matglazen raampje. Hij zat te ontbijten en in de kamer hing een warme geur van koffie en spek. Het witte tafellaken lag vol kruimels en overal erop verspreid stond serviesgoed. Ik dacht terug aan die vreemde scène in de sacristie toen hij ziek was geweest en zich zo raar had gedragen. Misschien wilde hij zijn excuses maken. Ik ging op een harde stoel naast de deur zitten.

Joviale opmerkingen: schitterende examenresultaten, jij knappe meid! – genieten van het zomersemester – dacht terug aan de tijd dat hij zelf nog student was – vroeg zich af of ik zin had bij het koor van zijn parochiekerk te komen – kon ik niet zingen? – onzin, natuurlijk, hij wist zeker dat ik het kon – moest maar eens praten met eerwaarde moeder – nonnen zouden meer betrokken moeten zijn bij het parochieleven – kom me eens opzoeken – praat er eens over – Vaticanum twee enzovoorts...

Ik stond op om weg te gaan, verbijsterd over zijn gejaagde, ononderbroken woordenvloed zonder dat hij een moment zijn mond hield voor

een antwoord en zonder dat hij acht sloeg op mijn gestamelde uitvluch-
ten. Ik keek hem aan. Zijn voorhoofd was nat en glimmend. Hij giechelde zenuwachtig. Ik zag dat hij zijn tanden niet in had. Hoe kon hij eten
zonder zijn tanden?

'Ik moet gaan, meneer pastoor.' Hij stond op en deed alsof hij de deur
voor me wilde openen. 'Ik moet om negen uur aan het werk in de bibliotheek.' Hij moest onder grote spanning staan. Misschien was het zijn
hart, arme man. Er was iets mis met zijn ademhaling. Ze was onregelma-
tig en ging met horten en stoten.

'Fijn om je gezien te hebben, zuster...' zei hij waarop hij zweeg, zijn
hand aan de deurknop. 'We moeten over het koor praten... over betrokkenheid... O God!'

Met een schok voelde ik hoe ik werd verpletterd onder het gewicht
van zijn om me heen geslagen armen die me tegen de deur drukten. Ver-
stijfd en bevend van walging wendde ik me af in een poging zijn klam-
me voorhoofd niet te zien, zijn frommelende handen niet te voelen en
de geur van rotte eieren van zijn adem niet te ruiken. Misselijk makende
golven van walging... mijn lichaam... zijn oude lichaam. Handen bespik-
keld als padden... hoe kwam ik hier weg?

Deze episode werkte als een verontrustend commentaar door in mijn
studie van de moderne roman waar ik in de paasvakantie mee was begonnen. Deze studie was niet verplicht maar ik had deze romanschrij-
vers zo vaak horen noemen dat ik het gevoel had ze zelf te moeten ontdekken om te proberen enkele van de enorme gaten in mijn opvoeding
te vullen. Ik had moeder Praeterita niet om toestemming gevraagd.

Terwijl ik in de bibliotheek schuldbewust William Golding en Angus
Wilson zat te lezen, begon ik een nieuwe wereld te ontdekken, de wereld buiten de kloostermuren. En de wereld van de seks.

De seksuele episoden die in *The Pyramid* en *Pincher Martin* werden beschreven bevestigden mijn idee van seks als iets afschuwelijks en beangsti-
gends. Ik dacht terug aan de afkeer die ik voelde toen ik Anthony en Suzie
elkaar al die jaren geleden had zien kussen: het gefrummel aan elkaar, het
botsen van tanden en de walgelijke uitwisseling van speeksel. De vochtige
handen van Anthony die Suzies nek kneedden. En dan was er, nog maar
kort geleden, die ontmoeting met meneer pastoor in de gastenkamer. Wat
was het goed dat ik al die akelige dingen had moeten afzweren.

Maar deze romans deden meer dan dat bevestigen. Ze prentten mijn geest een aantal levendige beelden in die onuitwisbaar leken. Wanneer ik neerknielde in de kerk zag ik niets anders voor me dan deze beelden van in onmogelijke posities verstrengelde ledematen en hijgende, schokkende lichamen die mijn wangen deden gloeien en mijn ingewanden vloeibaar maakten. Hoe ik het ook probeerde, ik kon deze beelden, waarvan ik misselijk werd maar waar ik me tegelijkertijd in met afschuw vervulde fascinatie toe voelde aangetrokken, niet van me afzetten. Plotseling kwam seks mijn leven weer binnen die er al jarenlang geheel uit verdwenen was. Natuurlijk had ik een kant-en-klare categorie voor deze ervaring. Toen we tijdens ons noviciaat waren onderricht over de gelofte van kuisheid, waren we voor dergelijke verzoekingen van onze reinheid gewaarschuwd. Ik wist nog hoe de kalme, ascetische stem van moeder Walter ons had verteld dat verleiding zelf geen zonde was: niemand van ons kon iets doen aan de gedachten die in haar opwelden. Het was pas een zonde als we deze gedachten bewust aanmoedigden en ervan genoten. Zolang we tegen dergelijke verleidingen vochten, braken we onze gelofte niet. Wat ze ons niet had verteld, was dat dit gevecht om reinheid je alleen maar dieper in deze beelden verstrikte. Ik merkte dat ik ermee worstelde alsof ik zelf in de greep van een obscene omhelzing verkeerde en door deze gevoelens, die ik niet in mijn macht had, werd onteerd. Telkens wanneer ik me tegen de beelden van deze paringen verzette, speelde ik ze op een of andere manier na, en ondanks mijn schuldgevoelens genoot ik daarvan.

Op kalmere momenten ontdekte ik dat het echt verontrustende van deze verleidingen was dat ze mijn fundamentele onwetendheid onthulden. Ja, lichaam vleide zich tegen lichaam, mannen en vrouwen kreunden en hijgden, maar wat deden ze nou precies? Mijn kennis van het mannelijk lichaam was beperkt tot vaag herinnerde en kuise plaatjes uit de lessen kunstgeschiedenis op school. Ik had er geen flauw benul van hoe dat vreemde lichaam seksueel functioneerde, en ik zag wel in dat zonder deze hoogst belangrijke informatie mijn kennis van seks absoluut ontoereikend was. In feite stelde, nu ik er toch over nadacht, mijn kennis van mijn eigen lichaam ook niets voor. Jarenlang had ik mechanisch geluisterd naar de behoeften ervan en me er met hand en tand tegen verzet. Maar ik had mezelf nooit gezien als een seksueel wezen. Hoe had ik een gelofte van kuisheid kunnen afleggen met zo'n vaag idee van wat ik opgaf? Natuurlijk was dat nu een academische vraag; ik had mijn gelofte afgelegd en was vast van plan me eraan te houden. Daar kwam bij dat mannen voor mij onwerkelijke wezens waren geworden. Mijn onkunde over hun lichaam werd geëvenaard door mijn onkunde over hen als mens. Vrouwen begreep ik en met hen kon ik omgaan, maar behalve mijn vader en Anthony had ik eigenlijk nooit andere mannen gekend. Ze hadden nooit deel uitgemaakt van mijn wereld. Sinds ik non was, waren de enige mannen die ik had gezien priesters die, hun mysterieuze lichamen gehuld in misgewaad en habijt, het heilige ritueel van de mis volvoerden. Of ze waren een oor dat naar me toegekeerd was aan de andere kant van het rooster van de biechtstoel, een onpersoonlijke stem die me een penitentie oplegde en de woorden van absolutie herhaalde. De gedachte seks te hebben met een man was onmogelijk. Ik voelde me meer aangetrokken tot het konijn uit het biologieboek op school.

Maar als dat zo was, waar kwam dan die enorme opwinding vandaan die deze tantaliserende romans hadden opgewekt? Nog verontrustender was het feit dat deze sensaties niet helemaal nieuw waren. Ze leken verbonden te zijn met mijn ervaring van lichamelijke penitentie, met mijn verlangen naar genegenheid en warmte waar ik al zo lang tegen vocht, en zelfs met momenten van gebed waarop het leek alsof mijn geest even rustte in God. Wat betekende dit allemaal?

De schrijfster die de diepste invloed op me had, was Iris Murdoch. Achter de bizarre capriolen van haar karakters ontdekte ik een filosofie van menselijke liefde die intelligent en overtuigend was, zelfs al leek zij volkomen in strijd te zijn met alles wat me was geleerd. De positieve wijze waarop in *The Bell* over homoseksualiteit werd gesproken schokte me maar fascineerde me ook en leidde tot nieuwe beelden die zich voegden bij de obscene pantomime in mij hoofd. Maar nog beangstigender was haar suggestie dat religieuze ervaringen een gesublimeerde vorm van seksualiteit konden zijn en dat seks nooit helemaal kon worden verdrongen. Zij kon de kop opsteken en je overweldigen wanneer je dat het minst verwachtte, en de kracht ervan kon religieuze aspiraties in één klap vernietigen. Religie leek inderdaad een heel dun vernisje te zijn, en geheel in de macht van deze dwingende verlangens van het lichaam. Ik moest weer denken aan de sproetige handen van meneer pastoor die over mijn schouders kropen. En wat te denken van de plotselinge uitbarstingen van seksuele gevoelens in mezelf? Waar hadden ze zich al deze jaren verborgen gehouden? Sluimerde de seksualiteit in mij als een gekooid wild dier, klaar om op een dag toe te slaan en mijn roeping te vernietigen? Het probleem was dat ik er te weinig van afwist om te weten hoe ik me op een dergelijke aanval moest voorbereiden.

Ik probeerde de ideeën van Iris Murdoch te verwerpen als werelds en mijn aandacht niet waard. Maar wanneer ik neerknielde in de sierlijke kleine kloosterkapel werd ik gekweld door gevoelens van twijfel en angst. Was mijn verlangen non te worden een soort pubervlucht voor de seksualiteit geweest? Of had mijn besef van de lelijkheid van mijn ongevormde lichaam me doen geloven dat ik niet geschikt was voor de liefde, zodat ik mezelf uit de seksuele arena had teruggetrokken om te voorkomen dat ik mijn leven lang zou worden afgewezen? Het doet er niet toe, zei ik tegen mezelf. Zelfs als het waar is, kan een religieuze roeping beginnen met allerlei onwaardige motieven. Het enige criterium voor een echte roeping is dat zij via de orde wordt bekrachtigd door de kerk. Zoals mijn roeping. God wil dat ik non ben. Ik wil non zijn.

Maar wanneer ik 's nachts lag te worstelen met deze duistere en heimelijke gevoelens, voelde ik nog steeds een nieuwsgierigheid die mijn lichaam in een vreselijke strijd verwikkelde. Ik voelde hoe leeg het was en hoe het in een nieuwe en krachtige taal, zijn *eigen* taal, om bevrediging schreeuwde. Hoe het verlangde naar warmte en contact en daar nadrukkelijk uiting aan gaf. *Nee*, zei ik tegen mezelf. *Dit is een verzoeking.* Maar deze redenering was te oppervlakkig. Wat was het wijs van kloosterorden nonnen te waarschuwen voor erotische literatuur. Het was zo'n eenzame strijd. Zij vervulde me van begeerten en van een schaamte die ik nooit zou kunnen toegeven aan anderen. Hoe kon ik deze intieme, smerige gevoelens die mijn geest in beslag hadden genomen, opbiechten, terwijl ik intussen uitzag naar een paar romans die ze opnieuw zouden opwekken?

'Je hebt dit semester uitstekend werk geleverd.' Ik zat met Elizabeth in een werkbespreking. De werkbespreking is het hart van het onderwijssysteem van Oxford. Terwijl colleges en zelfs sommige werkgroepen facultatief zijn, is de wekelijkse werkbespreking, waarin de studenten alleen of in paren een uur lang hun opstellen bespreken met hun studieleider en intensief individueel onderricht krijgen, heilig. De kamer van juffrouw Jameson baadde in het zonlicht. Dat, en de lichte brokaten gordijnen, de sofa met zijn uiterlijk van vergane elegantie, het antieke schrijfbureau en de honderden boeken gaven de kamer een geheel eigen sfeer. Het was een kamer om in na te denken, stil te zijn en je geest te voelen ontplooien en groeien.

Elizabeth zat naast me op de sofa. Haar lange haar hing losjes over haar schouders. Ze droeg een heel kort jurkje en haar lange slanke benen rustten op het tapijt voor haar. Ik zat naast haar en voelde me lomp, zwart en warm.

'Ik heb het erg plezierig gevonden jullie beiden les te geven,' vervolgde juffrouw Jameson. 'Ik hoop jullie nog eens les te kunnen geven.' Nu was het dus weer voorbij. De lange vakantie in het klooster. Geen gesprekken zoals hier. Maar in plaats daarvan, zo besefte ik vaag, een taak die op me wachtte. Een taak waaraan ik niet wilde, niet kon en ook maar beter niet moest denken.

'Zuster,' zei juffrouw Jameson terwijl ze me cynisch aankeek. Ik was niet meer bang voor haar. Ze was formidabel, ja, maar de werkbesprekingen van dit semester hadden me het vertrouwen, het besef gegeven dat ze plezier had beleefd aan mijn geest. 'Eerwaarde moeder Praeterita heeft me op de thee gevraagd.'

Ze grinnikte en met haar meevoelend grinnikte ik naar haar terug. 'Zit er soms iets achter deze uitnodiging?' vroeg ze op een spottende, boosaardige toon.

'Ik denk het niet,' antwoordde ik. 'Ze heeft mij er niets over verteld. Maar ik kan me voorstellen dat ze u gewoon uit beleefdheid heeft uitgenodigd, omdat het zo hoort.'

Juffrouw Jameson zuchtte. 'O jeetje! Ik wou maar dat ze dat niet had gedaan.' Ze stond op uit haar stoel en keek op haar horloge. 'Ik denk dat het tijd is voor een drankje. Sherry, Elizabeth?'

'Ja graag.'

'Ik vermoed dat het geen zin heeft jou er een aan te bieden, zuster... nee, ik weet het zeker. Jammer.' Ze keek me aan, haar hoofd een beetje scheef. 'Het zou je waarschijnlijk goed doen!'

Ze ging weer in haar stoel zitten en sloeg haar benen over elkaar.

'Nee, ik wou maar dat eerwaarde moeder me niet steeds op de thee vroeg. Je bent zeker nog nooit bij zo'n theevisite geweest? Voor jouw tijd waren er veel meer studerende nonnen. En dan ging ik bij moeder Praeterita op de thee. Dan zaten we tegenover elkaar – en zij at natuurlijk niets. De theepot stond tussen ons in, en dan wilde ik nog wat thee. We keken beiden naar de theepot. Zou ik mezelf inschenken,' – ze pauzeer-

de dramatisch – 'of moest ik wachten tot zij inschonk? Dan keken we elkaar aan, taxeerden de situatie, en maakten vervolgens beiden een duik
naar de theepot waarbij onze handen met elkaar in botsing kwamen. En
dan een zilverig getinkel van verlegen gelach!' Ze gaf een gilletje van
plezier. 'Lieve hemel, Elizabeth,' wendde ze zich tot mijn partner die ons
met open mond zat aan te staren. 'Ben jij wel eens in een klooster op de
thee geweest? Als je ooit de kans krijgt, doe het niet.'

Ondanks mezelf schudde ik van het lachen. Een catharsis van vrolijkheid in plaats van tranen. De absurditeiten waarvan ik me zo scherp bewust
was werden door deze wereldwijze buitenstaander uitgedreven. Een deel
van mij voelde zich ontrouw. Maar ik zag het zo duidelijk voor me. Moeder Praeterita die naar het plafond keek, juffrouw Jameson die haar als een
havik aankeek, klaar om de draak met haar te steken. Wat een ongelijk span!
Maar het was maar een klein deeltje van me dat niet wilde lachen.

'Is ze niet de dochter van...?' en ze noemde een mindere literaire figuur uit het begin van de eeuw.

'Wat?' zei ik stomverbaasd.

'Jazeker. Wist je dat niet? Verbazingwekkend eigenlijk, hij was zo intelligent – een deel van zijn prozawerk in elk geval.'

'O, nee! Wat vreselijk.'

'Om een of andere reden is het zeker niet de bedoeling dat jullie over
je vroegere leven praten? Jammer, want dan zou je misschien enkele be-
langwekkende nieuwtjes te horen krijgen. Hij kende ze allemaal – de
Rossetti's, Swinburne, Conrad... Zuster, wat is er?' zei ze plotseling toen
ze mijn gespannen uitdrukking zag.

'Het is vreselijk,' zei ik. Dan moest ik plotseling lachen en vertelde zo
goed en zo kwaad als het ging mijn verhaal. 'Toen ik net was aangekomen vroeg ze me terloops of ik wel eens gedichten van hem had gelezen
en wat ik ervan vond. En toen zei ik dat ik er maar een had gelezen, een
gedicht met de titel "Voor Angelina", en dat ik het verschrikkelijk senti-
menteel geleuter vond!'

Juffrouw Jameson brulde van het lachen en gooide van plezier haar
benen in de lucht. 'O, arme zuster! Maar het is nog erger dan je denkt!'

'Waarom?'

'Lieve meid, *zij* was Angelina!'

Hulpeloos schudden we beiden van het lachen terwijl de tranen over
onze wangen rolden. Elizabeth zat stomverbaasd naar ons te kijken. Tel-

kens wanneer we begonnen te bedaren, las juffrouw Jameson, die in haar boekenkast had staan rommelen, op sarcastische toon een paar regels van het noodlottige gedicht voor – 'Engelenkuiltjes', 'Uw droeve glimlach – ach zoetheid!' – en dan begonnen we opnieuw. Al mijn opgekropte gevoelens stroomden uit me in een genezende lach. Hoe lang geleden was het dat ik had gelachen, echt had geschaterd van het lachen zoals nu?

'Het is niet belangrijk.' Juffrouw Jameson keek me met glinsterende ogen aan. Voor het eerst had ik het gevoel dat ze me als een soort gelijke zag. 'Ze heeft gekregen wat ze verdiende. Als je dergelijke beladen vragen gaat stellen, is het jouw taak je standpunt heel duidelijk te maken. Weet je zeker dat je geen sherry wilt?' Opeens leek het alsof de vraag veel meer inhield. Weet je zeker dat al dat gedoe echt iets voor jou is, meisje?

Stilte.

'Ik moet het maar niet doen, dank u.'

'Nee, ik begrijp het. Maar probeer er zo af en toe eens om te lachen, zuster. Je ziet er al een stuk beter uit. Krijg je daar wel genoeg te eten?'

'O ja, dank u wel.'

'Omdat je zo verschrikkelijk mager bent en van die donkere kringen onder je ogen hebt.' Elizabeth schoof ongemakkelijk heen en weer op de sofa om ons eraan te herinneren dat zij er ook nog was. De vriendelijkheid die ik hier ontmoette, raakte me, zoals altijd wanneer mensen aardig tegen me waren, zo diep dat ik een moment lang niet wist wat te zeggen.

'Weet je, zuster, je bent een erg intelligente vrouw en kloosters kunnen rare plaatsen zijn. Dat *moet* je inzien, dan kunnen we er samen weer eens om lachen. Echt, Elizabeth, je hebt er geen idee van, hè zuster? Ik weet nog dat ik op een keer in een klooster logeerde, niet een van de onze. Zoals jullie weten ben ik katholiek, en ik moest daar een soort praatje houden voor de Bond van Katholieke Moeders of iets even onwaarschijnlijks. 's Avonds vroeg ik of ik een bad kon nemen. Lieve hemel, wat een consternatie! De badkamer was kilometers ver weg. Ik werd er door een lief nonnetje heengebracht die zich de route probeerde te herinneren aan de hand van de beelden die we tegenkwamen – je weet wel, bij Sint-Jozef linksaf, bij het Heilig Hart rechtsaf, en dan rechtdoor langs de Kleine Bloem.' Ik lag weer slap van het lachen en voelde opnieuw die ongelooflijke verlichting van spanning. Ik zag het allemaal duidelijk voor me. 'Nou, *eindelijk* was ik dan in de badkamer, en *wham...* toen ik daar om een uur of tien in het bad zat, werd plotseling in het hele gebouw het licht uitgeschakeld! In het aardedonker stommelde ik rond en probeerde mijn spullen te vinden – mijn washandje, mijn talkpoeder, mijn ondergoed... Moet je meemaken! Ik deed er *uren* over om in het donker mijn kamer terug te vinden. Letterlijk *uren*! Ik moest steeds stoppen om aan die beelden te voelen. Is dit Onze-Lieve-Vrouw? – Nee, het heeft een baard!'

Toen ons gelach weer was weggestorven, keek ze me ernstig aan. 'Dat is nou het probleem met kloosters, weet je. Kleine individuele moeilijkheden nemen ze niet serieus genoeg. Regels zijn regels; het licht gaat om tien uur uit, ongeacht het feit dat een arme niets vermoedende bezoeker wel eens tot aan haar nek in het badwater zou kunnnen zitten. Nee, ik weet alles van kloosters. Ik heb ook eens uitgeprobeerd of ik roeping had.'

Natuurlijk, hield ik mezelf voor op weg naar huis, moet ik niet serieus nemen wat ze heeft gezegd. Haar kijk op de dingen was eigenlijk werelds. Die moest ik mijden, anders liep ik het risico mijn roeping te verliezen. En ik moest volhouden. Ik had mijn geloften afgelegd voor goede en slechte tijden. Het zou erger zijn dan falen in een huwelijk. Ik kon mezelf niet laten verleiden door Oxford.

Maar toch voelde ik me na ons gesprek een stuk beter.

Met stoffer en blik in mijn hand kwam ik de trap naar de voorhal af en stond plotseling oog in oog met moeder Praeterita. Ze wenkte me.

'Zuster, meneer pastoor wil met je praten. Hij zit in de kleine gastenkamer te ontbijten.'

'O, nee, eerwaarde moeder!' Ik trok wit weg en voelde dat misselijke gevoel in mijn maag weer opkomen.

'Wat zei je daar,' antwoordde ze koud. Geschokt. Tartte ik haar echt?

'Ik bedoel... alstublieft, eerwaarde moeder, ik ga liever niet.'

'Waarom niet?'

'Omdat... omdat...' Ik keek haar aan; ze voelde niets, ze begreep niets, ze was onstoffelijk en onaards. Vlees en bloed leken al van haar geweken te zijn. Ze bestudeerde intussen de kroonluchter in de voorhal. Het grootste deel van de tijd was ze er gewoon niet helemaal bij. 'Ik... ik... denk dat hij te dol op me is.'

Ze keek me verbijsterd aan. Haar mond viel open zoals hij altijd leek te doen wanneer ze verbaasd was. Voor één keer keek ze me aan. Ik keek strak terug. Behalve dat mijn eigen verlegenheid me ervan weerhield openhartig met haar te praten, wist ik ook dat ze wat ik haar te vertellen had nooit zou snappen. Dat ging haar begrip te boven.

'Hoe bedoel je, te dol op je?' Ik voelde dat ik bloosde.

'Hoe durf je zo aanmatigend te zijn! Meneer pastoor offert zijn tijd op om je te helpen en dan durf jij een dergelijke insinuatie te doen. Hij is een heilige man, zuster; hij laat zijn gevoelens niet met hem op de loop gaan. Hij kent het belang van zelfbeheersing – veel beter dan jij.'

'Het zijn niet alleen maar gevoelens. Het is niet... niet gezond wat er tussen ons gebeurt.'

Ze keek me aan en bloosde. Ze trok haar lange, aristocratische Romeinse neus op, de neusgaten wijdopen alsof ze iets onaangenaams roken. Dan, klik. Ik hoorde hoe ze in haar hoofd een knopje omdraaide. Vervolgens keek ze me weer aan, kalm nu. Even had ze het volkomen begrepen, had ze het afstotende gezien. Maar de complicaties – *het* te moeten vertellen aan de superieuren van meneer pastoor, erover te moeten praten, erover te moeten nadenken... Dus had ze haar geest uitgeschakeld. Zodat hij niet meer werkte. Zoals haar in haar kloosterleven zo vaak was geleerd te doen.

'Zuster,' – haar woorden waren als ijsblokjes, haar ogen stonden hard – 'ik beveel je naar meneer pastoor te gaan. Nu.'

Ik stond daar met mijn rug tegen de deur. Mijn hand aan de deurknop. 'Ga zitten, zuster? Nee...' Het verlegen lachje, de tandeloze mond, het lichte kloppen van zijn hart op zijn slaap. Vochtige ogen, vochtig van... wat? Handen die trilden terwijl hij doorbrabbelde. Hij vond dat ik bleek zag; misschien wilde ik op een dag wel een autoritje met hem maken naar het platteland. Nee, ik had het niet te druk, daar was hij zeker van. Eerwaarde moeder zou het zeker goedvinden. Ze maakte zich zorgen over mij en hij kon me helpen. Arm kind – zag er zo gespannen uit. Je weet toch dat ik er altijd ben, zuster, altijd als je me nodig hebt. O zuster.

Nu stond hij naast me. Ik keek gehypnotiseerd naar zijn gretige, verschrikte gezicht. 'Je laat me je toch wel helpen, zuster, mijn liefje?' Een padachtige hand greep naar mijn schouder. Nicotinevingers streelden mijn wang. 'Zuster, zuster.'

En dan mijn stem, trillend van afschuw: 'Ga weg, raak me niet aan!' en de deur sloeg dicht met een daverende klap die de rust van het klooster verstoorde, en ik vloog weg, weg van de misselijkheid en de folterende begeerte in hem en de angst in mezelf.

In de slaapzaal ging ik, hijgend en nog steeds bevend, op mijn bed zitten. Wat kon ik doen? Tot wie kon ik me om hulp wenden? Arme meneer pastoor. Wat was er met hem gebeurd? Al jarenlang priester en nu dit; jonge nonnen betasten in de sacristie, in de gastenkamer van het klooster. Een uiting van radeloosheid. Een suïcidale uiting van waanzin.

Ik had me voorgenomen om na het huishoudelijk werk van deze morgen de geseling te doen. Het was weer tijd. De laatste maanden had ik er een groeiende weerzin tegen gevoeld. Maar nu... herinnerde ik me moeder Walters advies de geseling te zien als een middel om mijn hartstochten in bedwang te houden. Het zou me vast helpen niet zo te worden als meneer pastoor.

Ik nam het zweepje uit zijn etui en trok de gordijnen rond mijn cel dicht. Dan bekeek ik mezelf. Als van een afstand. En sloeg mezelf, harder, steeds harder, tot het bloed door mijn aderen joeg. De opwinding. De bevrijding. Het woord dat ik een halfuur geleden tegen moeder Praeterita had gebruikt – *ongezond* – trof me als een mokerslag. Was dit echt de manier? Had het de communiteit ervan kunnen weerhouden verliefd te worden op een kat? Had het meneer pastoor echt geholpen? Of had het de hartstochten in een onnatuurlijke richting geslagen?

Een moment lang keek ik naar het zweepje. Dan stopte ik het kalm weg.

'Eerwaarde moeder, ik wil de geseling niet meer doen.'

Het was een week later en ik was door moeder Praeterita ontboden voor mijn veertiendaagse gesprek met haar.

'Heeft wat jij wil ook maar enige invloed?' vroeg ze koud. 'Gaat het er niet om wat God wil?'

'Goed dan, ik denk niet dat God wil dat ik dit doe.'

'Waarom niet?' Sarcasme nu. 'Denk je soms dat Hij voor jou, voor jou als enige in de hele orde, iets anders heeft bevolen? Dat jij je als enige buiten de eeuwenoude traditie voor alle kloosterlingen kunt plaatsen?'

Opnieuw hoogmoed. Maar was het wel hoogmoed? Ik moest plotseling denken aan de woorden van Polonius: 'Dit boven alles, wees trouw aan je eigen ik.' Maar mijn ik werd geacht dood te zijn. Altijd die *impas-*

se. En nog steeds wilde iets in me het niet opgeven. Ik gooide het over een andere boeg.

'Het Vaticaans Concilie, eerwaarde moeder' – ze zuchtte wanhopig – 'schijnt te vinden dat veel van deze praktijken niet langer geschikt zijn voor de mensen van nu. Er is in de orde over gesproken al deze dingen af te schaffen; dat weet ik. De communiteit heeft het er pas nog over gehad.' Ik bracht de afkeuring die de communiteit daarbij over die mogelijkheid had geuit maar niet ter sprake.

'Maar zuster, je kunt niet zomaar de wet in eigen hand nemen,' vervolgde ze hulpeloos, 'dat weet je toch. Het Generaal Kapittel van onze orde zal ons vertellen wat we moeten doen.'

'Maar eerwaarde moeder, ik kan niet iets blijven doen waarvan ik vind dat het slecht voor me is.'

'Slecht, zuster?'

'Ja.' Ik leunde weer naar voren. Omdat ik wilde dat ze begreep wat ik bedoelde. Opnieuw die angstige flikkering in haar ogen toen ze me aankeek. *Laat haar met rust, pestkop,* zei ik tegen mezelf. Maar dat kon ik niet. Iets in me wilde zich met kracht een weg naar buiten banen. Ik kon het niet tegenhouden. 'Volgens mij is die geseling een middel – een pervers middel – tot seksuele bevrediging.'

Een verschrikte stilte.

'Eerwaarde moeder, wat denkt *u* daarvan?'

Opnieuw het klikje in haar hoofd. Ze richtte haar ogen naar het plafond, weg van wat ze niet wilde zien.

'Ik weet niet... jij weet niet... niemand van ons weet wat we moeten denken tot het Generaal Kapittel het ons vertelt.'

Zuster Jocasta was uit de orde getreden. De brief van de provinciaal was ons vanmorgen na het ontbijt hardop voorgelezen. Ze had op de Universiteit van Londen een jonge jezuïet ontmoet en was verliefd geworden. Ze hadden beiden hun orde verlaten en waren van plan te trouwen.

Ik luisterde verstomd naar het nieuws. Ik dacht aan het knappe, van humor stralende gezicht van zuster Jocasta. Ik herinnerde me hoe ze tijdens de recreatie in het novicenhuis moeder Walter had tegengesproken en niet bereid was geweest haar eigen mening op te geven, maar had vastgehouden aan intellectuele integriteit. Zoals ik nu probeerde te doen. Haar vertrek vervulde me met meer dan het verdriet over het verlies van een zuster in Christus. Wij tweeën leken op elkaar. Zou ik... zou ik uiteindelijk ook weggaan?

Die gedachte benauwde me. Het kloosterleven in de steek laten en toegeven aan de wereldsheid die me uiteindelijk kon scheiden van God.

'Wie de hand aan de ploeg slaat, maar omziet naar wat achter hem ligt, is ongeschikt voor het Rijk Gods.' Hoe radicaal klonk dat! Ik wilde God zo graag waardig zijn. Hem niet teleurstellen. Maar ik voelde ook een knagende angst en ik wist dat dat pure lafheid was. De wereld. Ik was het contact met haar volkomen kwijt. O ja, ik was nu opgewassen tegen juffrouw Jameson, maar de studentes – kon ik me gelijkstellen aan hen? Dat kon ik niet. Ik zou meteen worden vertrapt en verdwijnen zonder een spoor achter te laten. Die glimp van de wereld die ik de eerste ochtend na mijn professie in de metro had opgevangen – het was mijn wereld niet meer.

Maar dat zette ik uit mijn hoofd. Ik kon niet in het klooster blijven omdat ik een lafaard was. Ik kon mezelf niet toestaan dat ik die onwaardige angst voelde. Nee. Ik had geloften afgelegd. Hou vol, had moeder Katherine gezegd, en dat had ik haar beloofd... Het was niet goed God alleen te dienen als de tijden gemakkelijk waren. Nu de dingen duister en onmogelijk leken, was het tijd mijn besluit te vernieuwen.

Op onze wandeling die middag verwoordde ik mijn angsten tegenover zuster Rebecca.

'Ik ben bang, zuster. Bang voor wat er hier met me gebeurt. Ik herken mezelf niet meer.'

'Je bent veranderd. Maar, zuster, dat is niet jouw fout.'

Ik keek haar aan.

'Het is hier niet goed voor je,' vervolgde zuster Rebecca. 'O, ik heb het niet over de universiteit. Natuurlijk niet! Maar over de communiteit. Het is een oude, conservatieve communiteit.'

'Heb jij daar dan geen moeite mee?'

'Niet zoveel als jij,' antwoordde ze terwijl ze vastberaden en koppig haar hoofd schudde. Niet bereid me nog verder te laten gaan, ondanks de spanning rond haar ogen en haar uitgemergelde lichaam. 'Jij voelt de dingen sterker dan ik. Ik begrijp je problemen met eerwaarde moeder best. Jullie kunnen gewoon niet met elkaar opschieten. Ik... ik heb er geen problemen mee. Ik heb een rustiger temperament dan jij; ik reageer niet zo primair. Mijn geest is niet zo uitgesproken en onbuigzaam. Eerwaarde moeder en ik zijn allebei rustige mensen. Wij kunnen wel met elkaar praten.'

Ik zuchtte wanhopig. 'Ik heb het gevoel dat ik twee mensen ben. Twee stukken van me trekken me uit elkaar en op een dag zal ik breken! Zuster, hoe kunnen ze ons dit aandoen? Ons naar Oxford sturen om onze geest te ontplooien en dan, als we naar huis gaan, van ons verwachten dat we hem niet meer gebruiken?'

'Anderen hebben dat wel gedaan. Maar het probleem met jou is dat jij doet wat Oxford ons eigenlijk probeert te laten doen. Leren nadenken.'

'Maar wat kan ik dan anders doen?'

'Het gaat toch niet alleen om nadenken? Er komt bij dat je je niet goed voelt. Kijk eens naar ons beiden. We zien eruit als vogelverschrikkers. En jij valt steeds flauw. Wat daarvan ook de oorzaak is – zelfs al zou zij alleen maar emotioneel zijn –, het betekent dat er iets mis is!'

'Maar hoe krijg ik dat weer goed? En volgend jaar' – zuster had net haar afsluitende examens gedaan – 'ben jij hier niet meer.' Plotseling begreep ik wat dat betekende. Geen Rebecca meer om een grapje of een idee mee te delen. 'Deze wandelingen,' kreunde ik. 'Er komt vast een rooster op het bord te hangen met de namen van degenen die met zuster Martha moeten gaan wandelen. Als een hond!'

Haar ogen stonden bezorgd. 'Ik weet het! Ik heb me daar ook zorgen over gemaakt. Luister, jij gaat naar Skipton voor je retraite en je R en A. Daar is moeder Katherine. Ik weet dat ze zich zorgen heeft gemaakt over je komst hier. Praat met haar. Ze zal niets kunnen doen. Maar ze zal je helpen.'

'Ik wil niet uittreden,' zei ik, terwijl we onze wandelschoenen uittrokken. 'Ik wil een goede non zijn.'

Ik stond op het punt naar Skipton te gaan. Vanavond zou ik met de rest van de communiteit aldaar in retraite gaan, voor de gebruikelijke acht dagen per jaar. Een deel van mij was opgewonden. Het klooster in Oxford was me steeds meer gaan benauwen en het was een heerlijke gedachte dat ik zo zou vertrekken en moeder Katherine terug zou zien. Maar ik was ook bang. Acht dagen van zwijgen. De strenge Geestelijke Oefeningen die alle plekjes diep in je waar je zelf niet bij kon, grondig reinigden. Wat zouden ze me dit jaar laten zien?

En nu stond ik in de hal en nam afscheid van moeder Praeterita. Stijfjes wisselden we de gebruikelijke formele omhelzing uit. Plotseling voelde ik een diep berouw. Het hele jaar had ik tegen haar gevochten, haar leven tot een hel gemaakt. Het was niet haar fout. Dit jaar had ik gefaald, gefaald God in mijn superieure te zien.

'Eerwaarde moeder,' zei ik terwijl ik haar aankeek en mijn ogen zich plotseling met tranen vulden. 'Het spijt me zo! Het was niet goed tussen ons. Ik zal het beter doen als ik terugkom.'

Ze schudde me zachtjes heen en weer. 'Wees niet hysterisch, zuster.' Het was eerder de toon waarop ze dit zei, dan wat ze zei die me pijn deed. 'Heb een goede retraite.'

Zuster Rebecca reed me naar het station. Het was ook een afscheid van haar. Toen we de oprijlaan verlieten, zag ik daar eerwaarde moeder staan, als een pilaar van liefdeloze rechtvaardigheid.

Paarse sterren flikkerden voor mijn ogen. Er brak iets in mijn hoofd. Bloed liep uit mijn neus in dikke, zware druppels en klonters.

'Wil je teruggaan?' vroeg zuster Rebecca bezorgd.

Ik schudde mijn hoofd terwijl ik mijn rode zakdoek tegen mijn neus drukte. Nee, nee.

Toen we het station bereikten, was mijn neus nog steeds aan het bloeden. Mijn hoofd deed pijn en ik voelde een vreemde angst opkomen.

'Hoor eens,' zei ik nasaal toen zuster en ik elkaar hulpeloos aankeken. Wat een afscheid! 'Ik kan beter dat doosje papieren zakdoekjes meenemen voor de reis.' Ik stak mijn hand in het handschoenenvakje van de auto.

'Dat kun je niet doen, zuster.' Ze staarde me aan, doodsbenauwd voor de absurditeit van dit alles. 'Die zakdoekjes zijn van de communiteit van Oxford. Je weet dat er een vreselijke drukte over gemaakt zal worden. Hoe stom, onsympathiek en verkeerd het ook is!' De tranen stonden haar in de ogen toen ze mijn hand schudde. Dit was het afscheid. We zouden elkaar misschien in geen jaren meer tegenkomen. Dat lag allemaal in de handen van onze superieuren. Een jaar lang hadden we een verboden vriendschap onderhouden. En nu zagen we elkaar misschien nooit weer. Ik voelde de tranen achter mijn eigen ogen branden.

'Nee,' zei ik, 'natuurlijk niet. Eerwaarde moeder zou me nooit toestaan ze mee te nemen.'

Er volgde een moment van wederzijdse stilte. Dan drukte ze me met opeengeklemde lippen haar eigen zakdoek in de hand. 'Neem deze maar,' zei ze vastberaden.

'Dat kan ik niet doen,' zei ik. 'Je weet dat we elkaar niets mogen lenen.'

Ze schudde wild met haar hoofd. 'Pak hem nu maar aan.' Ze gaf me meer dan een zakdoek. Het was een daad van liefde.

Ik verliet haar in een mist van bloed en tranen. Het kloosterleven, had ik gedacht, moet een leven van grootse, bevrijdende perspectieven zijn. En nu maakte ik me zorgen om een pakje Kleenex! Plotseling herinnerde ik me de woorden van Sint-Paulus: 'De dwaasheid van God is wijzer dan de mensen, en de zwakheid van God is sterker dan de mensen.' Daar moest ik me aan vasthouden. En wat zei Sint-Ignatius dat ik moest doen? 'Alles verwerpen wat de wereld liefheeft en begeert' – alle gezonde verstand, alle wereldse wijsheid en alle liefde – 'en een dwaas worden omwille van Christus.' Dat was het grootste offer. Een dwaas zijn in mijn eigen ogen en die van de wereld – dwaasheid aanvaarden, als dat nodig was, en alles opgeven voor God.

Die hele middag had ik me misselijk en in de greep van een hevige, redeloze angst gevoeld. Nu stond ik in de warme stilte van een augustusavond licht huiverend in de refter van Skipton. Diezelfde avond zou de retraite beginnen die me dichter bij zelfkennis zou brengen dan ik durfde te gaan. De enige geluiden in de enorme ruimte waren het gerammel van metalen borden en het getinkel van bestek. Drie nonnen met witte schorten voor vlogen rond en zetten het avondeten op de lange houten tafels terwijl hun rubberzolen piepende geluiden maakten op de gewreven vloer. Een lange streep zonlicht viel door de hoge ramen, ving het grote crucifix in een dramatisch, natuurlijk spreidlicht, en zette de witte muren in een roze gloed.

Plotseling klonk in de speciale stilte die het diepe isolement van de volgende acht dagen aankondigde uit het niets een langgerekte schreeuw, als van iemand die in doodsnood naar adem snakte. De schreeuw duurde maar voort in de afwachtende stilte, alsof hij een eigen wil had. Wat was dat voor vreemde, jammerende schreeuw die klonk als die van een dier dat in een val was gelopen? Waar kwam hij vandaan? Dan zag ik van heel ver weg mezelf, met stijf dichtgeknepen ogen en wijdopen, vertrokken mond. En uit die mond klonk die onaardse schreeuw. Nonnen renden rond. Ze sloegen me en schudden me door elkaar, maar konden het geluid niet stoppen. Ten slotte zag ik mezelf tussen hun armen verkruimelen tot er nog maar een onooglijk hoopje van me over was.

Dan knapte er iets. Het geluid hield op. Twee ikken werden uit elkaar gerukt. Zwartheid.

II

Door de nauwe poort

'Zuster.'

Niet wakker worden. Niet de handen voelen die me optillen en mijn kleren losknopen. Niet de afkeer. Kan er niet tegen. Voor altijd blijven slapen.

'Zuster! Zuster Martha. Kun je me horen, lieverd?'

Lieverd? Een schok. Geen boosheid in de stem.

'Zuster, probeer wakker te worden. Alles komt goed.' Vriendelijke stemmen. Zachte handen.

Ik deed mijn ogen open.

Moeder Rose, heel erg bezorgd. Grote ogen, nog vergroot door haar brillenglazen. En moeder Jean, de verpleegster, glimlachend maar met een angstige en bezorgde blik.

'Daar ben je weer!' Ik voelde de tranen opkomen en draaide mijn gezicht naar het kussen. *Maar het is te laat,* dacht ik.

'Zuster, kun je me horen?' vroeg moeder Jean. Waarom is ze niet boos? Ze zal het wel gauw worden. Wanneer ze hoort dat dit me steeds overkomt. Zwakheid. Zenuwen. Falen. En ik wilde nog wel goed zijn hier in Skipton, een nieuwe bladzijde omslaan. 'Kijk me aan. Huil niet, zuster, alles komt goed.'

Ik keek op, sprakeloos. Ik probeerde te glimlachen maar de glimlach mislukte. Er kwam water uit mijn ogen. Het vloeide stilletjes, net als het bloed. Was het alleen deze middag zo?

'Zuster, zeg toch iets. Kom. Zeg iets tegen ons.'

'Moeder... ik kan het niet.'

'Wat kan je niet, zuster?'

'Ik kan het niet doen.'

'Wat doen?'

'Ik kan het niet.' Het was net een grammofoon waarvan de naald in een groef van de plaat bleef hangen. 'Kan het niet doen. Kan het niet.'

Gefluister. Stemmen. 'Oxford... stress... die communiteit... Praeterita... studie... niet tot elke prijs... moeder Katherine.'

Ik sprak luider. 'Moeder Katherine?' Iemand had gezegd dat zij me kon helpen. Ik had hulp nodig.

'Ze is weg – weet je het nog, zuster? Ze komt over een paar dagen weer terug. Probeer ons te vertrouwen. Voor het moment.'

Stilte.

'Wat, zuster. Wat is er?'

Waarom zijn ze niet boos?

Een woord komt in me op. Het komt langzaam boven. 'Retraite.'

'Ja, dat is morgen.'

'Ik kan het niet.'

'Maak je daarover nu maar geen zorgen. Eerst maar een nachtje slapen. Morgen praten we er wel over.'

'Nee, ik kan het niet.'

'Je moet retraite doen, zuster. Dat zegt de regel... Zuster, niet doen. Niet weer huilen.'

'Ik kan het niet.' Vooral de retraite niet, maar niet alleen de retraite.

'Kalm maar. Kalm maar. Ik ga wel met de priester praten. Zo'n aardige jonge priester. Hij is op dit moment beneden. Om zijn eerste praatje te houden. Hij kan je misschien helpen.'

'Nee.'

'Zuster, als je niet in staat bent de retraite te doen, doe je het niet. Maak je geen zorgen. Ik zal moeder-provinciaal bellen en het haar uitleggen. Geen enkel probleem.'

Vrede. Een golf van opluchting.

'Hier, neem deze pil in. Die helpt je te slapen.'

Wachten op de slaap. Er zacht in gewikkeld zijn. Maar waarom zijn ze allemaal zo vriendelijk? Nu het te laat is?

Er volgden dagen van duisternis. Dodelijke vermoeidheid. Wakker worden om handen te voelen, een gezicht te zien. Kopjes die aan mijn lippen werden gezet. Slaap.

Soms dromen. Een wedstrijd lopen en nooit, nooit het doel bereiken. De hele tijd de woorden van Sint-Paulus horen met de toonloze stem van een non in de refter, steeds maar weer: 'Nee, broeders, ik beeld mij niet in er al te zijn. Alleen dit: vergetend wat achter me ligt, mij uitstrekkend naar wat voor me ligt, storm ik af op het doel...' Mij uitstrekkend. Naar wat voor me ligt. En dan te weten dat er geen doel is.

Soms proberen iets te doden dat groeit. Een plant waaraan steeds weer nieuwe scheuten groeien, enorme monsterlijke scheuten die haar steken en slaan, en haar pijn voelen wanneer haar groene sap in dikke druppels neervalt. Maar zij sterft nooit.

En dan een gezicht. Is het dat van moeder Katherine? Ze noemt mijn naam. Maar waarom? Weet ze dan niet dat ik al dood ben?

'Probeer iets te eten, zuster.'

Nee. Geen eten.

Toen ik op een ochtend – hoe lang daarna? – wakker werd, zag ik het zonlicht door de ramen naar binnen vallen. Ik keek de kamer rond. Klein. Maar één bed. Wat vreemd! Een eigen kamer! Een wastafel! Witte muren en dunne witte gordijnen die zachtjes wapperden in de wind.

Ik probeerde te gaan zitten maar het ging niet.

'Het is in orde. Probeer niet te gaan zitten, je bent te zwak.'

Een stem die ik kende. Ik draaide mijn hoofd en merkte hoe mijn geest de gelaatstrekken opnam en ze langzaam samenvoegde tot ze moeder Katherine werden.

'Dat is beter!' Ze glimlachte maar haar ogen stonden duidelijk bezorgd. 'Hoe voel je je, lieverd?'

Lieverd? Alweer.

'Ik ben moe, moeder.' Ik voelde me niet alleen moe van lichaam, maar ook van geest. Van ziel. Levensmoe.

'Ja, ik weet het.' Ze boog zich over me heen en pakte mijn hand. Ik keek ernaar. Stomverbaasd. Alsof ik iemand anders was. Eens zou ik daar blij om zijn geweest, dacht ik. Maar niet nu. Ik voel niets. 'Het gevoel niets te voelen.' Wie had dat ook alweer gezegd?

'Wat is er met me gebeurd?'

'Je was in de war. Volkomen in de war. Het is verdrietig dat het allemaal zo heftig naar buiten moest komen. In één grote stroom. Het spijt me echt, lieverd. Het had nooit op deze manier mogen gebeuren.'

We zaten even zwijgend bijeen.

'Je moet proberen iets te eten, zuster. Je bent veel te mager. Anders ga je je nooit beter voelen.'

'Ik kan het niet.'

'Alsjeblieft. Probeer het alsjeblieft.' Zij is een superieure. Ik moet haar gehoorzamen. Maar ze zegt *alsjeblieft.*

Ik knikte. Ze glimlachte. Wat was het gemakkelijk iemand een plezier te doen. 'Dan zul je je sterker voelen,' zei ze. 'Wat herinner je je nog?'

Ik wachtte tot het allemaal terugkwam. Al dat verdriet. 'Schreeuwde *ik* zo?' Ze knikte. Wat betekende dit allemaal? Ik hoorde te zeggen dat het me speet dat ik zo had geschreeuwd. Maar dat deed ik niet. 'Die schreeuw was ik.'

Ze knikte met een droeve blik in haar ogen. 'Dat weet ik.'

'Ik kan het niet, moeder.'

'Wat bedoel je, lieverd?'

'Alles. Sterven. Mijn gevoelens zijn te belangrijk. Mijn verstand...'

Ik schudde mijn hoofd. Hoe moest ik het uitleggen? 'Ik kan het niet tegenhouden. Ik heb het geprobeerd. Steeds weer opnieuw. Maar het wil niet ophouden met denken.'

'Dat moet ook niet.' Haar stem klonk boos, maar haar boosheid gold niet mij. Haar hand greep de mijne. 'Je hebt een goed stel hersens. Die moet je gebruiken.'

'Maar moeder Walter...'

'Ja, ik weet het. Haar manier van denken was verkeerd. Niet voor iedereen. Maar voor jou was zij verkeerd. En zo had het niet moeten zijn. Ze is te fanatiek. Het zal anders worden, zuster. We gaan onze jonge nonnen op een andere manier vormen. Dat is allemaal voorbij.'

Maar niet voor mij, ik ben al gevormd. Het is te laat.

'Maar ik kan het niet meer.' Een nuchtere constatering van een feit. Wat bedoelde ik eigenlijk?

'Wil je uittreden? Luister eens, zuster, ik zal je helpen. Dat willen we hier allemaal. We zullen geen enkele druk op je uitoefenen. Word eerst maar eens beter. Maar als je wilt uittreden...'

'Nee, nee!' Instinctief. Niet helemaal doordacht. 'Ik wil niet uittreden.' Paniek.

Haar gezicht ontspande zich. 'Goed.' Ze glimlachte. 'Ik ben zo blij. We hebben je nodig in de orde.' Mij? 'Maar je bent ziek. Wil je dat we het college vragen je een jaar vrijaf te geven? Zodat je beter kunt worden?'

'Nee!' – weer een instinctief antwoord. Oxford was belangrijk. De gedachte de orde te verlaten maakte me doodsbang, maar er was iets in

Oxford waarvan ik wist dat ik het onder ogen moest zien. Ik kon niet bedenken wat het was – en ik kon het op dit moment ook niet aan. Maar toch kon ik het niet van me afzetten. Ik glimlachte naar moeder Katherine om haar gerust te stellen. 'Soms moet ik onder ogen zien wat er daar voor me is. Ik heb er plezier in. In mijn studie. Maar ik moet uitvinden wat ze voor mij betekent. Waarom dit is gebeurd. Oxford kan me redden.'

'En de communiteit daar?' vroeg ze.

Ik dacht aan moeder Praeterita zoals ze de laatste keer dat ik haar had gezien stokstijf als een pilaar voor het klooster had gestaan en schudde mijn hoofd. 'Moeder Praeterita...'

'Die vrouw!' Nee, zo is het niet, dacht ik. U vindt dat omdat u verdriet hebt over mij. Maar het ging niet alleen om haar. Was dat maar zo. Het had me iets laten zien. Iets belangrijks dat ik nog niet wilde analyseren.

Ik vocht tegen de lichte lethargie die dreigde. Er was nog iets dat ik moest zeggen. Iets belangrijks.

'Moeder, wat is er gebeurd dat mensen als moeder Praeterita zo zijn als ze zijn? Dat ze niet weten wat ze moeten denken en niet zien wat ze niet willen zien. Mensen als moeder Imelda die innerlijk uitgehongerd lijken. U bent zo niet. U kunt denken en voelen en toch een goede non zijn. Moeder Bianca...' Mijn stem stierf weg terwijl ik ongerust op een antwoord wachtte.

Ze zweeg even en keek me strak aan. 'Het ontbreekt hun op een of andere manier aan moed. Ze hebben zich laten onderwerpen door de opleiding, zodat ze de regel naar de letter volgen en niet naar de geest. Natuurlijk moeten we gehoorzaam zijn. Natuurlijk moeten we meer van God houden dan van wie ook. Maar wij hebben onszelf aan Hem gegeven en Hij wil *ons* ook. Zoals we zijn, zoals *jij* bent. Maar de moeilijkheid is je vast te blijven houden aan de innerlijke verlichting die God je geeft. En daarbij zowel je verstand als je hart te gebruiken. De opleiding dient om te verzekeren dat God altijd op de eerste plaats komt, niet onze kleinzielige zelfzucht. Maar God.'

'Wat bedoelt u daarmee, dat het hun ontbreekt aan moed?'

'Dat ze zich vastklampen aan de regels zoals aan de rand van een zwembad. Dat ze nooit bereid zijn in het diepe te springen en erop te vertrouwen dat God hen niet zal laten verdrinken. En zuster, dat komt veel te veel voor in de orde. Veel te veel. De opleiding en de manier waarop onze superieuren over ons heersen maken het voor mensen inderdaad heel moeilijk niet meer zo bang te zijn.'

'Behalve dan voor de uitzonderingen.'

Ze moest lachen. 'O, je moet niet proberen me te vleien. Weet je, ik heb het in de orde jarenlang erg moeilijk gehad. Al die tijd dat ik schoolhoofd in Birmingham was werd ik als gevaarlijk en subversief beschouwd.' Ze glimlachte bij de herinnering. 'Sommigen van mijn superieuren maakten het me verschrikkelijk lastig. Ze hielden me in Birmingham – zoals je weet is het geen belangrijke school – om me uit de buurt te hebben.'

Ik moest aan moeder Bianca denken en aan haar dertig jaren in de kledingkamer. Het was een ontmoedigend vooruitzicht.

'Hoe heeft u het klaargespeeld niet verbitterd en boos van binnen te worden?'

Ze haalde haar schouders op. 'Het viel niet mee vijftien jaar lang uit de gratie te zijn. Je moet je vasthouden aan wat God van je wil en niet opgeven, alleen maar omdat je als je dat doet over je bol wordt geaaid en een brave meid wordt genoemd – en een gemakkelijker leven hebt.'

Ik dacht diep na. Dat was een nog dieper niveau van zelfverloochening. Maar zou ik dat kunnen? Iets binnen in me schrok ervoor terug.

'Maar hebt u er dan nooit over gedacht het op te geven?'

'Niet echt. Niet serieus. O, van tijd tot tijd klaag ik weleens in mezelf. Maar als je genoeg van God houdt, moet je dapper zijn. Je weet wat Job zei: "Wil God mij doden, ik ga Hem niet uit de weg." '

'Wil God mij doden, ik ga Hem niet uit de weg,' herhaalde ik. 'Maar nu hebben ze u tot superieure benoemd. Is nu alles in orde?'

Ze glimlachte. 'O, ik ben op dit moment uit het hondenhok. Maar dat hoeft niet blijvend te zijn. Misschien sta ik als oude non nog weleens af te wassen in een of andere keuken.'

'Maar zou u dat geen verschrikkelijk verspilling vinden? Als dat zou gebeuren?'

'Ja, dat zou ik inderdaad vinden. Maar ik vind ook dat ik alles moet doen wat God van me vraagt.'

We zaten zwijgend bijeen. Had ik eigenlijk dat soort geloof? Of die mate van vertrouwen in mezelf, los van God? O ja, na dit gesprek met moeder Katherine zag ik mezelf wel doorgaan, desnoods bereid om uit de gratie te zijn. Maar zou ik moeders moed hebben? Of zou ik beschadigd raken en de mensen om me heen zelf ook weer beschadigen? Ik wist het niet. Wat wilde ik hier graag blijven. Het ideaal van volkomen zelfopoffering en nauwe vereniging met God leek meer dan ooit van een aangrijpende schoonheid te zijn. En de mogelijkheid terug te gaan naar de wereld maakte me doodsbang. Maar die schreeuw was een moment van waarheid geweest. Ik moest precies weten wat hij voor mij betekende. En het had geen zin moeder Katherine ernaar te vragen. Alleen ik kon leren in mijn eigen hart te kijken. Dat wist ik nu.

'Moeder,' zei ik ten slotte, 'ik moet nadenken.'

'Ja, dat begrijp ik. En wat ik eerder heb gezegd, geldt nog steeds. We zullen op geen enkele manier druk op je uitoefenen. Je moet zelf ontdekken wat God voor je wil. Maar, zuster, neem de tijd voor een beslissing. Je bent nog ziek. Probeer niet te snel tot een besluit te komen. Dat kun je op dit moment niet. Geef je geest en je lichaam de tijd om te genezen. Weet je nog wat Sint-Ignatius zegt?'

Ik knikte. 'Verander nooit van besluit in tijden van neerslachtigheid.'

'Precies. Blijf dus hier. Probeer wat meer te eten. Rust uit. Slaap. We moeten je lichaam weer op de been zien te krijgen. En dan je geest. Laat het besluit een maand of twee absoluut rusten. Ga naar Oxford terug. Sluit jezelf af voor de communiteit. Moeder-provinciaal zal er met hen over praten. Ze maakt zich er erg bezorgd over dat je zo ziek bent. Ze zullen je met rust laten. Je hebt plezier in je studie. Heb er dan het volgende semester weer plezier in. Denk alleen aan literatuur.'

'Maar betekent dat dan niet dat je de dingen gewoon weer op hun beloop laat?'

'Nee, omdat het besluit, welke kant het ook opgaat, de hele tijd in je zal rijpen. Je zult weten wanneer het gevallen is. En nu moet je weer gaan slapen.' Ze maakte het kruisteken op mijn voorhoofd. 'God zegene je.'

Ik nam haar raad ter harte. Ik zakte weg in een soezelige schemertoestand. In bed liggen en niemand zien behalve moeder Katherine en de verpleegster. Proberen wat te eten. Proberen wat te lezen. Slapen.

Op een avond hoorde ik een klop op mijn deur. Een nogal aarzelende klop. Ik keek op de klok. Het was te vroeg voor het avondeten.

'Kom binnen!' riep ik, in de verwachting moeder Jean te zien.

Maar zij was het niet. Het was moeder Melinda, die in dienst was van de aan het klooster van Skipton verbonden kostschool. Ik keek haar ver-

rast aan. Zieke nonnen mochten gewoonlijk niet elk uur bezoek ontvangen van leden van de communiteit. Wat kwam ze hier doen? Ik kende haar nauwelijks. Ik had een glimp van haar opgevangen op die eerste
ellendige avond, maar dat was alles. Het was een jeugdig uitziende
vrouw van midden dertig met een intelligent, bleek gezicht en bezorgde
ogen waar soms een bittere blik in lag. Ze bewoog zich onhandig met
kleine pasjes door de kamer, zonder de gracieuze glijdende beweging
van de andere nonnen.

Ze glimlachte naar me, een beetje verontschuldigend alsof ze verwachtte afgewezen te worden. Wat vreemd, dacht ik. Ik ben maar een
studerende non terwijl zij een hoge positie in het klooster bekleedt.
Maar haar ogen stonden bezorgd.

'Hallo,' zei ze op een nogal nonchalante manier. 'Ik dacht, ik wip maar
eens binnen om te kijken hoe het met je gaat. Ik kwam toevallig langs. Je
vindt het toch niet erg?'

'Nee, fijn dat u bent gekomen.'

'Graag gedaan.' Ze liet zich niet erg nonnenachtig in een stoel vallen
en begon te prikken in de schilferige vernis op de armleuning. Dan keek
ze naar me op en grinnikte. Ik zag dat ze vriendelijk wilde zijn maar niet
goed wist hoe het aan te pakken. Ik ook niet.

'Nou,' zei ze lijzig, 'je hebt ons wel aan het schrikken gemaakt door
zo hard te schreeuwen.'

Ik bloosde verlegen. Wat zouden ze wel niet van me denken?

'Arme meid!' zei ze, en voor even was de ruwheid uit haar stem verdwenen. Ze glimlachte weer naar me. 'Ik wil wedden dat je een verschrikkelijk jaar in Oxford hebt gehad. Ik weet het. Moeder Praeterita
was mijn superieure toen ik daar was, maar dat was jaren geleden toen ze
nog een stuk jonger was. Ik denk dat het nu veel erger is. En er waren
toen veel nonnen die studeerden. Dat hielp een beetje.'

'Ja, dat denk ik ook.'

'Trouwens, hoe voel je je nu? Je eet toch wel? Je lijkt wel een skelet!'

'Ik voel me al een stuk beter. Dank u.'

'Goed. Ga zo door.' Ze vertoonde opnieuw een vage glimlach en begon rusteloos en zacht neuriënd door de kamer te ijsberen waarbij ze
met duidelijke fascinatie de inhoud van mijn wastafelglas bestudeerde.

Plotseling draaide ze zich om en keek me aan.

'Zuster, wat weet jij van seks?'

Ik schoot omhoog. Zij ook. We keken elkaar aan, geschrokken van het taboewoord. Maar het woord was gevallen en kon niet meer worden ingeslikt. Ik keek haar nieuwsgierig aan. De toon van haar vraag wees er niet op dat ze eigenlijk bedoelde: 'Ik denk dat je ziekte voor een groot deel te wijten is aan seksuele problemen; laat mij proberen ze voor je op te helderen.' Nee, zij was degene die opheldering zocht. Bij mij. De jongste non in dit klooster!

Nu begreep ik waarom ze het mij had gevraagd. Dat was omdat ik had geschreeuwd en in elkaar was gezakt. Ik was, in elk geval voor een moment, absoluut buiten de perken gegaan. Ik stond buiten de hechte rijen van de orde. Daarom kon ze mij dit onbeschroomder vragen dan een ander.

Ze keek me nog steeds aan, hangend aan mijn lippen. Wachtend.

'Och, nou ja, u weet wel. De gewone dingen, denk ik,' zei ik afwerend.

'Ja, maar *wat*!' Haar stem klonk gespannen.

Ja, wat eigenlijk? Ik keek terug op de afgelopen jaren. Biologielessen over het konijn. Al dat ontwijken van de ware feiten door ons te vertellen hoe 'heilig' seks was onder een paar stringente en essentiële voorwaarden. Dat afschuwelijke gegrabbel van meneer pastoor in de gastenkamer. Wat kon ik haar vertellen? Alleen wat ik pas in Oxford had ontdekt. Los van al die verwarde indrukken moest ik toegeven dat ik eigenlijk niets wist.

'Ik geloof niet dat ik er erg veel van afweet,' bracht ik ten slotte uit. 'Ik bedoel, wat voor soort dingen wilt u weten?'

'Nou ja, niet de biologie ervan. Maar de details. Die brengen me in de war,' zei ze terwijl ze wild met haar handen zwaaide om haar verbijstering uit te drukken. 'Ik bedoel, in wat voor houding doe je het? Ik sprak met moeder Gemma en zij wist het ook niet. Maar ze zei dat ze ergens had gelezen dat je het in elke houding kunt doen.'

We gaapten elkaar aan, ons hoofd vol voorstellingen die nergens op sloegen.

'Eerlijk, moeder, ik weet het ook niet.'

'Het is eigenlijk vreselijk,' zei ze terwijl ze met een frons in haar voorhoofd voorover leunde. Het kostte haar geen moeite meer erover te praten. 'Tenslotte moet ik met tienermeisjes over seks praten. Ik zou ze leiding moeten geven, ze raad moeten geven. Maar weet je, ik denk dat sommige oudere meisjes meer van seks weten dan ik. Veel meer. Wanneer ben jij ingetreden?'

'In 1962.'

'Ja,' zei ze terwijl ze gemakkelijk ging zitten en tegen zichzelf knikte. 'Voordat alles begon. Je weet wel, de anticonceptiepil, de tolerante samenleving.'

Ik wist *niets* van dat alles, realiseerde ik me. De jaren zestig waren totaal langs me heengegaan in het novicenhuis en de afzondering van de religieuze opleiding. Gezien het besluit dat ik moest nemen, maakte dit me verschrikkelijk bang.

Ze stond op, begon weer door de kamer te lopen en staarde dan uit het raam. Zich van me afwendend zei ze hees van verlegenheid: 'Maar het gaat niet alleen daarom, weet je, als ik eerlijk ben. Het gaat om mezelf.'

'Wat bedoelt u?' Ik kon haar verwarring duidelijk voelen, als een sterke geur die in de kamer hing. Ik voelde me hulpeloos en onzeker. Ze kwam naar me toe en ging op het bed zitten, weer een soort vrijheid die ongehoord was in het kloosterleven. Maar op dit moment leek dat van geen enkel belang.

'Ik denk dat ik me soms gefrustreerd voel. O ja, ik weet dat het een offer is, enzovoorts. Dat betekent kuisheid nu eenmaal. Maar soms voel ik me zo raar – dan word ik helemaal trillerig en zenuwachtig. Net als een oude vrijster. Natuurlijk weet ik dat de regel zegt dat we onszelf als engelen moeten maken. Maar het is hard werken om een engel te zijn.'

'Het is onmogelijk.' Ik verbaasde mezelf erover hoe helder ik die voor de hand liggende waarheid opeens inzag.

We zaten zwijgend bij elkaar, ieder verzonken in haar eigen gedachten. Kwam al dat bloeden, flauwvallen en overgeven, vroeg ik me plotseling af, doordat ik mezelf ertoe dwong het onmogelijke te bereiken?

'Maar wat is het antwoord dan?' vroeg ik na een tijdje. 'Ik bedoel, ik denk niet echt dat het onmogelijk is celibatair te leven. Sommige mensen, zoals moeder Katherine, maakt het niets uit.'

'Misschien kunnen er minder mensen echt celibatair leven dan gewoonlijk wordt gedacht,' zei moeder Melinda langzaam. 'In het evangelie staat dat het er maar weinigen zijn die het kunnen.'

We keken elkaar aan zonder de persoonlijke consequenties voor ieder van ons onder woorden te durven brengen. Dan leidde ze het gesprek welbewust in een onpersoonlijker richting.

'Vorig jaar heb ik een cursus gedaan. Bij een priester die ook psycholoog is. Hij praat overal met nonnen die in de war zijn. Misschien zou jij ook eens met hem moeten gaan praten. Maar ik weet zeker dat ze je niet zullen laten gaan. Hij zei dat de traditionele manier om nonnen op te leiden erop gericht is ze in een prepuberale staat te houden door hen als kinderen te behandelen – je weet wel, doe wat je gezegd wordt, geen enkele verantwoordelijkheid, niet over seks praten, geen mannen, geen vrijheid. Een afschuwelijke gedachte, vind je ook niet.'

Dat was het ook. 'Maar ik begrijp wat hij bedoelt.'

'Ik ook. En vervolgens zei hij dat wanneer nonnen ongeveer mijn leeftijd hebben, het vaak allemaal naar buiten komt. En dat dat soort rusteloosheid en frustratie erg sterk kan worden. Omdat een non ergens diep in haar onbewuste weet dat als ze kinderen wil krijgen, het nu of nooit is. Daarom hebben veel nonnen die achter in de dertig zijn de neiging uit te treden.'

'Dat is te begrijpen. Maar maakt die uitleg het makkelijker om ermee om te gaan?'

'Nee, niet echt. Jij verkeert op het moment in een bepaalde toestand en ik denk dat je allerlei theorieën hebt over waarom dit is gebeurd. Maar schiet je daar wat mee op? Je hebt nog steeds die gevoelens.'

' "Gevoelens tellen niet," ' antwoordde ik, maar ik hoorde hoe ik ironische aanhalingstekens in mijn stem legde.

'Dan doen ze wel, weet je. Dat is iets dat ik heb geleerd. Vergeet dat nooit.' Ze stond op. 'Je ziet doodsbleek, zuster. Heb ik je erg vermoeid? Neem me niet kwalijk dat ik je juist nu met mijn problemen heb lastiggevallen. Terwijl je zelf problemen genoeg hebt.'

'Dat geeft niet,' zei ik. 'U hebt me een paar dingen duidelijker kunnen maken. Dat is niet leuk. Maar wel nodig. Dank u wel.'

Ze keek me aan. 'Pas goed op jezelf,' zei ze. En weg was ze.

Ik ging terug naar Oxford voor het herfstsemester. En ik deed wat moeder Katherine me had aangeraden. De gemeenschap bejegende me met een vermoeide beleefdheid. Moeder Praeterita en ik ontliepen elkaar en als we met elkaar moesten praten, hield ze haar ogen nog strakker op het plafond gericht. We kregen geen lessen meer. Alleen bidden en werken.

Bidden was gedurende die acht weken in een duistere staat van verdoving verkeren. Leeg naar het taberbakel staren, niet in staat veel te voelen of zelfs maar te willen. God was daar ergens. Ik wist dat ik geen openbaringen, visioenen of stemmen mocht verwachten die me zouden vertellen wat ik moest doen. Dat overkwam maar heel weinig mensen. Altijd weer die woorden 'heel weinig'.

Heel weinig nonnen hebben voldoende lief, denken voldoende nederig zonder ontrouw te worden aan zichzelf, en vertrouwen voldoende op God om met succes een celibatair leven te leiden. Heel weinig. Het was een verontrustende gedachte. Ik voelde me geestelijk uitgeput. En ik wist genoeg van het gebed om in te zien dat ik gewoon moest doorzetten, dat ik lichamelijk aanwezig moest zijn, de sacramenten moest ontvangen en mijn best moest doen.

Werken was gemakkelijker. Dat absorbeerde alle martelende besluiteloosheid van de zomer. Ik verbood mezelf over mijn besluit na te denken. In plaats daarvan stortte ik me op de literatuur van de achttiende eeuw. De eeuw van de Rede. Koel, streng en genezend. Goddank waren we dit semester niet met de Romantiek bezig, dacht ik ironisch. Zoals gewoonlijk wond het werk me op; mijn geest werd steeds sterker.

En ook dat semester keek ik naar mijn medestudenten. Als een zwijgende waarneemster. Ik kende ze helemaal niet. Ik dacht terug aan wat moeder Melinda had gezegd over hoe de jeugd in de jaren zestig was veranderd. Wanneer ze in hun informele kleding, met hun lange wapperende haren en baarden en met hun luidruchtige air van zelfverzekerdheid de collegezalen binnenstroomden, moest ik terugdenken aan mijn eigen jongemeisjesjaren. De meesten van ons hadden eruitgezien of we van middelbare leeftijd waren, als jeugdige kopieën van onze moeders. Er waren wel meisjes als Suzie, maar zelfs zij had niet het gevoel dat jeugd belangrijk was. De studenten hier zag je elke zaterdagmiddag door het college lopen met spandoeken met leuzen erop geschilderd.

Demonstrerend. Een vreemde gedachte voor mij! Gelegaliseerd protest. En ze wandelden door de straten, mannen en meisjes met hun armen achteloos om elkaar heengeslagen. Ik herinnerde me de straten van Birmingham laat in de avond. De portieken vol paartjes die elkaar vurig omhelsden voordat de laatste bus kwam. Hier was daar kennelijk geen behoefte aan. Er was geen laatste bus. Zouden ze misschien seks voor het huwelijk hebben?

Het duivelse onderwerp uit mijn jongemeisjestijd waar niet over gesproken mocht worden? Als dat zo was, zagen ze er nog opmerkelijk goed uit. Hoe zou ik in hemelsnaam ooit in hun wereld passen? Geen van hen zou ook maar enig idee hebben over wat ik de afgelopen zeven jaar had doorgemaakt.

Op een avond ging ik naar het college om een boek uit de bibliotheek te halen en daarbij kwam ik langs de eetzaal. Ik bleef staan en keek door de glazen deuren. De horden mensen, het lawaai, het was het complete tegendeel van wat ik gewend was. Ik voelde hoe een koude angst me overviel. Ik kon net zo gemakkelijk door die deur gaan en aan een van die tafels gaan zitten als ik kon vliegen. Ik probeerde mezelf voor te stellen hoe het was. Mijn eten ophalen, naar een lege plaats lopen, zien hoe de andere mensen aan de tafel me begluurden. Zouden ze me negeren? Waarschijnlijk wel. Maar de eenzaamheid en de vernedering. Of erger nog, zouden ze proberen vriendschap te sluiten? Ik zag akelig duidelijk in dat ik niet zou weten hoe ik moest reageren. Ik dacht na over de vriendelijke momenten van de laatste zeven jaar: het gesprek tussen moeder Melinda en mij in de ziekenafdeling van Skipton, moeder Albert die me tegen zich aan hield in de slaapzaal van het novicenhuis. Zomaar een paar momenten. Moeder Bianca – maar dat was geen vriendschap omdat we geen gelijken waren. En dan was er natuurlijk zuster Rebecca. Maar wij *moesten* wel vriendinnen worden; we hadden geen andere keuze. En wij begrepen volkomen elkaars achtergrond. Maar geen van deze studenten had ook maar enige notie van mijn achtergrond en van de dingen die me bezighielden. En wie zou, voor de keuze gesteld, met mij bevriend willen raken? Het was onmogelijk me dat voor te stellen. Ik haatte mezelf. Kon er ooit iemand van mij houden?

Toen ik van de eetzaal wegliep, rolden de tranen over mijn wangen. Ik had zo lang gehunkerd naar vriendschap en intimiteit, maar nu begreep ik dat ik het vermogen daartoe geheel had verloren. Zelfs als het me lukte een ander te benaderen, zou ik dan niet worden gehandicapt door het oude schuldmechanisme waarvan ik wist dat het niet van de ene op de andere dag zou verdwijnen?

Ik zou met Kerstmis niet in Oxford zijn, werd me verteld. Mijn hele vakantie zou ik doorbrengen in het scholasticaat bij moeder Frances. Dat was een hele opluchting. De herinnering aan de vorige kerst, aan die verschrikkelijke aanval op kerstavond, aan de uitstoting en de afkeer van mezelf op de kerstdag, brandde in mijn geheugen nog te pijnlijk na. Wat was de orde dan nu zorgzaam voor me. Maar op een bepaalde manier maakte dat het veel moeilijker. Ze waren me allemaal nog nooit zo dierbaar geweest als nu en zij hadden zich nog nooit zo vriendelijk jegens me betoond. Als...

Ik schrok terug voor wat ik dacht. Het werd tijd dat ik mijn besluit nam. Het zou nu toch al gerijpt moeten zijn. Maar ik voelde nog altijd dezelfde diepe verwarring. De hang naar de oude idealen en de vertroostende vertrouwdheid van het kloosterleven naast de verschrikkingen van de onbekende wereld.

Die eerste avond in het scholasticaat ging ik moeder Frances opzoeken. Ze gedroeg zich veel aardiger dan vroeger. Wat vreemd weer in deze kamer terug te zijn waar ik logica had gestudeerd bij moeder Bianca. Waar ze tegen me had gezegd dat ik een goede scholastiek was. En dan te bedenken wat er sindsdien allemaal met me was gebeurd.

'Hoe gaat het met je, zuster? Ik vind het heel erg voor je dat je zo ziek bent geweest.'

'O, het gaat nu een stuk beter met me, eerwaarde moeder.'

'Hmm, je ziet er nog steeds bleekjes en mager uit. Probeer alsjeblieft wat meer te eten. Zo kun je niet doorgaan, hoor.'

'Ja, dat weet ik. Maar het is niet alleen het eten. Het is... eerwaarde moeder, ik moet beslissen of ik blijf of niet. Ik weet dat ik mijn besluit niet hoef te forceren. Maar het wordt nu toch tijd ervoor, vind u ook niet? Dit getwijfel lost niets op. Het maakt de zaken alleen maar erger.'

Ze had me scherp aangekeken terwijl ik praatte, haar kleine bruine ogen samengeknepen in concentratie. Dan sprak ze. Heel rustig.

'Je hebt je besluit al genomen, nietwaar?'

Ik keek haar verschrikt aan. 'Ja,' zei ik. Het was waar. Het was gebeurd. Daar was het: mijn besluit. 'Ik wil niet weg,' huilde ik. 'Zo'n groot deel van me wil hier blijven. Maar om de verkeerde redenen. Gedeeltelijk uit lafheid. Maar ik moet uittreden.'

'Ja,' zei ze met verdrietige stem. 'Ja, ik denk dat je gelijk hebt. Je kunt niet anders.'

'Maar kan ik het wel aan?' Ik zag haar huiveren bij de gedachte aan de problemen die mijn vraag deed rijzen.

'Jij redt het wel.' Ze probeerde kortaf en zakelijk te zijn. 'Je gaat gewoon door in Oxford. Je doet het daar erg goed. Daar zul je geen problemen mee hebben.'

'Die zal ik wel hebben,' zei ik terwijl ik mijn angsten probeerde te be-
zweren. 'En u kunt me daar niet bij helpen, dat weet ik. Maar hoe kan ik
in hemelsnaam weer wennen aan mensen? Ik zal helemaal alleen staan.
Tot nu toe was ik overal waar ik buiten het klooster kwam een vertegenwoordigster. Niet alleen maar ik. Ik op mezelf en alleen mezelf verte-
genwoordigend. Ik vertegenwoordigde God – alleen al door mijn kleding –, u allemaal. Nu vertegenwoordig ik niets meer. Ik moet mezelf
worden. En ik weet niet wie ik ben.'

'Toch is er nog veel over van wat je was,' zei ze. 'Nu besef je dat nog
niet, maar ik zie het aan je. Je zou je werk niet zo goed kunnen doen als
je niet ergens nog springlevend was. Niet de literatuur. Maar jij in je reactie op die boeken.'

'Maar hoe moet het met andere mensen?'

Ze schudde haar hoofd. 'Ik weet het. Het zal moeilijk zijn. Je zult jezelf weer stukje bij beetje moeten opbouwen – alles van jezelf dat hier in
stukjes is gevallen. Dat zal waarschijnlijk jaren duren. Maar uiteindelijk
zal het je lukken. Je bent sterker dan je denkt.'

'Hoe kunt u dat zeggen na wat er deze zomer is gebeurd?'

'Dat was een uitbarsting. Dat kwam doordat het Gods wil niet meer
voor je was. Natuurlijk ging het plotseling mis.'

'Is God dan van gedachten veranderd over mij? Heb ik mijn roeping
weggegooid?'

'Ik weet het niet. Daar heb ik geen antwoord op. En ik denk niet dat
wij beiden daarover moeten speculeren. Daar heb je niets aan. Zijn wil is
nu duidelijk genoeg. Richt je op de toekomst.'

De toekomst. Die strekte zich kaal en leeg voor me uit. Daarbuiten
was er, afgezien van mijn boeken, niets dat op me wachtte. Het was alsof
je opnieuw werd geboren. Maar deze keer zou er niemand zijn om me
te ontvangen.

'Je kunt in de wereld natuurlijk nog steeds een christelijk leven leiden. God zal je helpen.'

God. Leren met Hem te leven in de wereld. Zou mijn geloof, dat nu
plotseling zo zwak en onwerkelijk leek, daartegen bestand zijn? Ik had
het gevoel dat ik tegenover Hem had gefaald, dat ik mijn hand aan de
ploeg had geslagen en achterom had gekeken. Ik had zijn uitdaging niet
aangenomen en wist dat ik daarmee voor altijd zou moeten leven.

'Nu zijn er een paar praktische dingen te doen. Ik zal moeder-provinciaal bellen en haar je besluit meedelen, en dan zal ze hier komen om met je te praten. Maak je geen zorgen; ze zal alle begrip tonen. En jij moet een brief aan de bisschop schrijven waarin je hem vertelt dat je van je geloften wilt worden ontslagen en hem vraagt je verzoek om dispensatie voor te dragen aan de Heilige Congregatie voor Religieuzen in Rome. Wees in hemelsnaam positief in je brief; schrijf de bisschop niet dat je onder druk hebt gestaan, want dan zal hij je terugschrijven dat je je beslissing moet opschorten totdat je je beter voelt! Schrijf hem dat je tot de conclusie bent gekomen dat je roeping in de wereld ligt of iets dergelijks.'

'Ik begrijp het,' zei ik zwakjes. Wat verschrikkelijk officieel klonk het allemaal. Een paar minuten geleden had ik nog niet beseft dat mijn besluit al was gevallen. Nu werd het snel realiteit.

Toen ik opstond om weg te gaan, keek moeder Frances me aan. 'Je zoekt iets in je leven. Je weet nog niet wat – ik weet het ook niet, maar je bent duidelijk zoekende. Ik hoop dat je vindt wat je zoekt, Karen, wat het ook is. Je hebt het hier niet gevonden.'

Nu kwam het moeilijkste. Mijn ouders schrijven. Terwijl ik de envelop dichtplakte, vroeg ik me af wat ze zouden voelen. Ze zouden blij zijn. Maar het jammer vinden voor mij. Ik huiverde. Onze relatie was angstvallig verbroken en moest net als de rest van mijn leven weer worden opgebouwd, steen voor steen. Dat zou erg lang duren. Onvermijdelijk besefte ik dat zij moesten denken dat ik in wezen nog steeds dezelfde was als toen ik hen op zeventienjarige leeftijd verlict. En net als alle ouders zouden ze er moeite mee hebben te accepteren dat ik nu heel iemand anders was. Iemand die ze niet langer konden vormen. De laatste zeven jaar had ik me door mijn superieuren laten vormen. Nu moest ik niet toelaten dat mijn ouders daar ook weer mee begonnen.

Ik zat te praten met moeder-provinciaal. Ze was mijn hele kloosterleven afstandelijk geweest, maar nu was ze vriendelijk en vol begrip. Dat waren ze allemaal. Het brak mijn hart. Als ze me onder druk hadden gezet of boos waren geweest of verwijten hadden geuit of tegen me hadden geschreeuwd dat ik een slechte vrouw was, zou het veel gemakkelijker zijn geweest hen te verlaten. Dan zou ik kwaad zijn weggegaan, niet verdrietig, en het gevoel hebben gehad dat ik een heldendaad had verricht en had overwonnen. Niet op deze manier.

'We zijn verdrietig dat u weggaat, zuster. We hadden veel liever gezien dat u was gebleven. Maar ik respecteer uw beslissing. Het is de juiste, denk ik, en ik zal voor u bidden. Wij allemaal.' Ik keek haar aan zonder iets te kunnen zeggen. Wat viel er ook nog te zeggen?

'De dispensatie zal hier over drie weken zijn, net op tijd om terug te gaan naar het college,' vervolgde ze.

Drie weken! Ik keek haar stomverbaasd aan. Ik had gedacht dat de bureaucratische molens van Rome langzaam maalden en dat het daarom maanden zou duren. Troostvolle maanden. Omdat ik dan tenminste tijd zou hebben te wennen aan de veranderingen zonder het vertrouwde voorlopig te hoeven loslaten.

'Ik had niet gedacht dat het al zo gauw zou zijn, eerwaarde moeder,' zei ik rustig. Ik begon te beven. Ik voelde me misselijk worden van de angst die me opeens beving.

'O, ja. Het is niet goed voor jou of voor ons dat je in zo'n halfslachtige situatie verkeert. Het is een heel onwerkelijke toestand voor je. Hoe eerder hoe beter. Je hebt je besluit genomen; je moet niet opnieuw onder druk komen te staan.'

Ik knielde neer voor haar zegen, voor de laatste keer.

'We zullen je missen, lieverd. Jou persoonlijk. Maar je moet je eigen vrede vinden. God zegene je.'

Onmiddellijk daarna vluchtte ik naar de badkamer om mijn tranen te verbergen. Ik voelde me heel alleen en heel bang voor de beproeving die me wachtte. Ik verkeerde in een soort tussentoestand – noch in de ene wereld noch in de andere. In feite had ik het gevoel nergens meer bij te horen. Ja, ik had het juiste besluit genomen, maar nu voelde ik me beroofd van alle idealen en verwachtingen waar ik zo lang voor had geleefd. Berooid.

Ik zou echter niet fysiek berooid zijn. Moeder-provinciaal had uitgelegd dat ik een studiebeurs kon krijgen en dat ze me tot dat was geregeld wat geld zouden geven. Ik zou een cheque van honderd pond en vijfentwintig pond in contant geld krijgen. Ik was stomverbaasd geweest.

'Ik kan dat geld niet aannemen, eerwaarde moeder,' had ik uitgeroepen. Het leek me onjuist dat ze zoveel geld in me investeerden zonder er iets voor terug te krijgen. En dan was er nog iets anders. Ergens had ik het gevoel dat ik op een of andere manier werd afgekocht.

Eerwaarde moeder had mijn protesten weggewuifd. 'We moeten dat doen. Het is geen liefdadigheid,' had ze uitgelegd. 'Als een zuster ons verlaat, moeten we voor haar zorgen zo lang dat nodig is.'

En dit alles zou over drie weken gebeuren. Over zo'n korte tijd zou ik hier voor altijd weggaan en een leven gaan leiden waar ik nog geen idee van had.

Treurig waste ik mijn ogen bij de wastafel en terwijl ik dat deed keek ik in het spiegeltje. Daar stond ik dan, mijn gezicht bijna geheel verborgen door het habijt. Hoe zou ik eruitzien zonder de kap? Ik was vergeten hoe ik er vroeger uitzag. Mijn haar! dacht ik opeens. Het was helemaal afgeschoren. Geschrokken trok ik mijn sluier af en keek.

Mijn haar was lang. Niet bepaald fraai om te zien, eerlijk gezegd, want het had allerlei verschillende lengtes, zat vol stijfsel van de kap, en was dof en plakkerig. Maar het had tenminste een redelijke lengte. Verbijsterd haalde ik mijn hand erdoorheen. Dan werd ik getroffen door de betekenis hiervan. Ik moest mijn haar zonder het te beseffen maandenlang hebben laten groeien om het op deze lengte te krijgen. Jarenlang had ik er automatisch regelmatig een paar centimeter afgeknipt. Maar dat had ik de laatste tijd niet gedaan. Mijn besluit was dus onbewust al maanden geleden gevallen.

Het was 6 januari 1969. Driekoningen. Het was de gewoonte in de orde dat de nonnen elk jaar op die dag hun geloften vernieuwden. Geloften waren natuurlijk voor eens en voor altijd afgelegd op de professiedag en dit was alleen maar een herinnering daaraan, een vrome daad. Jaarlijks herinnerden we onszelf eraan dat we ons leven aan God hadden gegeven en het aan zijn voeten hadden gelegd, net als de drie Wijzen hun geschenken aan de voeten van het Christuskind hadden gelegd.

Met mijn hoofd verborgen in mijn handen knielde ik neer in de kapel van het scholasticaat zodat niemand kon zien dat ik de gelofteformule niet meesprak die de scholastieken in koor opzegden.

Verdrietig luisterde ik naar de bekende woorden van de geloften. 'Ik beloof Uwe Goddelijke Majesteit armoede, kuisheid en gehoorzaamheid.' Ik had gedacht dat God me tot deze afzondering had geroepen, maar ik had er niet aan kunnen voldoen. Nooit had het ideaal mooier geleken dan nu ik buiten dit alles stond en wachtte op mijn dispensatie. Totale zelfopoffering. Ik moest denken aan de woorden van Christus: 'Gaat binnen door de nauwe poort; want de weg die naar de ondergang voert is wijd en breed, en velen zijn er die hem inslaan. Hoe nauw toch is de poort en hoe smal de weg die voert naar het leven, en weinigen zijn er die hem vinden.' Ik had dat al vaak gelezen, maar nu raakten de laatste woorden me diep. '...weinigen zijn er die hem vinden.' En ik was niet een van die weinigen. Ik was niet sterk genoeg. Misschien waren er van de nonnen die in het klooster bleven, velen ook niet zo sterk. Maar ondanks al mijn verdriet wist ik dat ik de juiste beslissing had genomen.

Voor mij zou de nauwe poort alleen maar naar de dood leiden, niet naar het leven. Het soort dood dat ik het laatste jaar in Oxford had gezien.

Nu zong het koor het gebed van Sint-Ignatius, het gebed dat altijd bij professies werd gezongen. Ik voelde de tranen opwellen toen ik aan mijn eigen professie dacht, die nu gauw zou worden opgeheven. De woorden, die werden verzacht door de repeterende melodie, troffen me door hun sobere kracht:

Neem en ontvang o Heer, al mijn vrijheid; mijn herinnering, mijn inzicht en mijn wil. Alles wat ik heb, alles wat ik ben hebt Gij mij gegeven, en ik geef het alles terug aan U om geleid te worden naar uw wil.

Alles wat ik vraag is uw genade en uw liefde. Daarmee ben ik rijk genoeg en vraag ik om niets anders.

De laatste woorden bleven hangen. Want ik wilde andere dingen dan de liefde van God. Ik wilde menselijke intimiteit, schoonheid en vrijheid van geest. Ik zou ze waarschijnlijk niet krijgen maar ik wilde ze wel. Gods liefde had genoeg moeten zijn. Die was in bepaald opzicht alles. Maar ik vroeg om andere dingen, en als ik was gebleven, zou ik me hebben vastgeklampt aan kleine, onwaardige menselijke bevredigingen zoals de nonnen in Oxford zich vastklampten aan de kat.

Het gebed liet me achter in een staat van schrijnend verdriet. Die volkomen zelfopoffering. Dat beeld van God als Alles dat me nog steeds niet kon bevredigen. Hoe kon ik gelukkig zijn als ik Alles afwees? Ik had een opleiding doorlopen die door Sint-Ignatius was ontworpen en vier eeuwen lang door zijn opvolgers was verfijnd. Zij was bedoeld voor het leven. Toen ik daar op die dag neerknielde, vechtend tegen mijn tranen, wist ik dat zij dat inderdaad was. Altijd zou een deel van mij, misschien het diepste deel – wie zou het zeggen? – dit ideaal liefhebben en het verlies ervan betreuren. In zeker opzicht zou ik, geloften of niet, mijn hele leven non blijven.

Donderdag 27 januari 1969. Er was een bezoekster uit Tripton aangekomen in het scholasticaat en rechtstreeks doorgelopen naar de kamer van moeder Frances. Ik wist als enige wie het was. Rondom me haastten de scholastieken zich naar hun dagelijkse werkzaamheden. Er was iemand in de keuken en moeder Constantia klaagde over de custard.

'Kijk toch eens naar die klonten, zuster! Ik kan wel huilen. Ik kan gewoon wel huilen.'

Alles was hetzelfde en zou hetzelfde blijven nadat ik was weggegaan, en de wateren van het kloosterleven zouden zich zonder een rimpel boven me sluiten. Een scholastiek kwam de kamer binnen. Ze glunderde naar me.

'Zuster Martha, eerwaarde moeder vraagt of je boven komt.'

Ik glimlachte naar haar terug. Ik voelde me kalm nu het zover was. Kalm en toch verdrietig. Maar het was goed. Ik moest doorgaan.

Moeder Frances stond achter haar bureau met een stapel papier in haar hand. Ze keek me onbewogen aan en haar stem klonk formeel. We voerden een ritueel uit. Er was geen plaats voor het persoonlijke.

'Je moet deze papieren tekenen die je ontheffen van je geloften van armoede, kuisheid en gehoorzaamheid. Je moet begrijpen dat zodra je de papieren in je hand neemt je niet langer een non bent. Dan ben je ontheven van je geloften. Als je vijf minuten later of zelfs maar één minuut later van gedachten verandert, is het te laat. Dan zul je als postulante weer helemaal opnieuw moeten beginnen.' Ze zweeg even.

'Ik moet je officieel vragen of je deze papieren in je handen wilt nemen.'

We stonden zwijgend bijeen. Onze ogen ontmoetten elkaar in een afscheidsgroet.

'Ja, eerwaarde moeder.' Mijn stem klonk verbazingwekkend kalm. 'Ja, dat wil ik.'

We keken elkaar weer aan. Een lange, lange stilte.

Dan stak ik mijn handen uit om de papieren aan te nemen.

'God zegene je, Karen.'

Langzaam trok ik mijn professiering van mijn vinger, haalde de grote rozenkrans en de crucifix van mijn gordel af, en legde het allemaal op haar bureau. Mijn leven als non was voorbij.

De bus kroop langzaam door Uxbridge Road, gevangen in het drukke verkeer van lunchtijd. Ik staarde uit het raam, vechtend tegen mijn tranen. Voor nostalgie was even geen plaats meer, wel voor paniek. Ik had het hoofd van mijn college een brief geschreven waarin ik mijn besluit had uitgelegd en zij had me een kamer toegewezen in een van de nieuwe gebouwen op de campus. Hoe zou het zijn geweest als ik nergens heen had kunnen gaan? De gedachte tegelijk een kamer en een baan te moeten zoeken zou me doodsbenauwd hebben gemaakt omdat ik in mijn leven gewend was aan een bepaalde continuïteit. De volgende dag zou het nieuwe semester beginnen met al zijn bekende rituelen en verplichtingen. Morgen rond deze tijd zou me een studieleidster en een partner voor de werkbesprekingen zijn toegewezen. Alles zo goed als gewoon, met uitzondering van de radicale verandering in mijn leven die me met de minuut meer begon te benauwen.

Het was bijna donker toen we Cowley Road binnenreden, al was het pas drie uur. De ramen van de bus waren zwart en glimmend nu de straatverlichting aan was. De toren van het Magdalen-college was als een baken in strijklicht gezet, een teken dat mijn nieuwe leven op het punt stond te beginnen.

Nieuwsgierig duwde ik de deur van mijn kamer open en keek rond. Recht tegenover me bevond zich een groot raam van spiegelglas dat uitzicht bood op het collegeterrein en een brede houten vensterbank had. Er stonden een bureau, een bed, een leeslamp en een leunstoel. Er lag een brief op tafel. Maar wat me onmiddellijk trof was de kleur. De kamer had een positieve uitstraling met haar oranjekleurige gordijnen en bijpassende beddensprei, haar bruine kurktegels en helderwitte muren. Na jaren van ongebleekte katoen, dunne witte beddenspreien en oude duurzame gordijnen leek de kamer opzichtig nadrukkelijk op te roepen tot gemak en plezier. Ik stond, wat angstig nog, in het midden van de kamer.

Ik was uitgeput. Naast de emoties van de dag had ik, zeulend met mijn koffer en boeken, nog die vermoeiende wandeling vanaf het busstation naar hier gemaakt en dat had me de das omgedaan. Het was veel verstandiger geweest als ik een taxi had genomen – het zou niet erg veel gekost hebben – maar dat vond ik een onmogelijke gedachte. Hoe vastberaden ik mezelf ook voorhield dat ik nu kon doen en laten wat ik wilde en niet langer was gebonden aan de gelofte van armoede en verloochening van comfort en luxe, ik kon het niet. Ik duwde de koffer naar een hoek van de kamer en keek waar ik kon gaan zitten. Ik kon kiezen tussen de bureaustoel of de leunstoel. Het kwam niet bij me op op de divan te gaan zitten. Instinctief liep ik naar het bureau en trok de met leer beklede stoel eronder uit. Dan stopte ik. *Nee*, zei ik streng tegen mezelf. *Je moet ergens beginnen.* Voorzichtig maar vastbesloten ging ik in de leunstoel zitten. Het voelde erg raar. In het klooster waren natuurlijk geen leunstoelen geweest. 'In het kloosterleven hangen we niet in leunstoelen,' verbeeldde ik me moeder Albert te horen zeggen. Maar het kloosterleven was voor mij voorbij. Ik was terug in de wereld. Alles wat ik in deze kleine kamer zag, vertelde me dat. Ik had nog steeds rugpijn en daardoor had ik een zwak gevoel in mijn armen en benen. Ik probeerde gemakkelijk te gaan zitten in de stoel, maar dat was onmogelijk. Opnieuw was er dat sterke gevoel van iets verbodens. Een moment lang leunde ik stijfjes en onhandig achterover en gaf dan de strijd op. Ik ging weer gewoon rechtop zitten.

Ik herinnerde me dat mijn ouders me eens hadden verteld hoe ze tijdens de oorlog voor een weekend naar Dublin waren gegaan en hoe buiten zinnen van vreugde ze waren geweest dat voedsel en drank er niet op de bon waren. Maar zo was het niet voor mij. Ik kon me niet ontspannen. Ik was iemand die niet meer lui in een stoel kon liggen.

Ik gaf het op en pakte de brief op mijn bureau om voorlopig van het probleem af te zijn. Ik was verbaasd over de afzender – de Universiteitsadministratie – en nog meer over de adressering: *Mejuffrouw Karen Armstrong.* Waarom hadden ze mijn religieuze naam niet gebruikt? Ze konden nog niet op de hoogte zijn van mijn dispensatie. Nee, dit moest een of andere circulaire of iets dergelijks zijn, besefte ik na een moment. Op officiële stukken stond altijd mijn burgerlijke naam. Ik opende de brief en las hem door.

Aanvankelijk betekenden de woorden op het papier niets voor me. Ik staarde naar de brief en begon hem opnieuw te lezen. Het moet een vergissing zijn; het kan niet waar zijn, dacht ik ongelovig. Maar nee. 'Beste mejuffrouw Armstrong.' Het was waar. Ik had een Violet Vaughan Morgan-prijs voor literatuur gewonnen.

Het college had Elizabeth, mijn werkbesprekingspartner, en mij voorgedragen voor het examen voor de prijs. Ik had de hele laatste dag van het laatste semester met mannen en vrouwen van andere colleges doorgebracht in een sombere kamer in het examengebouw. We hadden zes uur lang opstellen geschreven over de roman, over de tragedie en over satire in de poëzie. Aan het eind had mijn pen aangevoeld alsof hij van lood was; de woorden die ik opschreef, hadden hol en onzinnig geleken.

Maar ik had gewonnen! Althans op één gebied kon ik me in de wereld staande houden. De brief en de cheque van honderd pond, het geld dat de prijs opleverde, waren een soort welkom, een certificaat dat me eens te meer verzekerde dat ik het zou redden. Plotseling wist ik wat me te doen stond. Ik moest me in de wereld buiten deze kamer storten. Overal in het college zou men nu aan de thee zitten. Ik rook al de geur van toast en hoorde meisjes buiten op de gang ruziën over de gemeenschappelijke ketel. Ik moest me bij hen aansluiten nu de euforie over de prijs me nog in haar greep had. Ik had hulp nodig. Ik kon het niet alleen. Er waren nog twee katholieke meisjes in mijn jaar die Engels studeerden, Rose en Bridget. Ze hadden allebei op een kloosterschool gezeten. Ze kenden de nonnen – of beter, corrigeerde ik mezelf zuur – ze wisten iets van nonnen af. Ik zou naar hen gaan.

Maar eerst moest ik iets anders doen. Ik stond bij de munttelefoon van het college. Rondom me waren de studenten druk in de weer. Ze rommelden in de postvakjes en begroetten elkaar vrolijk na de vakantie. Ik stak mijn hoofd in de veel te kleine geluidskap om ten minste een klein beetje privacy te hebben.

Aan de andere kant hoorde ik de telefoon overgaan. Het was echt dwaas om op dit uur van de dag te bellen. Er zou waarschijnlijk niemand thuis zijn. Net toen ik wilde ophangen hoorde ik de stem van mijn moeder.

'Hallo?'

'Hallo,' zei ik zenuwachtig. 'Ik ben het!'

'O!' Ze klonk nogal terughoudend. Het was jaren geleden dat we elkaar voor het laatst over de telefoon hadden gesproken. 'Waar ben je?'

'In Oxford, in het college,' zei ik. 'Ik dacht dat je niet thuis zou zijn.'

'We hadden vanmiddag vrij.' Een pauze. Dan haastig: 'Wanneer treed je uit de orde?'

'Ik ben al uitgetreden,' zei ik zwakjes. 'Ik ben er uit.'

'Je bent er uit,' schreeuwde ze verbaasd. 'O. Gaat het goed met je?'

'Ja, heel goed,' loog ik opgewekt. Opnieuw wilde ik geen emotie. Nog niet. Ik kon het niet aan. 'De dispensatie is vanmorgen gekomen. En ik ben weer hier omdat morgen het semester begint.'

'Wil je naar huis komen?'

'Binnenkort,' zei ik. Mijn vroegere instinct was nog steeds verkeerd. Ik moest dit helemaal alleen doen. Op een of andere manier was mijn familie zowel te dicht bij als te ver weg om me op dit moment te helpen. 'Maar ik kom naar huis.'

'Gaat het echt goed met je,' herhaalde ze ongerust. Wat kon ik haar nu antwoorden? Wat zeiden mensen bij zo'n gelegenheid tegen elkaar na elkaar zeven jaar niet te hebben gezien en gesproken? Nu, in het drukke college, kon ik te veel liefde gewoon niet aan.

'Ja hoor, het gaat echt goed met me.'

'Hoe staat het met je kleren?' vroeg ze, even van haar apropos als ik.

'Daar zal ik gauw voor zorgen,' zei ik. 'Maar niet vandaag al. Ik heb nu geen tijd. Maar gauw.'

'Kom binnen!'

Zonder mezelf een seconde te gunnen om me om te draaien en van de deur van Rose weg te vluchten, stortte ik me de kamer binnen en stond daar nerveus met mijn ogen te knipperen.

'Zuster!' De stem van Rose klonk verbaasd en dat mocht ook wel. De laatste zestien maanden hadden we beleefd naar elkaar geglimlacht wanneer we elkaar tegenkwamen, maar dat was dan ook alles. Ze stond op en glimlachte naar me met een vragende, maar vriendelijke blik in haar blauwe ogen. 'Kom binnen!' zei ze met een vaag armgebaar in de richting van het bed. 'Sorry dat het hier zo'n troep is. Je vindt het toch niet erg om op het bed te zitten, hè?' Ik ging ongemakkelijk op de divan zitten en keek naar haar en naar Bridget die op de vloer voor de elektrische kachel broodjes aan het toasten was. Ze draaide zich glimlachend naar me om.

'Hallo, zuster.' Haar knappe Keltisch aandoende gezicht was warm en rood en haar donkere krulhaar hing voor haar ogen.

Nu ik hier echt was, wist ik niet hoe ik moest beginnen of wat ik moest zeggen. Maar Rose ging druk in de weer nu ze over de schok heen was me hier te zien. Het was een lang, atletisch gebouwd meisje met kort, jongensachtig haar en een levendig soort aantrekkelijkheid. Ze leek een en al benen en armen terwijl ze door de kleine kamer rende om kopjes thee in te schenken. Ik keek de kamer rond en zag wat ze met 'troep' bedoelde. In een hoek van de kamer lag de inhoud van een koffer uitgespreid, op het bureau lag een stapel ondergoed en de vloer was bezaaid met boeken, mappen, platen en een gitaar. Ik dacht aan de absolute netheid in het klooster – de kale ruimten, de onberispelijke kasten – en glimlachte bij mezelf.

'O, zuster.' Bridget was klaar met de broodjes en glimlachte naar me. Ze was veel rustiger dan de onstuimigere Rose en sprak met een precisie die enigszins Schots aandeed. 'We moeten je feliciteren.'

'Ja!' zei Rose stralend terwijl ze zich snel omdraaide. 'De prijs! Fantastisch! En dat als buitenstaander, zuster. Je zit daar als een bang vogeltje, zegt nooit een woord tegen iemand en dan ga je aan de gang en wint een prijs. Wat moet jij slim zijn!'

'O, nee,' protesteerde ik verlegen. 'Ik ben er zelf ook verbaasd over.'

'Ik denk dat jij harder werkt dan wij,' zei Rose terwijl ze me een kopje thee gaf. 'Ik bedoel, je hebt niet dezelfde afleiding als wij.'

'Nee,' zuchtte Bridget. 'Het is soms gewoon onmogelijk alles in te passen als je een sociaal leven hebt. Hoeveel uren werk je per dag – in de vakanties bijvoorbeeld?'

'Zevenenhalf uur,' zei ik mechanisch. Ik probeerde er nog steeds achter te komen hoe ik het ze kon vertellen. Hoe ik moest beginnen.

'Wat!' Ze keken me allebei ontzet aan.

'Zevenenhalf uur! In de vakanties!' riep Rose uit. 'Elke dag weer!'

'Ja,' zei ik. 'Dat is helemaal niet erg. Ik bedoel, ik vind het leuk.'

'Je moet het zeker doen, hè?' zei Bridget. 'Moet je het doen of maak je dat zelf uit?'

'Ja,' viel Rose haar bij. 'Hoeveel keuze heb je eigenlijk wat je tijdsbesteding betreft?'

'Nou ja, in feite...' Ik staarde naar het vloerkleed en zocht zorgvuldig naar de juiste woorden. Hoe zei je zoiets zonder melodramatisch te klinken? 'In feite ben ik geen non meer.' Ik zweeg, niet in staat door te gaan.

Er viel plotseling een geschokte stilte. Ik voelde hoe hard ze nadachten over wat ze moesten zeggen.

Rose, wier uitbundigheid uit meegevoel met mij plotseling was verstomd, zei vriendelijk: 'Wat bedoel je?'

'Nou, ik had al een tijdje het gevoel dat het kloosterleven niet echt iets voor mij was. Dus ben ik net ontheven van mijn geloften. Vanmorgen.'

Hoe vlak en nietszeggend klonk het als je het zo stelde. Maar hoe zou ik het hun allemaal kunnen uitleggen? Bovendien, te veel van de dingen die ik hun zou moeten vertellen, had ik in mezelf weggestopt. Ik kon ze niemand vertellen, zelfs nu ik niet langer verplicht was erover te zwijgen.

'Goh,' zei Bridget. 'Ben je daar blij over, zuster?'

'Och, ik weet dat ik de juiste beslissing heb genomen,' zei ik glimlachend, vastbesloten een positief beeld op te hangen.

'Ja, maar hoe voel je je erbij? Ik bedoel, verheug je je erop andere dingen te gaan doen? Zoals – je weet wel – meer uitgaan?'

Ze pauzeerde tactvol.

'Wil je gaan trouwen?' vervolgde Rose plompverloren in haar plaats.

'Ik bedoel, dat schijnen priesters die uittreden vaak te doen volgens de katholieke kranten. Treed je uit om te gaan trouwen?'

'Nee,' zei ik, voor een moment uit mijn verlegenheid gerukt. 'Lieve hemel, nee! Ik wist alleen dat ik het kloosterleven niet meer aankon.'

'Maar zou je op een dag willen trouwen?' vroeg Bridget.

'Ik weet het niet. Misschien. Ik weet het echt niet,' zei ik. 'Ik heb nog helemaal geen plannen. Alleen...' Mijn stem stierf weg en ik keek mistroostig in een lege en beangstigende toekomst.

'Ik ben er niet echt verbaasd over,' zei Rose bedachtzaam. 'We vonden vaak dat je er vreselijk gespannen uitzag. Je bent verschrikkelijk mager geworden.'

'Ja, en je had van die grote, donkere kringen onder je ogen,' vervolgde Bridget. 'We hebben ons allemaal zorgen over je gemaakt. Maar natuurlijk durfden we je nooit te vragen of er iets mis was.'

Ik keek hen verbaasd aan. Het was nooit bij me opgekomen dat mijn medestudenten me hadden opgemerkt, laat staan dat ze zich de moeite hadden gegeven over me te praten.

'Het moet verschrikkelijk voor je zijn geweest die beslissing te nemen,' zei Bridget na een pauze. 'Het is oké als je weggaat omdat je verliefd bent. Maar als het om een andere reden is, denk ik dat je je afschuwelijk voelt. Is dat zo?'

'Het voelt... vreemd.' Weer dat taboe, die instinctieve nonachtige terughoudendheid. Ik wilde ze zo graag duidelijkere en eerlijkere antwoorden geven, maar ik kon het niet. Terwijl ik Bridget aankeek, voelde ik mijn gezicht zich in een poeslieve glimlach plooien om mijn innerlijke onrust te maskeren.

'Het doet er niet toe,' zei Rose terwijl ze naar voren sprong en aan mijn voeten ging zitten. Ze greep impulsief mijn beide handen. 'Wij zorgen wel voor je!'

Haar warmte en spontane genegenheid benamen me de adem. Ik voelde me gevaarlijk dicht bij tranen, zo ongewoon was het voor me. Ik keek naar mijn schoot waar onze handen zich verstrengelden. Die van mij en die van Rose. Een vreemde kluwen van vingers en polsen. Het was alweer zo lang geleden dat iemand mijn hand had vastgehouden. Lichamelijk contact had altijd deel uitgemaakt van ons gezinsleven, maar net als ik mijn moeder emotioneel op afstand had moeten houden tijdens ons telefoongesprek, wist ik me nu geen raad met de handen van Rose. Ik wilde ze terugduwen, maar dat kon ik niet. Mijn lichaam gaf niet langer uitdrukking aan mij. Ik had verlangd naar genegenheid, maar ik had het gevoel dat ik, nu ik haar kreeg, er alleen maar op kon reageren op de welbewuste koele manier waarop we elkaar in het klooster hadden bejegend. Op die poeslieve, serene manier die emotie en genegenheid op afstand hield.

'Dank je,' zei ik uiteindelijk. Het klonk zo stijf en misplaatst. Ik glimlachte naar het enthousiaste en grootmoedige gezicht van Rose. Waarom zou ze zo vriendelijk zijn? Ze kende me niet eens.

'Je moet zeker weer gewone kleren gaan dragen, hè?' zei Bridget. 'Heb je die?'

'Nee, nog niet. Ik zal ze natuurlijk moeten kopen, maar ik dacht het een paar dagen uit te stellen omdat...' Opnieuw stierf mijn stem weg.

'Zie je er tegenop?' vroeg Bridget.

Ik knikte. 'Ik wil de dingen gewoon stap voor stap doen,' zei ik, uiterlijk nog steeds kalm. 'Gewend raken aan het idee, begrijp je, en dan – na een paar dagen...'

'Volgens mij is dat een heel slecht idee!' zei Rose streng. 'Echt heel slecht. Hoe langer je het uitstelt, hoe moeilijker het wordt. Je zult er dagen en dagen over blijven piekeren. Nee,' vervolgde ze terwijl ze met een beslist gebaar een paar kruimeltjes van haar schoot veegde, 'we moeten het vanavond doen!'

'Vanavond!' jammerde ik. 'O nee... ik denk echt niet dat... ik bedoel, het is veel te vlug. Het is trouwens al te laat,' besloot ik opgelucht. 'De winkels zijn al gesloten. Misschien morgen.' Alles was goed zolang het ongelukkige moment maar kon worden uitgesteld. Ik staarde naar Rose die een paar bijzonder strakke laarzen aantrok die tot aan haar knieën kwamen. Toen ze opstond, staarde ik gehypnotiseerd naar haar minirokje. Nee, vanavond kon ik nog niet van kleren veranderen. Zulke kleren zou ik nooit kunnen dragen.

'Het is helemaal nog niet te laat,' zei Bridget terwijl ze haar jas pakte die ze op de divan van Rose had gegooid. 'We kunnen nog net naar Cornmarket voordat de winkels sluiten. Dat redden we net.' Ze bukte zich om haar tas van de vloer te pakken. Ik wendde snel mijn ogen af. Haar rok was zo kort dat je bijna alles kon zien.

'Ik... ik...' begon ik.

'Eerlijk, het is echt beter zo,' zei Rose die in haar klerenkast rommelde en er een duffels jasje uithaalde. 'Dan is het maar gebeurd! Wat een lol zullen we hebben!'

Ze hadden natuurlijk gelijk. Ik haalde diep adem. 'Oké.'

'Waar gaan we heen, Rose?'

'Marks en Sparks, denk ik. Het is te laat om goed rond te kijken en hun kleren zijn leuk zonder op te vallen en van goede kwaliteit. We kunnen beter niet iets kopen dat te modieus is. We moeten eerst maar eens iets zien te krijgen dat een beetje conventioneel is,' legde ze uit en ik slaakte een zucht van verlichting. 'Dan kun je later je eigen stijl ontwikkelen.'

'Heb je enig idee hoe je gekleed zou willen gaan?' vroeg Bridget.

Ik staarde hen aan en schudde mijn hoofd.

'Je hebt ook schoenen nodig,' vervolgde Bridget terwijl ze naar mijn voeten keek. 'Je kunt niet op die afschuwelijke turftrappers blijven lopen. We halen het net. Dolcis heeft uitverkoop.'

'Nog wat. Hebben we genoeg geld? Ik heb nog drie pond. Wat heb jij nog, Brig?'

Opnieuw was ik stomverbaasd. Deze onbekende meisjes waren bereid kleren voor me te kopen. En opnieuw voelde ik me diep getroffen door hun vriendelijkheid. 'Geen probleem,' zei ik. 'Ik heb 25 pond.' Ik keek zenuwachtig in mijn portemonnee naar het geld dat moeder Frances me had gegeven.

'Wow!' zei Rose opgetogen. 'Dat is geweldig! We kunnen een paar echt goeie dingen kopen. We kopen nu alleen het hoogstnoodzakelijke en de rest later.'

'Hoe moet het met mijn haar!' jammerde ik plotseling.

'O heer!' Bridget keek bezorgd. 'Dat was ik helemaal vergeten. Heb je... heb je nog haar?'

'O, ja,' zei ik terwijl ik plotseling moest lachen om haar duidelijke ontsteltenis. 'Ik heb wel wat haar. Maar het ziet er vreselijk uit.'

'Maak je geen zorgen,' zei Rose. 'Ik kan prachtig knippen – ik knip mijn eigen haar en dat van de helft van de mensen op deze gang. Ik maak er iets heel leuks van,' zei ze vriendelijk, terwijl ze zich liet zakken en naast me kwam zitten. 'Echt.'

Weer knikte ik zwijgend terwijl ik me door hun uitbundige energie liet meeslepen. 'Ja. Dank je wel.'

'Geweldig!' zei Rose terwijl ze opsprong. 'Dit kan leuk worden!' Opeens zweeg ze en keek me aan, haar hoofd enigszins opzij gebogen.

'We kunnen je nu geen zuster meer noemen. Wat is je echte naam?'

Opnieuw riep ik de naam op die de mijne niet meer was. Ik beproefde hem, experimenteel, en probeerde mezelf eens te meer te verbinden met dit nieuwe etiket voor mijn nieuwe leven.

'Karen,' zei ik onzeker.

Voor de ingang van Marks en Spencers was het een chaotisch gedrang van winkelende mensen. Ik wrong me tussen hen door en probeerde Bridget en Rose, die zich behendig een weg naar de grote glazen deuren baanden, bij te houden.

'Pfff! Ik wou dat ze deze trottoirs wat breder hadden gemaakt,' zei Bridget terwijl we ons de uitgestrekte modezaak in worstelden. 'Ik denk dat we net op tijd zijn! Over tien minuten sluiten ze.'

Ik voelde me vreemd misplaatst toen ik binnen stond. Vrouwen met strakke, grimmige gezichten snuffelden in stapels kledingstukken die in de uitverkoop waren. Plastic borsten, hard en glimmend, voorgevormde beha's en benen zonder lichaam die obsceen in de lucht staken, doorschijnende sportkousen. Instinctief wendde ik mijn ogen af. Ik voelde me alsof ik deel uitmaakte van een vreemde droom.

'Wat doen we met de schoenen?' vroeg Rose. 'We hebben geen tijd meer om ook nog naar Dolcis te gaan.'

'Wat voor maat heb je, Karen?'

'Meestal maat 38.'

'Hmm, dezelfde maat als ik. Kijk,' zei Bridget terwijl ze een van haar eigen schoenen met hoge hakken uittrok, 'probeer die eens. Ze zijn nog nieuw – ik heb ze met de kerst gekregen – zodat ze nog niet zijn uitgelopen.'

Onbehaaglijk maakte ik de veters van mijn simpele zwarte schoenen los en stak voorzichtig mijn voet in de vreemde schoen met gesp. Het rode leer stak vreemd af bij mijn dikke zwarte kous en het was een raar gezicht mijn voet, die me volslagen vreemd was, uit de plooien van mijn zwarte serge habijt te zien steken.

'Hoe voelt dat?'

'Prima volgens mij.' Ik hobbelde een paar stappen op de naaldhak.

'Ja, hij zit wel goed.'

Twee vrouwen die bij de kassa in de rij stonden keken naar me en stootten elkaar aan. Wat een spektakel maakte ik van mezelf. Nooit de aandacht op jezelf vestigen in het openbaar, was ons steeds weer voorgehouden. Elk onstichtelijk gedrag brengt niet alleen jezelf in diskrediet maar de hele kerk, waarvan je de vertegenwoordigster bent. Rood van schaamte trok ik de schoen uit.

'Mooi!' zei Bridget terwijl ze in de richting van de deuren liep. 'Vertrouw me, Karen. Ik krijg ze wel te pakken – je kunt me later terugbetalen,' en weg was ze, opgeslokt door de winterse duisternis buiten.

'Prima!' zei Rose. 'Wat een bof dat Brig dezelfde maat heeft als jij. Kom op!'

Ik volgde Rose, tegen beter weten in hopend dat Bridget geen paar schoenen met hoge hakken zou uitkiezen. Ik zag me voor het oog van iedereen al struikelen in de hal van het college.

'Eerst ondergoed,' schreeuwde Rose. Ik bloosde weer en keek steels rond terwijl Rose de lingerie-afdeling binnenstoof.

'Deze lijken wel ongeveer je maat, zou ik zo zeggen, hoewel het moeilijk te zien is met al dat spul dat je aan hebt!'

Ik wou dat ze haar stem wat dempte. Een passerende heer keek me heel vreemd aan toen Rose triomfantelijk met twee vrolijk gebloemde slipjes zwaaide. 'Zijn deze niet leuk!?'

Ik slikte moeilijk.

'Nu de panty's,' riep ze terwijl we naar een andere hoek renden.

'Panty's!?' riep ik uit terwijl ik me balletdansers en toneelstukken uit de tijd van Elizabeth I met broekkleppen en al voor de geest haalde. Lieve God! 'Waar heb ik in hemelsnaam panty's voor nodig?'

Ze keek me aan, een moment lang stomverbaasd over mijn verbijstering. Dan klaarde haar gezicht op.'Hemeltje! Ik denk niet dat je ze ooit hebt gedragen. Het zijn kousen in de vorm van een broek! Geloof me, zuster – sorry, Karen –, het is de mooiste uitvinding sinds het gesneden brood! We dragen ze in plaats van gewone kousen. Ze zitten heel prettig en zijn veel decenter, vooral nu de rokken zo kort zijn. Betaal jij deze alvast, dan probeer ik een onderjurk voor je te vinden.'

Nerveus frommelde ik in mijn portemonnee naar geld, niet in staat de caissière aan te kijken. Wat moest ze wel niet denken? Het was een vreemd gevoel mijn eigen kleren te kopen. In het klooster was alles ons altijd uitgedeeld. En dan dat geld uitgeven. Jarenlang had de gelofte van armoede betekend dat ik nooit geld in handen had gehad. Elke tube tandpasta was voor me gekocht. Het leek me fundamenteel fout de caissière de bankbiljetten te overhandigen. Elke maand hadden we allemaal een standaardbrief aan onze superieure geschreven waarin we toestemming vroegen onze pennen, gebedenboeken, toiletspullen, papier en potloden te gebruiken. Dat gebruik herinnerde ons eraan dat we zelf niets bezaten. En nu stond ik hier voor mezelf met ponden te smijten. Ik had het gevoel dat ik daar toestemming voor moest vragen. Maar er was niemand meer bij wie ik dat kon doen.

'Kijk eens!' gilde Rose triomfantelijk. 'O Karen, kijk eens!' Opnieuw werden er hoofden omgedraaid toen ze naar me toe rende, zwaaiend met een bleekroze onderjurk van normale lengte met een rand van rozenknopjes.'Is hij niet snoezig? Ik weet wel dat je niet echt een onderjurk nodig hebt, maar ik wil dat je iets leuks hebt. Dat zal je opvrolijken. Ik weet zeker dat dit de juiste maat is.Wil je hem even voor je omhoog houden?'

'Nee,' zei ik haastig. 'Dank je wel, Rose.' Hij was snoezig maar opnieuw had ik dat vreemde gevoel dat hij niet bij me paste.Wat moest ik met snoezig, frivool ondergoed? Het had allemaal iets heel verwarrends, iets waarin ik me niet wilde verdiepen. Dit kon ik niet zijn! Rondrennen in een winkel op dit uur van de dag en onderjurken en beha's aanpakken. Ik had in de kloosterkapel moeten zijn. Het was tijd voor de vespers. Over vijf minuten zou de cantor drie maal op de kansel kloppen en dan zou de communiteit opstaan en beginnen te zingen.

'O God, kom mij te hulp!'

'Heer, haast U mij te helpen!'

Ze zouden het nu wel weten. Zouden ze voor me bidden? Terwijl ik Rose blindelings volgde naar de afdeling damesmode, voelde ik opnieuw een zo scherpe scheut van heimwee dat de tranen me in de ogen sprongen en de winkel even in een waas was gehuld. Er was geen weg terug – o nee, dat wist ik. Dat kon ook niet. Maar hoe verlangde ik ernaar om voor even in het klooster terug te zijn, veilig in de wereld die ik kende.

'Het gaat fantastisch!' zei Rose vrolijk. 'We hebben nog vijf minuten! Ah, daar zijn de rokken.' Ze haastte zich langs de lange toonbank terwijl ik achter haar aan strompelde. 'Nee, die niet – die is te opzichtig voor je; nee – te saai. Hier! Wat vind je van deze?'

Ze hield een beige-grijze, rechte rok met een riem omhoog. 'Die is leuk. Een sjieke kleur – je kunt er van alles bij dragen! Dat wil je ook in het begin. Een paar basisdingen totdat je beslist wat je echt leuk vindt om te dragen. Hier...' zei ze terwijl ze de rok voor me omhoog hield en zich achterover boog en aandachtig het effect bestudeerde.

'Rose!' fluisterde ik dringend terwijl ik probeerde te kijken alsof ik kleren voor de armen aan het kopen was. Een groepje verkoopsters had zich rond de toonbank verzameld en keek fluisterend en giechelend in mijn richting. 'Rose! Dit kan ik onmogelijk dragen. Het is veel te kort.'

Omhoog gehouden tegen mijn habijt leek het rokje absurd klein. Het kwam tot halverwege mijn dijen, waar mijn onderhemd eindigde. 'Ik kan het niet dragen, Rose, echt niet!'

'Je kunt het best dragen, Karen.' Ze pakte me gerustellend bij mijn elleboog. 'Het is niet te kort, echt niet. Kijk maar mijn rok.' Ze trok haar jas opzij. Ik zuchtte ongelukkig. Haar stond het goed. Maar mij? Mijn benen! Ze waren verschrikkelijk, echt verschrikkelijk. Ze behoorden voor altijd verborgen te blijven. 'Karen,' zei ze terwijl ze me vastberaden in de richting van de truien duwde, 'je moet er niet meteen al uitzien als een tut. Echt niet, want dan zul je je nooit kunnen losmaken van het verleden. Ik wil dat je er meteen fantastisch uitziet!'

Ze had gelijk.

'Dit, denk ik.' Ze hield een gebreid vestje omhoog. 'Van welke kleur hou je? Alstublieft...' wendde ze zich tot de verkoopster. 'Alstublieft, ik weet dat het na sluitingstijd is. Maar dit is zo belangrijk. Echt. Het is misschien wel de belangrijkste dag van haar leven. Helpt u ons alstublieft.'

'In orde, schat.' Het meisje achter de toonbank glimlachte naar ons, bezweken voor de dramatische toon die Rose aansloeg. Ze staarde me nieuwsgierig aan, smachtend van verlangen te weten wat er aan de hand was. 'Ik zelf vind de blauwe het mooist.'

'En de grijze?' vroeg ik met weinig hoop. Dat lag het dichtst bij zwart.

'Nee.' Rose schudde haar hoofd. 'Veel te saai bij de rok. Het *moet* blauw of roze zijn. Kies maar.'

Ik glimlachte de glimlach der verslagenen.

'Blauw, alsjeblieft.'

Verdwaasd keek ik mijn kamer rond die nu vol mensen was. Het nieuws van mijn 'ontkleding' had snel de ronde gedaan. Nadat ze me tactvol alleen hadden gelaten om me om te kleden, waren Rose en Bridget naar hun eigen kamers in een ander deel van het college gegaan om hun kappersspullen op te halen. Ze waren teruggekomen met vier andere vriendinnen die graag getuige wilden zijn van het schouwspel. Steeds weer werd er op de deur geklopt door iemand anders die erbij wilde zijn. Er moesten nu zo'n veertien mensen in de kamer zijn. Ze zaten op het bed en op de grond en riepen vrolijke aanmoedigingen.

'Rose, knip het niet te kort. Kijk uit voor haar – soms laat ze zich helemaal meeslepen.'

'Mijn god, zuster, je ziet er heel wat beter uit nu je die afschuwelijke kleren hebt uitgetrokken.'

'Vind ik ook! Ik zou je echt niet hebben herkend!'

'Ja. Wat zullen die andere kleren ongemakkelijk hebben gezeten. Zo dik en warm. We konden helemaal niets van je zien.'

Ik zat met een handdoek om mijn schouders en liet Rose gedwee mijn haar in een soort coupe knippen en kammen. Ja, het habijt was warm geweest en had ongemakkelijk gezeten, maar ik was eraan gewend. Ik was er veel meer aan gewend dan aan deze nieuwe kleren. Wat was het droevig geweest het voor de laatste keer uit te trekken. De sluier die door de bisschop was opgespeld ten teken dat ik afstand had gedaan van de wereld, de gordel der gehoorzaamheid, het zwarte habijt dat de armoede symboliseerde. Ik dacht terug aan de dag dat ik in Tripton was gearriveerd, mijn kleren blij had weggegooid en daarbij had gedacht dat ik een oud leven weggooide. Nu wist ik wel beter. Je kon het ene leven niet inwisselen voor een ander door simpelweg van kleding te wisselen. Kleren waren alleen maar een symbool van iets veel diepers. En ditmaal was ik niet blij over de verandering. Hoewel ik iets noodzakelijks en on-ontkoombaars deed, stormde ik niet vol vertrouwen de toekomst tege-moet.

Ik keek rond naar de meisjes die de transformatie gretig volgden en van het schouwspel smulden. De meesten van hen zouden wel denken dat ik opgelucht was nu ik dit besluit had genomen. Nu was ik immers na jaren van spanning vrij. De wereld lag voor me met al haar verruk-kingen: ik kon op reis gaan, verliefd worden, vrienden maken en mooie kleren dragen. Maar ik kon me nog steeds niet voorstellen dat ik deze dingen zou doen.

'Zo is het goed!' besliste Rose. 'Echt, Karen, ik sta verbaasd over de goede conditie van je haar. Het zit leuk, vinden jullie ook niet! Ik be-doel, het valt zo gemakkelijk in vorm. Sommige mensen hebben zulk piekhaar. Ik verwachtte dat dat van jou verschrikkelijk zou zijn. Hele-maal vlassig en dood met hier en daar kale plekken.'

'Heb je je krultang bij je, Rose?' vroeg iemand. 'Ik denk dat je het aan de uiteinden een beetje moet laten krullen.'

Terwijl ik de geur van schroeiend haar rook, maakten Bridget en een ander meisje, dat Mary heette, me op. 'Geen make-up,' had ik zwakjes geprotesteerd.

'Natuurlijk wel!' riepen de toeschouwsters vastberaden in koor. Ik glimlachte. De vriendelijkheid in de kamer was onmiskenbaar. Natuur-lijk zag ik dat ze van het schouwspel genoten en nieuwsgierig waren, maar toch was het een echte warmte, niet de koude welwillendheid waar ik in de orde aan gewend was geraakt. Iemand had een fles sherry te voorschijn gehaald. 'Ik vind dat we deze gelegenheid moeten vieren met een beetje drank,' en omdat ik niet onbeleefd wilde zijn nam ik ook een slokje. Het spul brandde in mijn keel en maakte dat ik moest hoes-ten en proesten. Er klonk een vrolijk gelach op.

'Succes, Karen!'

Opnieuw werd er op de deur geklopt. Er kwam een lang, verwaand uitziend meisje binnen. Ze had een grote uilenbril op en lang, steil haar dat tot aan haar schouders reikte. Ik had haar af en toe rond zien lopen in het college. Wanneer we elkaar op de trap tegenkwamen, keek ze met een kille blik dwars door me heen. Ik keek haar verwonderd aan. Wat kwam zij hier doen?

Ze liep de kamer door met een groot papieren pak in haar handen. 'Ik heb dit vanmorgen voor mezelf gekocht,' sprak ze koel maar enigszins verontschuldigend. 'Het is een trui. Ik vind hem heel mooi – hij zal je goed staan. Ik wilde ook een bijdrage leveren aan deze heel belangrijke gelegenheid.'

Verbaasd keek ik haar aan en probeerde haar te bedanken, probeerde mijn gezicht de emotie te laten tonen die ik voelde. Maar opnieuw voelde ik dezelfde machteloosheid. Mijn woorden van dank leken zwak en misplaatst. Ze wuifde ze weg en slenterde op haar gemak de kamer uit.

'Prima! Nou, Karen, wat vind je ervan?' Vastberaden duwde Rose me in de richting van de grote spiegel naast de kapstok. Nieuwsgierig keek ik naar mijn spiegelbeeld. Een vreemd meisje keek me aan – krullend haar, make-up, gewone moderne kleren. Het meisje was een volslagen vreemde voor me. Natuurlijk zag ik dat ik het was. Maar dat meisje in dat schandelijk korte rokje was niet degene die ik was. Het was een travestie van een ideaal waar ik naar keek. Hoe lang zou het duren voordat we in elkaar opgingen – de non die ik echt was en dat meisje in de spiegel? Maar één ding wist ik zeker: het zou lang duren en ik zou er hard voor moeten werken – net zo hard als ik had moeten werken om van mezelf een non te maken.

'Nu,' zei Rose, 'nemen we Karen met z'n allen mee naar de eetzaal zodat ze zich niet verlegen hoeft te voelen. Laten we haar in het midden van onze groep zetten, zodat ze niet merkt dat mensen haar aanstaren.'

'Ik denk niet dat anderen haar herkennen,' zei iemand.

'Ze ziet er zo totaal anders uit.'

'Waarschijnlijk denken ze dat je een gast van een ander college bent,' zei Bridget.

Het was vreemd om 's avonds zo gekleed uit te gaan. De zwakke sensatie van de wind die door mijn haar en tussen mijn benen door blies, maakte dat ik me onbeschut en kwetsbaar voelde. Ik schrok ervoor terug me zo aan iedereen te vertonen en verlangde naar de beschuttende bedekking van het habijt. Voor hoeveel dingen had dat habijt me niet beschermd! Nu stond ik onbeschermd in de wereld, als een gemakkelijke prooi voor iedereen. Overgelaten aan mijn lot moest ik helemaal opnieuw beginnen.

Maar de vriendelijke kring van meisjes om me heen toen we de enorme, vochtig warme eetzaal betraden, herinnerde me eraan dat ik niet helemaal onbeschut en alleen was. Morgen en de volgende dag en de komende jaren zouden me de problemen brengen die ik onder ogen moest zien, de strijd die ik zou moeten leveren om weer in de wereld te leren leven. Morgen zou nog moeilijk genoeg worden.

Maar laat ik daar nu niet aan denken, dacht ik, *niet zolang ik ben omgeven door warmte en gelach, niet zolang ik vriendschap en genegenheid ontvang. Later, ja. Maar niet vanavond.*

Nawoord

1980

Gisteren lunchte ik met een vriendin. Vroeger was ze zuster Rebecca, maar ze verliet de orde een jaar of twee na mij. Ik zag hoe ze zich, kaarsrecht op haar fiets zittend, een weg baande door het agressieve verkeer van Regent Street. Ze zag er nog net zo uit als toen ze in Oxford rondfietste in haar habijt, even kaarsrecht als nu en haar gezicht een strak masker van concentratie. We begroetten elkaar enthousiast terwijl ze haar fiets wegzette en haar wapperende Indiase rok ontdeed van een grote paperclip waarmee ze hem had vastgemaakt zodat hij niet tussen de spaken zou komen.

'Ik kan niets anders vinden om te gebruiken,' zei ze toen ze me zag lachen. 'Hoe deden we dat in het klooster?'

'We stroopten onze rokken op.'

'Ja, en dan wiebelen op een ongemakkelijke bobbel!'

We glimlachten bij deze gezamenlijke herinnering. We zijn altijd weer blij elkaar te zien.

'Het is zo'n opluchting met iemand te praten die echt begrijpt hoe het was,' zei ze. 'Ik kan er met niemand anders over praten.'

'Merk jij dat mensen schijnen te denken dat het niet goed voor je is er te lang bij stil te staan en daarom snel van onderwerp veranderen?' Dat was zo vaak mijn ervaring geweest.

'Nee, niet echt. Ik merk dat ik er gewoon niet tegen kan iemand te vertellen dat ik vroeger non ben geweest. Telkens wanneer ik op straat een non tegenkom – zelfs een van die smakeloos geklede moderne – heb ik het gevoel dat ze het weten en het me verwijten. Dan ga ik hen zo snel mogelijk voorbij zonder zelfs maar naar ze te kijken. En jij weet wat het is. Als mensen me vragen: "Wat hebt u gedaan voordat u uw huidige baan kreeg?... en daarvoor?... en daarvoor?" zie ik er verschrikkelijk tegenop het hun te moeten vertellen. Meestal blijf ik er vaag over.'

Ik wist precies hoe dat was. Anders dan Rebecca, sta ik erop de mensen te vertellen dat ik non ben geweest als ze die vragen stellen. Dan leun ik achterover en wacht op hun reactie, die altijd even op zich laat wachten – 'U ziet er niet uit als een non!' Nee, nu niet. Waarom zou ik? Of ze kijken of ze iets onaangenaams zien en zeggen: 'Ik weet zeker dat u blij bent dat dat allemaal voorbij is' om vervolgens van onderwerp te veranderen. Of, erger nog, ze kiezen voor de 'Vertel ons alle bloederigere details'-benadering. Hoe ik het ook probeer, ik ben er nog nooit in geslaagd het belangrijkste deel van mijn leven uit te leggen, zelfs niet aan mensen die me het naast staan. Daarom waardeer ik Rebecca zo. Zij alleen begrijpt iets van de zware taak die op ons beiden rust: in het reine komen met de jaren die we in het klooster hebben doorgebracht en er op een of andere manier voor zorgen dat ons leven in de wereld het contact behoudt met de nonnen die we waren en nog steeds zijn. We hebben beiden een heel verschillende manier gevonden om om te gaan met de buitenwereld, maar we begrijpen tenminste de aard van de strijd.

Toen Rebecca en ik hadden geluncht, vertelde ik haar dat ik dit boek had geschreven. Ik was een beetje bang voor haar reactie. Ze komt tenslotte in het boek voor.

Ze keek me een poosje zwijgend aan en dan verscheen er langzaam een glimlach op haar gezicht. 'Wat verbazingwekkend,' zei ze eerst. Vervolgens kreeg haar gezicht een peinzende uitdrukking. 'Het werd tijd,' zei ze. 'Wat dapper van je.'

Opnieuw wist ik wat ze bedoelde. Het is pijnlijk die jaren onder ogen te zien omdat ze nooit ophouden. Mensen schijnen aan te nemen dat die ervaring nu voorbij is en dat haar enige nut voor mijn huidige leven een voorraad grappige verhalen is die je bij dineetjes kunt vertellen. Maar het inzicht dat ik had toen ik de orde verliet – dat ik in bepaald opzicht altijd een non zou blijven – is juist gebleken. Toch was ik het met Rebecca eens toen ze zei dat ze er nooit aan twijfelde dat haar besluit om uit te treden juist was geweest.

'Dat is het enige dat ik nooit heb betreurd,' zei ze. 'De hemel weet dat het leven sindsdien geen rozengeur en maneschijn is geweest, maar de gedachte terug te gaan is nooit bij me opgekomen.'

'Soms,' zei ik, 'als het erg moeilijk en eenzaam was, keek ik terug en verlangde ik naar iemand die me raad kon geven. We hadden de regel en superieuren om ons te leren hoe we nonnen moesten worden, maar niets en niemand om ons te helpen ermee op te houden. Maar ik wist dat ik niet terug kon, zelfs al hebben ze me op een keer verteld dat dat wel zou kunnen als ik het zou willen.'

Ik vind nu ook dat ik die eerdere beslissing om non te worden niet hoef te betreuren. Hoewel ik belachelijk jong was, was het destijds helemaal niet ongewoon op je zeventiende in het klooster te treden. Maar nadat ik was uitgetreden, werd besloten dat een meisje pas mocht intreden als ze ten minste drie jaar ervaring in de wereld had nadat ze van school was gegaan.

Ik heb geprobeerd te schrijven over het eerste begin van mijn roeping zoals het in die tijd op mij overkwam, maar nu ik dat in samenhang zie met al mijn idealisme, besef ik dat ik een wereld wilde ontvluchten die ik dacht niet aan te kunnen. Toen ik besloot non te worden werd ik in bepaald opzicht een 'drop-out', op de manier die me was gedicteerd door mijn katholieke achtergrond. Natuurlijk had ik nog nooit van een 'drop-out' gehoord, maar dergelijke ideeën moeten destijds in de lucht hebben gehangen, zelfs op een kloosterschool in Birmingham.

Tegenwoordig is dat allemaal heel anders. De orde veranderde door de decreten van het Tweede Vaticaans Concilie. De nonnen dragen geen habijt meer, de regel van stilte is verzacht, en de oude rituelen en gebruiken zijn verdwenen. De novicen zijn niet langer afgezonderd van de wereld, en ook de beproevingen en tuchtigingen die voor hen werden uitgedacht zijn voorbij. Ze wonen in Londen in een levendige communiteit en zijn altijd de deur uit. Het kapittel van zonden, openbare penitentie, processies door vochtige kloostergangen, middeleeuws ondergoed, sobere slaapzalen – het is allemaal verleden tijd. Nonnen wonen in vrolijke zit-slaapkamers die ze zelf inrichten en kunnen bezoekers uitnodigen om hen te spreken en koffie met hen te drinken.

Zou het iets hebben uitgemaakt bij mijn besluit uit te treden als het zo was geweest toen ik intrad? Ik denk het niet. Dan had ik me waarschijnlijk aangesloten bij een van de strengere beschouwelijke orden. Het is alweer jaren geleden dat ik een klooster heb bezocht, maar bij mijn laatste bezoek voelde ik me teleurgesteld en ambivalent over wat ik zag. Het leek me dat de oude rituelen en strengheid het kloosterleven een waardigheid gaven die het niet langer heeft. Natuurlijk moesten er veranderingen komen, en de nonnen zullen betogen dat er niets essentieels is verdwenen. Maar er moet een systeem worden gevonden dat kan helpen dat ene overeind te houden dat nooit kan worden veranderd: het leven van een non betekent niets tenzij ze bereid is elk stukje van zichzelf op te geven. De strenge regels van de oude tijd hebben mij althans heel duidelijk gemaakt wat dat betekende.

Op de dag dat ik uittrad, wist ik dat ik een eenzame en moeilijke tijd tegemoet ging, maar ik had er geen idee van hoe verschrikkelijk de periode van aanpassing wel zou zijn. Meer dan zes jaar lang moest ik een plaatsje voor mezelf bevechten in de wereld die ik zo grondig had afgezworen. Ik weet nog hoe iemand op Pasen van mijn eerste jaar als novice ons gezang tijdens de paaswake had opgenomen. Op een avond liet moeder Walter het ons horen tijdens de recreatie, en ik luisterde verbaasd naar onze stemmen, die zich zuiver en vol vertrouwen als die van koorknapen verhieven in serene lof. 'Moeder,' zei ik terwijl ze de band omdraaide, 'we klinken helemaal niet als vrouwen. We klinken...' Mijn stem stierf weg; ik kon niet op de woorden komen: seksloos, kinderlijk, zonder hartstocht. Moeder Walter keek verbijsterd en wuifde mijn opmerking weg als niet ter zake, maar ik herinner me dat ze de rest van de avond de tafel rondkeek naar mijn medenovicen. Ik wist hoe vaak ieder van hen zich in slaap huilde in de volle slaapzaal boven (meestal lag er ook wel een 's nachts te snikken) en ik wist uit de eindeloze publieke terechtwijzingen hoe mijlenver we, in onze persoonlijke zorgen en problemen, af waren van dat zuivere, gelukkige geluid dat uit de bandrecorder kwam. Toch hadden wij het voortgebracht; het kon niet allemaal een leugen zijn. Een worstelende groep jonge vrouwen had dat blijde, eunuchachtige gezang voortgebracht. Zonder enige passie. Ergens waren we liefhebbende, seksuele wezens, vol depressiviteit en strijd, maar we zagen er even vredig uit als engelen. 'Mijn vrede is niet van deze wereld,' had Christus gezegd en ik had gemerkt dat dat waar was. Ik voelde me maar zelden vredig en vaak voelde ik me diep ellendig, maar op een ander (dieper?) niveau was ik gelukkig omdat ik wist dat ik was waar ik wilde zijn.

'Maar wat een verspilling,' roepen mensen zo vaak uit. 'Zeven jaar! Zulke belangrijke jaren. Je jeugd op een onnatuurlijke manier weggegooid!' Een paar jaar geleden zou ik het met hen eens zijn geweest. Maar nu kan ik eerlijk zeggen dat ik de ervaring niet had willen missen. Ik heb althans één keer in mijn leven geprobeerd absoluut en doelbewust te leven.

Het ideaal van het kloosterleven is naar mijn mening nog steeds prachtig. Maar slechts enkelen van de mensen die het in praktijk proberen te brengen zijn daartoe in staat. Mijn meest beslissende fout was dat ik een te grote waarde hechtte aan de wil. Rebecca en ik waren beiden ziek in de orde, maar het geloof in de soevereiniteit van de wilskracht was zo sterk dat het pas bij de nonnen opkwam dat we naar de dokter moesten toen het te laat was. Wat zou het fantastisch zijn als de wil echt soeverein was; als al die emoties, lichamelijke aandriften en ziekten en het duistere onbewuste konden worden beheerst door een sterke wilskracht. In de orde ontdekte ik dat we gecompliceerde wezens zijn en dat geest, hart, ziel en lichaam voortdurend zijn verwikkeld in een bloedige strijd. Een van de belangrijkste dingen die ik van het kloosterleven leerde, was juist de relatieve machteloosheid van de wil. Het is goed dat te beseffen, maar het maakt je wel nederig. Het brengt een soort vrede mee.

Ik ben nu een betere non dan ik ooit in het klooster ben geweest. Je kunt zo bang zijn andere mensen meer lief te hebben dan God dat je ronduit liefdeloos wordt. Het is stellig beter anderen lief te hebben, hoe slordig en onvolkomen je betrokkenheid bij hen ook is, dan je vermogen om lief te hebben te laten verharden. Ironisch genoeg zie ik tegenwoordig bij mezelf soms de eigenschappen van onthechting en onafhankelijkheid die gelijk zijn aan die welke ik zo moeizaam probeerde te verwerven toen ik een non was. Het treurige is dat ik deze eigenschappen niet meer zoveel waarde toeken als vroeger; ze kunnen zo gemakkelijk ontaarden in onverschilligheid jegens anderen en zelfgenoegzaamheid.

De nonnen bij wie ik woonde waren liefdevolle en integere vrouwen. Ze streefden een bovenmenselijk ideaal na en het is niet verwonderlijk dat ze fouten maakten. Ze deden hun best voor me, maar onderling faalden we. In het kloosterleven gaat het om liefde en liefde brengt risico's mee. Misschien heeft geen van ons genoeg risico genomen.